S0-AVR-279

Per J. Andersson

# Vom Inder, der mit dem Fahrrad bis nach Schweden fuhr, um dort seine große Liebe wiederzufinden

Eine wahre Geschichte

Aus dem Schwedischen
von Susanne Dahmann

Kiepenheuer
& Witsch

Verlag Kiepenheuer & Witsch, FSC®-N001512

9. Auflage 2015

Titel der Originalausgabe: *New Delhi – Borås*
© Per J Andersson 2013
All rights reserved
Aus dem Schwedischen von Susanne Dahmann
© 2015 Verlag Kiepenheuer & Witsch, Köln
Alle Rechte vorbehalten. Kein Teil des Werkes darf in irgendeiner Form (durch
Fotografie, Mikrofilm oder ein anderes Verfahren) ohne schriftliche Genehmigung
des Verlages reproduziert oder unter Verwendung elektronischer Systeme
verarbeitet, vervielfältigt oder verbreitet werden.
Umschlaggestaltung: Sabine Kwauka
Umschlagmotiv: © Victoria Wlaka / Getty Images und © Katyau / shutterstock
Foto Backcover: © picture alliance / Aftenposten
Autorenfoto: © Christopher Hunt
Åsa Hjertstrand Brensén
Fotos im Innenteil: aus Privatbesitz
Fotos S. 332: © picture alliance / Aftenposten
Gesetzt aus der Dante
Satz: Felder KölnBerlin
Druck und Bindung: CPI books GmbH, Leck
ISBN 978-3-462-04747-9

# Die Prophezeiung

Seit dem Tag, an dem ich in einem Dorf im Dschungel geboren wurde, ist mein Leben vorbestimmt.

Es war Winter und kurz vor dem Neujahrstag der Engländer, der immer noch gefeiert wurde, obwohl sie zwei Jahre zuvor abgezogen waren. Normalerweise regnete es nicht um diese Jahreszeit, doch in jenem Jahr hatte sich der Nordostmonsun länger über den Küsten von Orissa aufgehalten. Aber schließlich hatte es doch aufgehört zu regnen, auch wenn die dunklen Wolken immer noch die bewaldeten Hügel rechts und links des Flusses verbargen, sodass man meinte, es beginne schon zu dämmern, obwohl erst Vormittag war.

Doch dann brach die Sonne hervor und überstrahlte das Dunkel.

In einem Korb in einer der Hütten des kleinen Dorfes lag ich, die Hauptperson dieser Geschichte, immer noch namenlos. Ich war gerade erst geboren, und meine Familie stand um mich versammelt und betrachtete mich neugierig. Der Astrologe des Dorfes war auch zur Stelle und musterte mich, der ich im Zeichen des Steinbocks und am selben Tag wie der Prophet der Christen geboren war.

»Da«, sagte einer meiner Brüder, »seht ihr?«

»Was?«

»Da, über dem Baby!«

Alle sahen den Regenbogen, der sich in den vom Fensterloch einfallenden Lichtstrahlen zeigte.

Der Astrologe wusste, was das bedeutete.

»Wenn er groß ist, wird er mit Farbe und Form arbeiten.«

Schon bald breitete sich ein Gerücht im Dorf aus. Ein Regenbogenkind, sagte einer. Eine große Seele, ein Mahatma ist geboren, sagte ein anderer.

Ungefähr eine Woche später verirrte sich eine Kobra in die Hütte. Sie erhob sich über dem Korb, in dem ich, arglos ob der Gefahr, lag und schlief, und spannte ihre muskulösen Halsschilde auf. Als meine Mutter die Schlange erblickte, glaubte sie zunächst, sie hätte zugebissen, und ich sei schon tot. Während die Schlange aus der Hütte kroch, lief sie zum Korb und entdeckte, dass ich lebte. Ich lag still da, betrachtete meine Finger und schaute mit meinen dunklen Augen ins Nichts. Ein Wunder!

Die Schlangenbeschwörer im Dorf erklärten, die Kobra sei in die Hütte gekommen und habe ihre Halsschilde aufgespannt, um mich vor dem Regen zu schützen, der direkt über meinem Korb durch ein Loch in der Decke fiel. Es hatte in den letzten Tagen stark geregnet, und das Wasser war durch das Dach der Hütte gedrungen. Die Kobra ist göttlich, und das schützende Verhalten der Schlange war ein Zeichen Gottes an die Menschen. Der Astrologe nickte zustimmend, als die Schlangenbeschwörer mit ihrer Darlegung fertig waren. So ist es, bestätigte er. Da gab es nichts zu deuten.

Ich war kein gewöhnliches Baby.

Danach war wieder der Astrologe an der Reihe. Seine Aufgabe war es, aufzuschreiben, was in meinem Leben geschehen würde. Mit einem angespitzten Holzstift ritzte er in ein Palmblatt: »Er wird sich mit einem Mädchen verheiraten, das nicht aus dem Stamm, nicht aus dem Dorf, nicht aus dem Bezirk, nicht aus der Provinz, nicht aus dem Bundesland und auch nicht aus unserem Land stammt.«

»Du musst nicht nach ihr forschen, sie wird dich aufsuchen«, sagte der Astrologe und sah mir geradewegs in die Augen.

Mama und Papa konnten erst nicht sehen, was der Astrologe in das Blatt geritzt hatte. Erst mussten sie die Flamme einer Öllampe unter einen mit Butter eingeriebenen Messingständer halten und den Ruß, der sich bildete, in die Kerben des dicken, porösen Blattes fallen lassen. Da trat der Text deutlich hervor. Jetzt musste der Astrologe nichts mehr vortragen, denn sie konnten selbst lesen: »Deine zukünftige Ehefrau

8

*wird musikalisch sein, einen Dschungel besitzen und im Zeichen des Stiers geboren sein«,* stand dort in runden, kringeligen Oriya-Buchstaben.

Seit jenem Tag, an dem ich anfing zu verstehen, wovon die Erwachsenen redeten, gehören das Palmblatt mit der Prophezeiung und die Erzählung von dem Regenbogen und der Kobra zu meinem Leben. Alle waren überzeugt davon, dass meine Zukunft schon festgelegt sei.

Ich bin nicht der Einzige, der eine Prophezeiung erhalten hat. In den Sternen steht die Zukunft eines jeden Kindes von der Stunde an, in der es geboren wird, geschrieben. Meine Eltern glaubten das, ich glaubte es, als ich aufwuchs, und in mancher Hinsicht glaube ich es bis heute.

*Sein ganzer Name* lautet Jagat Ananda Pradyumna Kumar Maha-nandia.

In diesem Namen ist viel Freude. Jagat Ananda bedeutet allge-meine Freude, und Mahanandia heißt große Freude. Und eigent-lich stimmt es nicht, dass dies sein ganzer Name ist. Der ist noch länger. Wenn man alle Namen zusammenzählt, die er von den Großeltern beider Seiten, von der Stammesgruppe und der Kaste erhalten hat, dann ergibt das einen langen Rattenschwanz von Namen, der insgesamt 373 Buchstaben enthält.

Aber wer kann sich schon 373 Buchstaben merken? Der Ein-fachheit halber begnügten sich seine Freunde mit zweien der Buchstaben. Die Initialen P (für Pradyumna) und K (für Kumar). Ganz einfach: PK. Oder Pikay, da man die englische Aussprache verwendete.

Doch seine Familie rief keinen dieser Namen, wenn sie das klei-ne Kind sahen, das so schnell über die Dorfwege lief und so hoch in die Mangobäume kletterte. Der Vater nannte ihn »Poa«, was Junge heißt, die Großeltern sagten immer »Nati« – das Enkel-kind –, und seine Mutter rief ihn »Suna Poa«, Goldjunge, weil seine Haut heller war als die seiner Geschwister.

Seine erste eigene Erinnerung an das Dorf am Fluss und am Rand des Dschungels stammt aus der Zeit, als er drei Jahre alt war. Vielleicht war er auch schon vier. Oder erst zwei. Das mit dem Alter wurde als nicht so wichtig betrachtet. Man scherte sich nicht um Geburtstage. Wer einen Dorfbewohner fragte, wie alt er war, der bekam eine unklare Antwort. Man war ungefähr zehn, um die vierzig, bald siebzig oder ganz einfach jung, mitten im Leben oder sehr alt.

Pikay erinnert sich jedenfalls dunkel, wie er in einem Haus mit dicken Wänden aus hellbraunem Lehm und unter einem Dach aus gelbem Gras stand. Später dann werden die Bilder klarer. Ringsherum lagen die Maisfelder mit ihrem staubigen Kraut, das in der Abendbrise raschelte, und den Gruppen von Bäumen, die dicke Blätter hatten, im Winter schön blühten und im Frühjahr süße Früchte trugen. Und dann war da der kleine Fluss, der in einen großen Strom mündete. Auf der anderen Seite des Flusses erhob sich eine Wand aus Blättern und Ästen. Da begann der Dschungel. Aus dem hörte man manchmal einen wilden Elefanten einen Trompetenstoß abgeben oder einen Panther oder einen Tiger knurren. Noch häufiger sah man die Spuren von wilden Tieren, Elefantenkot und den Abdruck einer Tigerpranke, und man hörte sirrende Insekten und singende Vögel.

Die Waldlichtung war Pikays Horizont, aber seine Welt erstreckte sich über den Horizont hinaus in den Wald hinein. Dort war die Welt zu Ende. Das Dorf und der Wald. Etwas anderes gab es nicht. Der Wald war unendlich, mystisch, geheimnisvoll und gleichzeitig bekannt und vertraut. Er war gleichermaßen ein Abenteuer wie eine Selbstverständlichkeit. Von der Stadt hatte er bis dahin nur reden hören, sie aber nie gesehen.

Im Haus wohnten außer ihm selbst seine Mutter, sein Vater und zwei ältere Brüder. Und dann natürlich die Großeltern väterlicherseits. So verhielt es sich in fast allen Familien. Gemäß der Tradition lebte der älteste Sohn weiter im Hause seiner Eltern, auch wenn er geheiratet und eine eigene Familie gegründet hatte. Shridhar, sein Vater, hielt sich an diese Tradition.

Doch er sah Shridhar nicht oft. Der Vater arbeitete als Postmeister in Athmallik, dem nächsten größeren Ort mit Basar, Teestuben, Polizeistation und Gefängnis. Weil es zu weit war, jeden

Tag die zwanzig Kilometer hin und zurück mit dem Fahrrad zurückzulegen, hatte sein Vater sich im Postamt ein Zimmer eingerichtet. Dort schlief er unter der Woche. Doch jeden Samstagabend fuhr der Vater zusammen mit Pikays zwei älteren Brüdern, die in Athmallik die Internatsschule besuchten, mit dem Fahrrad nach Hause zur Familie.

Es fühlte sich an, als wäre er ein Einzelkind. Von seiner Mutter erhielt er viel Aufmerksamkeit. An den meisten Tagen in der Woche waren schließlich nur sie beide und die Großeltern in dem Haus am Waldrand.

Das Dorf sonnte sich auf seiner Lichtung im Wald, der so dicht war, dass das Licht dort kaum bis zum Boden vordrang. Die meisten Häuser sahen gleich aus: runde und eckige Hütten aus braunem getrocknetem Lehm mit grauen Palmblattdächern und Bambuseinzäunungen für Kühe und Ziegen. Neben den Einzäunungen gab es Gemüsegärten und Heuhaufen für die Tiere. Außer den Lehmhütten gab es in dem Dorf noch ein paar von den Briten aus Barmherzigkeit für die Unberührbaren errichtete Ziegelsteinhäuser. Doch die Häuser waren, noch ehe überhaupt jemand hatte einziehen können, im Monsunregen verrottet und standen jetzt verlassen und mit eingefallenen Dächern herum. Und dann hatte das Dorf noch eine Grundschule und ein Haus, das vom Dorfrat für Versammlungen genutzt wurde.

Pikays Mutter pflegte zu sagen, sie wohnten in Indiens größtem Wald und Kondpoda sei das älteste Dorf im Wald. Das Dorf, sagte sie, war sowohl für die Lebenden als auch für die Toten ein Zuhause. Unten am Fluss gab es eine Senke im Sand, die als Kremierungsplatz genutzt wurde. Sie sagte, um Mitternacht würden sich dort die Seelen der Toten versammeln und singen und tanzen. Im Fluss war ein Strudel, in dem ein paar Jahre zuvor zwei frisch verheiratete und schwangere Frauen ertrunken waren. Sie hatte die Leichname am Strand liegen sehen mit stark leuchtenden roten Punkten auf der Stirn und meinte, der Grund dafür, dass die Punkte so schön leuchteten, wäre gewesen, dass die

Frauen so reine, unantastbare und keusche Leben geführt hätten. Ihre Augen waren weit offen, als würden sie immer noch nach etwas suchen. Ihre Münder waren auch weit offen, als hätten sie bis zum Schluss um Hilfe gerufen. In Wirklichkeit war es aber so, sagte sie, dass die toten Frauen die Münder weit geöffnet hatten, weil ihre Seelen sie durch den Mund verlassen und vergessen hatten, die Tür hinter sich zu schließen.

Abends, wenn sie neben ihrem Sohn auf der Strohmatte lag, erzählte sie ihm von den Seelen der toten Menschen, von Göttern, Göttinnen und schwarzer Magie. Mit ihren Arm- und Fußringen machte sie rasselnde, gespenstische Geräusche. Pikay schauderte es, mit klopfendem Herzen hielt er den Atem an. Er lauschte: In der Dunkelheit kamen die Geister keuchend und stöhnend näher. Doch dann spürte er den warmen Körper seiner Mutter. Wenn ihr klar wurde, dass sie ihren Sohn erschreckt hatte, umarmte sie ihn tröstend. Vom Glück des nachmittäglichen Spielens im Wald über die Angst im Tal der Toten bis hin zu Mamas beschützendem Arm. Mit diesem Gefühl schlief er ein.

Kalabati selbst hatte keine Angst vor den Toten. Sie glaubte, dass übelwollende Geisterwesen durch ein gesundes Selbstvertrauen auf Abstand gehalten werden konnten. Und das besaß sie. Nur wer an sich selbst zweifelt, ist angreifbar für die Macht der Toten.

»Solange ich mutig bin, kann mir niemand schaden, nicht einmal die Toten«, sagte sie.

*Bevor Pikay in* die Schule kam, wusste er nicht, was eine Kaste ist. Niemand hatte ihm erzählt, dass die Menschen in vier Kasten und Tausende Unterkasten eingeteilt werden. Er wusste nichts von der viele Tausend Jahre alten Liedsammlung, in der die Entstehung der vier Kasten beschrieben wird. Er hatte keine Ahnung von dem mystischen Urmenschen Purusha, der in vier Teile geteilt wurde. Davon, dass die Brahmanen, also die Priester, aus dem Mund von Purusha gemacht worden waren. Und dass die Kshatriyas, die Krieger, aus den Armen, die Vaishyas, die Kaufleute, Handwerker und Bauern aus den Oberschenkeln und die Shudras, die Arbeiter und Tagelöhner, aus den Füßen entstanden waren.

Ebenso wenig hatte er von den hochgewachsenen und hellhäutigen Indoariern gehört, dem Steppenvolk, das vor 3500 Jahren aus Zentralasien angeritten kam, dem Waldvolk auf der indischen Halbinsel Ackerbau beibrachte, sich selbst zu Priestern, Soldaten und Verwaltern machte und sich in die obersten Kasten einordnete. Oder von dem dunkelhäutigen Waldvolk, der Urbevölkerung, die in den untersten Gruppen landete und zu Bauern, Handwerkern und Bediensteten wurde, so wie die Familie von Pikays Vater, oder von den Jägern, die im Wald blieben und das Stammesvolk genannt wurden, wie die Verwandten auf der Seite seiner Mutter.

Als Pikay erwachsen wurde, fand er immer, dass sich das Kastensystem eigentlich kaum vom europäischen Feudalsystem und der Standesgesellschaft unterschied.

»Nicht sonderlich schwer zu verstehen«, pflegte er zu sagen, wenn die Leute aus dem Westen klagten, dass sie das Kastensystem nicht verstünden.

»Okay, ein bisschen komplizierter vielleicht«, gab er dann manchmal doch zu.

Und dann erzählte er ihnen, wie man in eine Gruppe geboren wird, die Jati (»geboren werden«) genannt wird und wie eine Zunft fungiert. Alle Jati sind Untergruppen zu den vier Hauptgruppen, den vier Varna – einem Sanskritwort, das »Farbe« bedeutet. Die vier Varna sind dasselbe wie die vier Hauptkasten, die in den alten hinduistischen Büchern beschrieben sind.

»Es gibt also nur vier Varna, aber Millionen Jati«, erzählte Pikay.

»Millionen Jati? Wie in aller Welt haltet ihr die denn auseinander?«, fragten dann seine Freunde aus dem Westen, und wenn Pikay antwortete, dass sie das gar nicht könnten, kein Inder könne das, ließen sie das Gesprächsthema immer fallen und redeten von etwas anderem.

Darauf, dass seine eigene Familie zu keiner der vier Varna gehörte, sondern als die »Kastenlosen«, »Unberührbaren« oder »Dalit« klassifiziert war, ging er nur ein, wenn jemand insistierte. Das war schließlich nichts, worauf er wirklich stolz war. Doch Pikays Leben wäre niemals so verlaufen, wenn er nicht zu den Unberührbaren gehört hätte.

Der Vater der Nation, Mahatma Gandhi, wollte den Status der Dalits anheben und nannte sie deshalb »Kinder Gottes«. Pikay fand, das sei eine schöne Formulierung. Gandhi wollte nur das Beste, ihnen einen schönen Namen geben, der ihre Situation erleichtern sollte. Seit Indien von den Briten frei war, klassifizierten die Behörden sie als »scheduled castes« und gewährten ihnen ermäßigte Zugtickets und bestimmte Quoten, damit sie leichter in die Universitäten kommen und in politische Organisationen gewählt werden konnten. Das waren wohlmeinende Anstöße, die den niedrigen Status der Kastenlosen verbessern sollten.

Im Grunde waren alle Voraussetzungen, die ein Ende der Diskriminierung hätte bedeuten können, in Form von Gesetzen geschaffen worden, die dem Unrecht entgegenwirken sollten. Doch ein Gesetz nutzt nur dann etwas, wenn auch danach gelebt wird. Tief in den Köpfen der Menschen saßen die uralten Vorurteile und Werte so fest wie die Teile des Urgebirges.

Die Veränderung musste von innen kommen, aus den Herzen der Menschen, das hat Pikay gelernt.

*Seit ihrem zwölften* Lebensjahr wollte Lotta nach Indien. Sie erinnert sich noch gut daran: In der siebten Klasse wurde ein Film über den Ganges gezeigt. Der Filmprojektor surrte, und die Sonne ging über dem Fluss auf. Sie erinnert sich an die Sitarmusik, die aus den Lautsprechern schnarrte, an die Glocken, die von einem Tempel her klangen, und an die Pilger, die von den Treppen in den Fluss stiegen, bis ihnen das Wasser bis zur Taille reichte.

Lotta dachte oft daran, dass dieser Schwarz-Weiß-Film ihr erster Kontakt mit Indien gewesen war.

Der Film über den Ganges berührte sie mehr als alles andere, was sie in der Schule erlebte. Nachdem sie den Film gesehen hatten, schrieben alle einen Aufsatz über ihre Eindrücke. Sie schrieb einen langen und gefühlvollen Text.

Eines Tages werde ich dorthin reisen, dachte Lotta.

Sie wollte Archäologin werden. Sie liebte es, in der Erde zu graben und nach Dingen zu suchen. Sie träumte von sensationellen Funden und davon, wie sie das Knäuel der Geschichte zu glatten Fäden entwirren würde. In der Schule fertigte sie aus eigenem Antrieb ein großes Bild von den Pyramiden Ägyptens an und las über den britischen Archäologen Howard Carter, der das Grab des Tutanchamun entdeckt hatte. Der Fluch, der Carter traf, faszinierte sie. Es kitzelte ihr im Bauch, wenn sie las, wie einundzwanzig der Mitarbeiter, die bei den Ausgrabungen dabei gewesen waren, auf seltsame Weise gestorben waren. Solche Mysterien wollte Lotta erforschen.

Als Jugendliche ging sie in die Bibliothek, um Bücher über Ufos auszuleihen, und sie reiste nach Göteborg, um Vorträge über das Leben auf anderen Planeten im Weltall zu hören. Sie abonnierte eine Ufo-Zeitung, von der sie jede Ausgabe von vorne bis hinten durchlas, fest davon überzeugt, dass die Erdenbewohner im Universum nicht allein waren.

Gleichzeitig träumte sie von dem Leben, wie es früher gelebt worden war. Sie stellte sich vor, sie wäre im 16. Jahrhundert geboren und ihre Familie würde in einer Hütte im Wald leben. Das Leben ohne Bequemlichkeiten und technische Geräte. Alles war reduziert, einfach, naturnah.

*Seine Mutter war* die Einzige, die verstand, wer der kleine Pikay eigentlich war. Sie hieß Kalabati, hatte dunkelblaue Strichtätowierungen im Gesicht, ein Goldherz in der Nase und Goldmonde in den Ohren. Das Einzige, was es heute noch von ihr gibt, ist ein Messingkerzenleuchter in Form eines Elefanten. Das war ihr Lieblingsleuchter. Wenn Pikay den Leuchter betrachtet, wie er jetzt auf dem Kaminsims in dem gelben Haus im Wald steht, dann denkt er an sie.

Im Dorf war es traditionell ihre Aufgabe, anlässlich der jährlichen Feste magische Figuren auf die Hauswände zu malen. Sie hatte den künstlerischen Blick und eine geschickte Hand bei der Malerei. Ihre Künste wurden von allen im Dorf angefragt, sogar von den Brahmanen. Wenn ein Fest bevorstand, stand sie früh auf, bestrich die braunen Lehmwände der Hütte mit Kuhdung und fing an, sie zu dekorieren. Wenn sie mit dem Haus der Familie fertig war, machte sie beim Nachbarn weiter. Am Tag bevor das Fest begann, ging sie zwischen Morgen- und Abenddämmerung von Haus zu Haus und malte Menschen mit schmalen Beinen und Armen, Schlingpflanzen und Blumen mit schlanken Blättern. Die weiße Farbe, die sie auf die terrakottaroten Lehmwände malte, hatte sie aus Reismehl und Wasser selbst hergestellt. Im ersten blassgelben Morgenlicht am Tag des Festes sah man auf allen Dorfhütten schöne Muster. Alles war Kalabatis Werk.

Pikay schaute zu, wenn seine Mutter die Wände bemalte, und fragte sich oft, warum sie niemals auf Papier malte.

Kalabati war im Stamm der Kutia Kondh geboren.

»Unser Stammesvolk, das sind die Nachfahren der dunklen Waldmenschen, die so lange man denken kann hier gewohnt haben, ja, seit Tausenden von Jahren, ehe das Steppenvolk herkam und den Wald abholzte und anfing, Weizen und Reis anzubauen«, erzählte sie Pikay.

»Mit dem Steppenvolk, den Bauern, kamen Krieg und Krankheiten. Das Steppenvolk war es, das die Menschen einteilte in solche, die mehr, und solche, die weniger wert sind. Ehe die Steppenhindus kamen, unterschieden wir nicht zwischen einem Volk und einem anderen. Zu der Zeit war kein Mensch, der in den großen Wäldern wohnte, vornehmer als ein anderer.«

Die Mutter war der einzige Mensch, den er richtig kannte. Der Rest der Familie war ihm mehr oder weniger fremd. Wenn sein Vater und seine Brüder am Samstagabend mit den Fahrrädern aus der Stadt angefahren kamen, um ihren freien Sonntag zu Hause im Dorf zu verbringen, hatte er ein komisches Gefühl im Bauch. Wenn der Vater das Fahrrad an die Hauswand stellte und ihn hochhob, bekam er Angst und fing an zu weinen.

»Weine doch nicht, sieh nur, dein Papa kommt mit Süßigkeiten für dich«, versuchte Kalabati ihn zu trösten.

Dann verstummte er, biss die Zähne zusammen, nahm schluchzend ein zuckerknisterndes Burfi, ein luftiges und feuchtes Gulab jamun oder einen zähen englischen Karamell aus der Hand des Vaters und kroch seiner Mutter auf den Schoß.

Jeden Morgen badete Kalabati ihn im Kondpoda-Fluss. Manchmal gingen sie auch zum großen Strom hinunter, wo es nach den Wildblumen duftete, die am Ufer wuchsen, und nach den runden Fladen aus Kuhdung, die auf der sonnenbeschienenen Böschung zum Wasser hinunter zum Trocknen lagen. Die Mutter ermahnte ihn, vorsichtig zu sein und nicht zu weit raus zu schwimmen, trocknete seinen Rücken mit einem Zipfel ihres Sari ab und rieb ihn mit Kokosöl ein, sodass er im Sonnenschein glänzte. Dann kletterte Pikay auf einen Stein, der von dem rauschenden Wasser glatt geschliffen war, tauchte ein und schwamm und kletterte wieder auf den Stein. Das konnte er eine Ewigkeit lang tun. Er fror niemals und erkältete sich auch nie, weil die dicke Schicht Öl auf der Haut das Wasser abperlen ließ und ihn so lange warm hielt, bis die Sonne höher am Himmel stand.

Im Sommer, kurz vor dem Monsunregen, waren Bach und Fluss fast ausgetrocknet. Der Mahanadistrom hatte an Stärke abgenommen, denn der Hiraku-Damm, der ein paar Tagesreisen mit dem Kanu stromaufwärts gebaut worden war, hatte ihn seiner wilden Wassermassen beraubt. Anfang Juni floss nur noch ein kleines Rinnsal in der Mitte des Flussbetts. Der Wassermangel war eine Geißel für alle im Dorf. Wenn sie im Austausch dafür Strom bekommen hätten, dann hätte das Leiden wenigstens einen Sinn gehabt, doch der Strom, den man im Wasserkraftwerk produzierte, wurde woanders gebraucht. In der Abenddämmerung knisterten immer noch die Holzfeuer, und die Öllampen flammten auf.

Als Fluss und Strom fast ausgetrocknet waren, gruben Kalabati und die anderen Dorffrauen in den großen Sandbänken provisorische Brunnen. Metertiefe Löcher, in die schließlich von den Seiten das Wasser hineinsickerte. Das Wasser trug Kalabati in verbeulten Blecheimern nach Hause. Einen Eimer auf dem Kopf, einen in jeder Hand.

Die Priester meinten, die Gegenwart der Unberührbaren besudele alles, was rein und heilig sei. Wenn Pikay sich dem Tempel des Dorfes näherte, bewarfen sie ihn jedes Mal mit Steinen. In dem Jahr, ehe er in die erste Klasse kam, legte er sich rachedurstig auf die Lauer. Als das Ritual begann und die Priester mit Wasser gefüllte Tonkrüge herbeitrugen, holte er die Steinschleuder heraus, sammelte Steine vom Boden auf, lud und schoss. Ploff! Ploff! Ploff! Langsam begann das Wasser aus den gesprungenen Krügen zu sickern. Die Priester entdeckten ihn und jagten ihn durchs Dorf.

»Wir werden dich töten!«, schrien sie.

Er versteckte sich in einem Gebüsch, das aus Kakteen bestand. Die Stacheln bohrten sich in seinen Körper, und er hinkte blutend nach Hause, um sich von seiner Mutter trösten zu lassen. Er dachte: Sogar die Pflanzen wollen mir übel.

Die Mutter streichelte seinen Rücken und sprach sanft und gut von der Welt. Auch wenn sie wusste, dass sie den Unberührbaren und dem Stammesvolk oft feindlich gegenüberstand. Pikay hatte keine Ahnung, warum die Brahmanen wütend auf ihn waren. Er begriff nicht, warum er sich vom Tempel fernhalten sollte, hatte keine Erklärung für die Steine, die man nach ihm warf. Das alles tat nur weh.

Seine Mutter verbarg die Wahrheit vor ihm und webte Träume und Hoffnungen mit beschönigenden Beschreibungen zusammen.

Wenn die Kinder aus den hohen Kasten Pikay versehentlich berührten, wuschen sie sich schnell im Fluss.

»Warum tun sie das?«, fragte er.

»Weil sie so schmutzig sind, da ist es nur gut, wenn sie mal baden«, antwortete die Mutter. »Die haben wirklich ein Bad nötig! Igitt, was waren die schmutzig!«, wiederholte sie so lange, bis seine Sorgen verschwunden waren.

Kalabati hatte nie in die Schule gehen dürfen, und sie konnte weder lesen noch schreiben. Aber sie wusste vieles andere. Sie konnte eigene Farben herstellen, schöne Muster malen und die Blätter, Samen und Wurzeln der Pflanzen zu wirkungsvoller Naturmedizin mischen.

Ihr Leben war in tägliche Pflichten aufgeteilt. Jeden Tag wurden die Arbeiten zur selben Zeit ausgeführt. Sie stand auf, wenn es noch dunkel war. Ihr Wecker waren die krähenden Hähne und ihre Uhr die Position des Morgensterns am Firmament. Pikay blieb dann noch auf seiner Strohmatte auf dem Boden liegen und hörte, wie sie den Boden, die Veranda und den Hof mit einer Mischung aus Wasser und Kuhdung wischte. Er fand es seltsam, dass sie Kuhkot benutzte, um sauber zu machen, und das blieb lange Zeit eines der Mysterien des Lebens, bis ihm die Mutter erklärte, dass es ein wirkungsvolleres Putzmittel war als das weiße chemische Pulver, das man im Dorfladen kaufen konnte.

Wenn Kalabati das Haus geputzt hatte, machte sie sich auf, um das Maisfeld der Familie zu versorgen und dann im Fluss zu baden. Wenn sie zurückkam, stand sie in ihrem dunkelblauen Sari auf der frisch geputzten Veranda. Ihr nasses, lockiges Haar glänzte in der Morgensonne, wenn sie sachte mit einem Baumwolllappen das Wasser aus den langen Haarsträhnen drückte.

Danach bekam der Tulsibusch mit den wohlriechenden grünlilafarbenen Blättern Wasser, während sie ein Mantra sang. Dann ging sie zur Küchenecke, tauchte den Zeigefinger in eine schwere Steinschüssel mit zinoberrotem Farbpulver, drückte den Finger mitten auf ihre Stirn und betrachtete sich in dem gesprungenen Spiegel. Sie beugte sich vor und malte sich dicke Kajalstriche um die Augen. Das Kajal hatte sie selbst aus einer Mischung aus Ruß und »Ghi«, einer selbstgestampften konzentrierten Butter, hergestellt.

Wenn sie fertig war, stand Pikay auf, rollte die Strohmatte zusammen und bekam auch einen Punkt mit Kajal mitten auf die Stirn, der ihn gegen böse Mächte schützte, wie die Mutter sagte. Außerdem bekam er etwas Ghi auf die Stirn. Draußen in der Sonne schmolz dann die Butter und lief ihm ins Gesicht. Die Butter war Kalabatis Art, dem Rest des Dorfes zu sagen, dass ihre Familie nicht arm war.

»Es können sich nicht alle Butter und Milch leisten«, sagte Kalabati. »Wir aber schon.«

Sieh nur, die Familie Mahanandia hat so viel Butter, dass sie dem Kind die Stirn hinunterläuft – das, so hoffte Kalabati, würden die Dorfbewohner denken.

Der Körper rein, die Haare gekämmt, Kajal und Butter auf der Stirn. So war Pikay bereit, dem neuen Tag zu begegnen.

Das Stammesvolk, zu dem seine Mutter gehörte, hatte Tausende von Jahren zwischen den Bäumen gejagt und auf den Lichtungen angebaut. Inzwischen stellten die meisten von Kalabatis Verwandten am Ufer des Stroms Ziegel her. Sie sammelten Lehm vom Boden des Flussbetts und formten und brannten Ziegelsteine. Nur Pikays Onkel jagte immer noch. Pikay bekam von ihm eine Pfauenfeder geschenkt, die er mit einer Schnur um seinen Kopf band, um dann durch den Wald zu schleichen und Jäger zu spielen.

Pikay hatte lange geflochtene Haare und war stolz auf seine Zöpfe. Kalabati hatte seine Haare wachsen lassen, weil sie sich in ihrem tiefsten Innern ein Mädchen gewünscht hatte. Er maß gern seine Kraft und benutzte die Zöpfe, um zu zeigen, wie stark er war. Er band sich einen Stein ins Haar, hob ihn vom Boden hoch und rief triumphierend:

»Seht nur, wie stark meine Haare sind!«

Die anderen Jungen, die keine Zöpfe hatten, waren beeindruckt. Sie hatten noch nie etwas Vergleichbares gesehen.

Meist war er nackt und trug nur Armbänder oder Gürtel, an denen weiße Muscheln hingen. Alle Kutia-Kondh-Kinder im Dorf liefen nackt herum. Die Kastenhindus fanden die Stammesleute seltsam. Ihre eigenen Kinder trugen Kleider.

Kalabati verehrte die Sonne und den Himmel, die Affen und die Kühe, die Pfauen, die Kobras und die Elefanten. Sie verehrte den nach Lakritz duftenden Tulsibusch, den Pipalbaum und den Niembaum, dessen Äste wegen seines antibakteriellen Saftes als Zahnbürsten benutzt wurden. Für Kalabati war das Göttliche namenlos. Gott war in allem, was zu sehen war und um sie herum lebte. Mehrere Male in der Woche ging sie in ein Dickicht, wo die Bäume so dicht standen, dass die Äste und Blätter Wände und Dach bildeten. Dort hatte sie Steine und grünes ungestampftes

Gras gesammelt, hatte ein wenig Butter ausgelegt und rotes Farb-pulver verstreut, und da betete sie zu allem Lebendigen im Wald, aber vor allem zu den Bäumen, die gemeinsam mit der Sonne für das Allergöttlichste standen.

*Das Kondh-Volk und* die anderen Stämme in den Wäldern Ost-indiens hatten sich niemals selbst in Kasten eingeteilt oder eine Unterscheidung zwischen Häuptlingen und Untertanen getroffen. Alle besaßen dasselbe Recht, die Götter zu verehren und die heiligen Dinge zu berühren. Doch dann kam das Volk der Steppe. Kalabati erzählte Pikay, wie sie aus dem Westen kamen und anfingen, Täler und Flussufer zu beackern und dabei die Waldmenschen als primitiv und unzivilisiert zu verachten.

»Am Ende wurden wir gezwungen, uns ihrem Kastensystem zu unterwerfen«, sagte seine Mutter traurig.

Manchmal rebellierten die Waldvölker. Die Briten mussten Truppen schicken, um die Ordnung wiederherzustellen. Doch es war ein ungleicher Kampf, in dem die Aufständischen stets den Kürzeren zogen.

Als Pikay um die zehn Jahre alt war, las er, dass Guerillakrieger, die Naxaliten genannt wurden, begannen, für die Rechte der Stammesvölker zu streiten – ein Konflikt, der sich im Laufe der Jahre verschärfte. Die Armee beantwortete Gewalt mit Gewalt, Blut floss, der Hass brach auf, und die Zeitungen nannten den Konflikt einen Bürgerkrieg. Pikay mochte die Wendung nicht. Er verstand aber, dass viele der Stammesbrüder seiner Mutter alle Hoffnung verloren hatten, als die Bergbaubetriebe und Industrieunternehmen auf der Jagd nach Bodenschätzen ohne zu fragen ihre heiligen Berghügel und -gipfel, Bäume und Büsche zerstört hatten. Erst glaubte er, dass Gewalt die einzige Antwort auf Gewalt sei, doch dann verlor er seinen Hass. Kein Mensch ist so wenig wert, dass er den Tod verdient, nicht einmal ein Unterdrücker und auch kein Mörder. Pikay mochte Mahatma Gandhis Ausspruch, dass die Ideologie »Auge um Auge« die ganze Welt blind mache. Das fasste auch seine Sicht auf die Philosophie des Krieges und die Methoden der Rebellen zusammen.

In den Jahren bis 1947, in denen Indien britische Kolonie war, war Athmallik eines von Indiens 565 Vizekönigreichen. Ein Liliputland, das zu Beginn des 20. Jahrhunderts nur vierzigtausend Einwohner hatte. Aber ein »richtiges« Land war es nie: Der König war den Briten untergeordnet und musste, als Indien selbstständig wurde, abdanken, um Platz zu machen für einen modernen Staatsapparat und demokratisch gewählte Politiker.

In Athmallik spricht man immer noch von der Zeit, als die Könige regierten. Für Pikays Familie ist diese Ära mit einem nostalgischen Glanz versehen. Es fing damit an, dass Pikays Großvater den ehrenwerten Auftrag erhielt, für den König im Dschungel wilde Elefanten zu fangen und für den Einsatz am Hof zu zähmen. Seither hatte die Königsfamilie ein Auge auf den Elefantenfänger und seine Kinder und Enkelkinder.

Die Könige in Athmallik stritten nicht mit den Briten. Sie akzeptierten ihre Forderung nach politischer Oberhoheit und Handelskontrolle und nahmen das Angebot, geschützt zu werden, dankbar an. Die Briten belohnten dieses Vertrauen damit, dass sie 1890 ihren indischen Statthalter Mahendra Deo Samant vom Raja, was König oder Fürst bedeutet, zum Maharaja beförderten, was Großkönig bedeutet. Diese Aufwertung war gleichzeitig eine Anerkennung seiner besonders guten Herrschaft in Athmallik.

Als König Bibhundendra 1918 starb, war der Thronerbe erst vierzehn Jahre alt und zu jung, um zu regieren. Der britische Oberst Cobden Ramsay musste interimsweise den Königsthron übernehmen. Ramsay, der von seinen Untertanen der Weiße Raja genannt wurde, regierte sieben Jahre lang den Princely State of Athmallik. Sieben Jahre, die Pikays Großvater die allerbesten nannte.

»Ramsay war nicht, wie andere Engländer, ein Rassist«, sagte Großvater. »Und er scherte sich auch nicht darum, zu welcher Kaste ein Inder gehörte.«

Großvater pflegte zu sagen, dass die Engländer im Gegensatz zu vielen Indern das Beste fürs Gemeinwohl im Auge gehabt hätten, und nicht nur, wie sie sich selbst bereichern könnten.

»Kannst du mir einen einzigen Brahmanen nennen, der einen guten Gedanken an jemand außerhalb seiner eigenen Kaste verschwendet hat?«, lautete seine rhetorische Frage. »Kannst du einen einzigen Brahmanen nennen, der etwas getan hat, das den niedrigen Kasten zugute kommt? Nein, genau! Aber die Briten tun das die ganze Zeit. Sie denken an alle und diskriminieren uns Unberührbare nicht.«

Der König von Athmallik war nicht übermäßig reich. Nicht wie die Maharajas in Rajasthan in Westindien, wo man riesige Paläste und Hunderte von Elefanten, Jagdtrophäen an den Wänden und Schubladen voller Diamanten hatte. Nicht wie der Maharaja, der siebenundzwanzig Rolls Royce besaß, oder ein anderer, der seine Tochter mit einem Fest an einen Prinzen verheiratete, das im Guinness-Buch der Rekorde als die teuerste Hochzeit der Welt aufgeführt ist. Oder wie der, der eine Hochzeit unter seinen Hunden arrangierte, auf der zweihundertfünfzig Hundegäste in von Edelsteinen eingefassten Mänteln auf geschmückten Elefanten sitzend den Bräutigam empfingen, als er mit dem Zug ankam. Ein solches Übermaß gab es in dem Liliput-Reich, in dem Pikay aufwuchs, nicht.

Als Pikay geboren wurde, war der größte Teil des Maharaja-Palastes und der Regierungsgebäude schon verlassen und verfallen. Die Natur hatte kräftige Lianen und Pflanzensprösslinge um die im Monsunregen schimmelnden Wände und die eingefallenen Dächer geschlungen. Der Sohn des letzten regierenden Maharaja von Athmallik hatte den Ort verlassen, als Indien selbstständig geworden war, doch dank seiner erfolgreichen Geschäfte hatte er auf einen stattlichen Herrensitz umziehen können. Dort waren Pikay und seine Familie immer zu einem Plauderstündchen und einer Tasse Tee willkommen gewesen. Als Kind konnte er dort umhergehen und die gerahmten sepiafarbenen Fotografien aus der Kolonialzeit betrachten, die Briten mit Tropenhelm und indische Könige und Prinzen mit Turban zeigten.

Pikays Vater und seine Großeltern glaubten trotz allem an die Götter des Hinduismus. Der Vater vollzog zu Hause sogar hinduistische Rituale. Das tun nicht alle Unberührbaren. Wahrscheinlich war Shridhar in dieser Sache von seinen Kollegen auf dem Postamt beeinflusst, die einer höheren Kaste angehörten. Er hatte sich einen kleinen Altar angeschafft, auf dem Bilder von Lakshmi, der Göttin des Wohlstands, und Ganesha, dem Elefantengott, den man vor schweren Prüfungen und Herausforderungen im Leben anrief, standen. Dazu hatte er eine Statue von Vishnu, dem Erhalter des Weltalls, die von Räucherstäbchen und Öllampen umgeben war. In süße Düfte und den Rauch des Feuers eingehüllt, betete der Vater jeden Tag für sich und seine Familie um ein glückliches Leben zu den Göttern.

Solange kein Brahmane zu sehen war, konnten die Unberührbaren zum Shiva-Tempel des Dorfes gehen. Doch keiner von ihnen wagte sich bis ins Innere des Gebäudes vor, wo die Gottesfigur thronte. Dann würden die Brahmanen Himmel und Hölle in Bewegung setzen, wenn sie das herausbekämen.

Der Dorftempel war der Aufenthaltsort für Schlangen, die niemand zu verjagen oder zu töten wagte, aus Angst, dass dies Unheil heraufbeschwören könnte. Pikay mochte es, dass die Dorfbewohner zu den Schlangen freundlich waren und ihnen Futter gaben. Schließlich war es eine Kobra gewesen, die ihn vor dem Regen geschützt hatte, als er gerade geboren war. Die Schlangen waren den Menschen wohlgesinnt, davon war er überzeugt.

Die Priester brachten den Schlangen jeden Tag Essen, denn sie glaubten, dass Shiva es so wolle. Wenn man durch die Türöffnung spähte, konnte man sehen, dass dort drinnen im Dunkel eine metallisch glänzende Kobra mit aufgespannten Halsschilden stand und den Gott beschützte.

Wurde jemand von einer Schlange gebissen, so brachte man ihn zum Tempel und legte ihn vor dem Eingang auf den Bauch. Der Gebissene erhielt die strenge Anweisung, mucksmäuschenstill zu liegen und an Shiva zu denken. Früher oder später kam die Antwort in Form einer telepathischen Mitteilung des Gottes, und dann erfolgte die Besserung. Das hatte Pikay mit eigenen Augen gesehen. Eines Abends wurde seine Tante von einer Kobra gebissen. Sie ging zum Tempel, legte sich auf die Treppe und betete zum Gott. Dann ging sie nach Hause und schlief. Am nächsten Morgen stieg sie aus dem Bett und erklärte der Familie, sie sei geheilt. Alle waren überzeugt davon, dass es sich dabei um ein Wunder handelte, das Shiva mit seiner kosmischen Kraft bewirkt habe.

Doch Shiva vermochte noch mehr. Eine andere von Pikays Tanten war zwölf Jahre verheiratet, hatte aber immer noch keine Kinder. Sie ging zum Tempel, legte sich auf die Treppe, lag dort vier Tage und Nächte, indem sie meditierte, zu Shiva betete und nichts aß und nicht sprach. Als sie nach Hause zurückkehrte, war sie schwach und erschöpft, und man musste sie zum Tisch geleiten und mit Reis füttern. Aber neun Monate später gebar sie ihr erstes Kind.

Gott war nicht nur im Tempel. In einer Senke mit Kakteen im Maisfeld wohnten die Sat Devi, die Sieben Göttinnen, die von den Göttern des Waldvolks abstammten, aber jetzt auch von den Hindus verehrt wurden. Die meisten schützten und fürchteten die Göttinnen im Maisfeld. Es hieß, dass sie starke Kräfte besäßen. Wenn man sie nicht respektierte, konnte es einem übel ergehen.

Um die Göttinnen freundlich zu stimmen, hielten die Priester, als die Einwohner des Dorfes das Saatgut für die nächste Ernte einsammelten, eine Zeremonie ab. Doch ein Dorfbewohner fing schon an, Samen zu sammeln, ehe die Priester ihr Ritual fertig ausgeführt hatten. Es dauerte nicht lange, da bekam er Fieber und Schmerzen. Seine Beinmuskeln verkümmerten, und am Ende waren die Beine schmal wie dünne Äste. Er wurde nie wieder gesund, sondern musste sich bis ans Ende seines Lebens auf Krücken dahinschleppen. So konnte es einem ergehen, wenn man den Göttinnen trotzte.

An dem schmalen Pfad, der von Osten ins Dorf führte, stand ein mächtiger alter Baum, in dem Fledermäuse und Nachtvögel wohnten, aber Pikays Großmutter war sicher, dass der Baum auch von Hexen bevölkert wurde. Nachts klang es, als würde in dem Baum eine Vogelkonferenz stattfinden, verschiedene Vögel fielen einander ins Wort, und die gellend krächzenden Krähen waren die eifrigsten Redner. Pikay hatte Angst, dass die Krähen eigentlich Menschen sein könnten, die von den schwarzen Magiern in Vögel verwandelt worden waren.

Am Rande des Dorfes war ein Holzwagen geparkt, der während des Sommerfestivals benutzt wurde, um darauf bei der Prozession den schwarzen, den weißen und den gelben Gott herumzuziehen: Jagannath, der Herr der Welt, seinen Bruder Balarama und seine Schwester Subhadra. Auch dies waren die uralten Götter des Waldvolkes, die in der Familie von Pikays Mutter seit Urzeiten verehrt wurden, die aber die Hindus nun ihrer Götterwelt einverleibt und sie so zu den ihren gemacht hatten. Jagannath war von den Hindus zu einer Offenbarung des Vishnu gemacht worden, während die Buddhisten in ihm oft eine Form von Buddha sahen.

Wenn der Herbst kam, war es Zeit für das nächste Götterfest. Da wurde Durga, die Frau des Shiva verehrt. Die Priester opferten Ziegen auf einem Hügel vor dem Dorf, wo die Erde von ihrem Blut rot getränkt wurde. Das Blut, so sagten die Brahmanen, verlieh Durga Kraft, um die Dämonen zu bekämpfen, die die göttliche Ordnung bedrohten.

Die Hindus hatten so viele Götter, fand Pikay immer, und er begriff nie ganz, wie das alles zusammenhing. Doch er spürte die Gegenwart der Götter und scherte sich nicht um die Widersprüchlichkeiten. Als Erwachsener verstand er dann, dass seine Mutter und sein Vater ein gespaltenes Verhältnis zu den Götterfesten gehabt hatten. Sie durften zwar bei der Prozession dabei sein, aber die Götterfiguren oder den Holzwagen, auf dem sie gezogen wurden, nicht berühren. Sie durften beten, doch nicht neben den Angehörigen höherer Kasten und nicht im Tempel. Sie durften die Rituale ausführen, doch am liebsten im Hintergrund, sodass die Brahmanen es nicht mitansehen mussten. Wenn es nach den Priestern gegangen wäre, dann hätten alle Unberührbaren zu Hause gebetet und sich von allem ferngehalten, was rein und heilig war.

*Es gibt massenhaft* Fernsehserien und Bollywoodfilme über den ständigen Konfliktherd in der indischen Großfamilie: die Spannungen zwischen Schwiegermutter und Schwiegertochter. Wenn viele Generationen unter einem Dach versammelt sind, kann es natürlich zu Streit kommen. Während die Männer außerhalb der vier Wände die Herren sind, haben die Frauen im Haus das Sagen. Die Schwiegermutter regiert mit eiserner Hand, während die Schwiegertochter ihre eigenen Gewohnheiten mitbringt, die sie von ihrer Mutter geerbt hat. Wie soll das Chapatibrot geschnitten, das Kichererbsencurry gekocht, der Mais geerntet und wie die Kinder erzogen werden?

Pikay war drei Jahre alt und zu klein, um zu bemerken, was vor sich ging, doch seine älteren Brüder haben ihm erzählt, wie die Mutter sich mit der Schwiegermutter überwarf.

Kalabati hatte kürzlich ihr viertes Kind geboren, ein Mädchen, das den Namen Pramodini erhalten hatte und jetzt drei Monate alt war. Doch das neue Baby hinderte die Großmutter nicht daran, zum Angriff überzugehen.

»Deine hochverehrte Frau ist eine Hexe«, sagte sie zu Shridhar.

Und dann wandte sie sich an Kalabati.

»Du kannst nicht länger hier wohnen. Du bringst Unglück über uns.«

Kalabatis Blick verfinsterte sich, doch sie schwieg. Was half es schon zu protestieren? Es war selbstverständlich und völlig außer

Frage, dass die Großmutter diejenige war, die bestimmte. Es war das Haus der Großeltern, in dem Pikays Mutter wohnte. Der Einzige, der glaubwürdig hätte protestieren können, wäre Shridhar gewesen, doch er sagte nichts. Er schluckte die Wut, den Verdruss und die Scham herunter und zeigte keine Reaktion.

Schweigen senkte sich über die Familie. Shridhar fuhr, ohne die Ereignisse zu kommentieren, zur Arbeit in die Stadt. Kalabati schwieg beleidigt eine Woche lang, während sie ihre Arbeiten wie gewohnt ausführte. Als eine Woche vergangen und Shridhar zurückgekehrt war, ging Kalabati zu ihrer Schwiegermutter und erklärte, sie habe sich entschieden. Ohne mit einer Träne zu offenbaren, was sie empfand, kündigte sie an, dass sie zu ihren Eltern zurückgehen würde.

»Und ich werde beide Kinder mitnehmen.«

Die Schwiegermutter setzte sich zur Wehr.

»Das Mädchen kannst du mitnehmen, das ist schließlich noch ein Baby, aber der Junge bleibt bei mir.«

Und auch das akzeptierte Kalabati, ohne zu protestieren.

Pikay erinnert sich, dass er weinte, als seine Mutter mit finsterer Miene ihre Sachen packte. Er erinnert sich, dass er mit vor der Brust verschränkten Armen auf der Veranda stand und seine Wangen tränennass waren, als sie die Tasche nahm und mit der kleinen Schwester im Arm durch die Tür hinaus- und die Treppe hinunterging. Er weiß noch, dass sie sich mehrmals umdrehte und ihn ansah, dass er winkte, und dass sie zurückwinkte. Er sieht sie immer noch vor sich, wie sie hinter den Zuckerrohrpflanzen verschwand, und erinnert sich, wie still und leer die Welt sich plötzlich anfühlte.

Seine Mutter und die kleine Schwester waren fort. Da der Vater sechs Tage in der Woche in der Stadt wohnte, waren außer ihm nur noch die Großmutter und der Großvater im Haus.

Er weinte Tage, Wochen, vielleicht Monate. Die Tränen liefen nur so, während die Monsunwolken des Himmels Regenschauer schickten, von denen die hellroten Lehmstraßen scharlachrot wurden und die Strohdächer nach Feuchtigkeit und Schimmel zu riechen begannen. Alles war ein einziger Nebel aus Regen, Tränen und Trauer. Als das Weinen aufhörte, verstummte er. Er hörte auf zu reden und zu lachen, nicht einmal lächeln mochte er noch. Die Tage durchlitt er mit verbissener Miene. Kein Wort entfuhr ihm. Meist saß er allein in einer Ecke und starrte ins Nichts. Dann fing er an, das Essen zu verweigern. Wenn die Großmutter ihm etwas aufzwang, ergab er sich, er hatte keine Kraft, sich zu widersetzen, doch die Bissen mit Reis und Linsengrütze hatten jeden Geschmack verloren. Das Essen, so erinnert er sich, schmeckte nach nichts.

Eines Sonntags kam ein Mann auf einem Fahrrad, der hatte eine Botschaft von Pikays Großeltern mütterlicherseits, die ausrichten ließen, Kalabati ginge es nicht gut. Der Bote erzählte, sie würde ihre Arbeiten nicht mehr verrichten, sondern nur noch dasitzen und weinen. Shridhar nahm den Bescheid entgegen, ohne eine Miene zu verziehen. Dann ging er ruhig und schweigend in den Garten, wo seine Mutter auf dem Acker arbeitete, und nahm sie hinter den Maisbüscheln beiseite.

»So kann es nicht weitergehen!«, schrie er und ließ die monatelang zurückgehaltene Wut heraus.

Sie schwieg.

»Du bist auf dem besten Wege, meine Frau wahnsinnig zu machen!«, fuhr er fort.

Sie schwieg weiter.

Was sollte sie auch sagen? Sie war zu stolz, um zuzugeben, dass sie etwas falsch gemacht hatte. Und in ihrem tiefsten Innern war sie wahrscheinlich überzeugt davon, immer recht zu haben. Sie war standhaft und unbeugsam und verhielt sich, als würde sie die Vernunft und das richtige Gefühl vertreten, während der Rest der Welt verrückt geworden war.

Als Pikays Vater eine Woche später von der Arbeit kam, berichtete er, dass er in der Nähe des Postamtes in Athmallik ein Stück Land gekauft habe.

»Dort«, sagte er, »werden wir in unserem neuen Haus zusammen wohnen.«

»Wer wird dort wohnen?«

»Wir. Nur wir.«

»Wir werden in einem Haus wohnen, in dem sonst niemand wohnt?«, fragte Pikay, der noch niemals von jemandem gehört hatte, der ein Haus ohne eine Großmutter und einen Großvater bewohnte.

»Ja. Das wird unser Haus werden. Nur unseres«, antwortete Shridhar.


Der Regen hatte das Kraut vom Zuckerrohr blank gespült und die rote Erde auf dem Hof in Matsch verwandelt, in dem Kühe und Menschen herumrutschten und die Fahrradreifen tiefe Spuren hinterließen, sodass alles am Ende einem chaotischen Schlachtfeld glich. Finstre Wolken zogen vorüber, und die Landschaft war in Dunkel gehüllt. Die Regenwolken ließen die Dorfbewohner glauben, dass es später am Tag sei, als es wirklich war.

Pikays Vater hob den Jungen auf den Karren, der hinter zwei Ochsen mit glänzendem Fell gespannt war. Der Karren hatte ein Dach aus geflochtenem Bambus, und ganz hinten standen ein paar Lehmkrüge mit Milch von der Kuh von Großvater und Großmutter. Der Kutscher setzte die Ochsen mit der Peitsche in Gang, und das Gespann begann gemächlich durch das Dorf zu knarren.

Vater, Großmutter und Großvater gingen hinter dem Wagen und redeten, während Pikay dicht bei seiner Mutter saß, auf deren Schoß die kleine Schwester lag. Er hörte nicht, was sein Vater zu den Großeltern sagte, hoffte aber, dass er ihnen erklärte, warum sie nicht mehr bei ihnen wohnen könnten, und dass sie wegzogen, damit die Mutter wieder froh sein könnte.

Nur wenige Minuten später blieb der Wagen vor dem Hexenbaum und dem Shiva-Tempel am Rand des Dorfes stehen. Pikay schaute zurück und sah, wie der Vater vor der Großmutter auf die Knie fiel, die Stirn zur Erde senkte und mit den Fingerspitzen ihre Füße berührte.

Es begann wieder zu regnen. Der Regen machte das graue Haar der Großmutter und ihren gelben Sari nass. Doch über ihre Wangen lief nur Regenwasser, keine Tränen. Der Ochsenkarren rollte auf dem schmalen Pfad zwischen den Feldern weiter. Pikay sah zu dem Dorf zurück, das immer kleiner wurde. Nach einer Weile konnte er weder Häuser noch den Tempel noch die Maisanpflanzungen ringsumher sehen, alles wurde von einem Nebel verschluckt, der über die Felder zog.

Großmutter wurde ein zitternder, gelber Fleck in dem Grau. Dann löste sie sich auf und wurde eins mit dem Wetter und der Dämmerung.

Er legte seinen Kopf auf den Oberschenkel seiner Mutter. Sie bedeckte seinen nackten Körper mit einem dünnen, weichen Baumwollstoff.

Der Ochsenkarren schaukelte weiter auf dem Weg, der sich über Waldlichtungen, vorbei an wassergefüllten Reisfeldern und auf schmalen Holzbrücken über rauschende Bäche und Flüsse hinschlängelte. Die Regenwolken machten den Abend pechschwarz. Er spähte in die Dunkelheit hinaus, sah nichts, aber hörte umso mehr. Die quietschenden Wagenräder und die wohlbekannten Geräusche des Waldes: quakende Frösche, zirpende Grillen und bellende Füchse. Er verspürte die Wärme vom weichen Oberschenkel der Mutter und den Rhythmus ihrer ruhigen Atemzüge.

Als der Wagen sein Ziel erreicht hatte, erwachte er davon, dass seine Mutter ihm die Stirn liebkoste. Er war wie gelähmt vor Müdigkeit, und der Kutscher musste ihm vom Wagen hinunterhelfen. Lange sah er in die Dunkelheit, konnte aber nichts erkennen. Wo war ihr neues Haus?

Sein Vater zündete eine Öllampe an, und da trat das neue Zuhause aus den Schatten hervor. Und dann sah er auch, was ihn an den Beinen gekitzelt hatte: Er stand in hohem grünem Gras.

»Wie heißt das hier?«, fragte er.

»Liptinga Sahi«, antwortete seine Mutter. »Es liegt nahe der Stadt Athmallik, nahe der Arbeit von Papa und der Schule deiner Brüder.«

Sein Vater verschwand in der Nacht, um in der Küche der Internatsschule etwas zu essen zu holen, und kam mit gefüllten Blechdosen zurück. Dann saßen sie auf dem Boden in der neuen Hütte und nahmen die erste Mahlzeit im neuen Dorf, weit von Großmutter und Großvater entfernt, ein. Plötzlich hatte das Dasein ein neues Licht bekommen, fand Pikay und betrachtete die Insekten, die knisternd in den weißen Schein der Benzinlampe flogen. Erstaunt musste er feststellen, dass der Linsenbrei für ihn eine neue Würze erhalten hatte. Die Welt hatte ihre Farbe und ihren Geschmack zurückgewonnen. Die Trauer der vergangenen Wochen fühlte sich ebenso wie ihr altes Zuhause schon weit entfernt an.

Jetzt, dachte er, wird mich niemand mehr von Mama trennen.

*Das Haus,* in das sie gezogen waren, um der Großmutter zu entkommen, lag für sich und nicht in einer Gruppe mit anderen Häusern. Die Hütten der Nachbarn, die ein wenig entfernt standen, sahen hingegen so aus, als würden sie sich aneinander anlehnen. Von dort hörte Pikay das Lachen und Rufen von Kindern.

»Die gehören zu unserem Volk«, sagte seine Mutter und strich ihm über den Kopf.

»Zu unserem Volk?«, fragte er.

»Sie stammen aus derselben Kaste wie wir.«

Dies war das erste Mal, dass er das Wort »Kaste« hörte. Doch er nahm mal an, es bedeutete, dass die Kinder nichts dagegen haben würden, mit ihm zu spielen, dass sie zusammengehörten.

»Kaste?«, fragte er.

»Ja, sie sind Pan, wie dein Vater.«

»Und du, Mama?«, fragte Pikay.

»Ich bin Kondh. Kutia Kondh.«

Das war neu für ihn.

Hinter den Nachbarhäusern lag das Alkoholgeschäft. Ein halb verfallenes, gelb gestrichenes Zementhaus, das mit einem starken Gitter und einer kleinen Luke versehen war. Dorthin strömten die Männer, um Alkohol zu kaufen. Sie riefen ihre Bestellungen dem Verkäufer zu, der in der Dunkelheit hinter dem Gitter stand, und dann wurden große Flaschen mit Bier und kleine, in braunes Papier eingewickelte Flaschen mit Schnaps herausgereicht.

Dicht bei dem Haus der Familie verlief ein Pfad durch die Maisfelder zu dem Alkoholgeschäft. Vom frühen Morgen bis zur Abenddämmerung stolperten singende und grölende Männer mit blutunterlaufenen Augen vorbei. Die Existenz von Alkohol war eine Neuigkeit für Pikay. Zum ersten Mal in seinem Leben sah er betrunkene Menschen. So wurde ein Stückchen unschuldiger Kindheit weggerissen und fortgewirbelt.

Ein anderer schmaler Weg führte vom Haus zu einem großen Wasserreservoir. Er liebte es, die neuen Orte zu erforschen, zu denen die Pfade führten, und wagte sich jeden Tag weiter fort. Aber er sah sich vor, nicht auf den Weg zum Alkoholgeschäft zu geraten. Da passierte es nämlich, dass Männer mit nach Schnaps stinkendem Atem ihm nachbrüllten oder ihn festhielten und Sachen lallten, die er nicht verstand.

Bei Großmutter und Großvater hatten sie im Fluss gebadet, in Liptinga Sahi gingen sie zum Wasserreservoir, das mit Lotusblüten bedeckt und voller Fische war. Viele aus dem Dorf nahmen ihr Morgenbad in diesem Teich, der auch von Vögeln aufgesucht wurde und von Bären, die auf die Fische aus waren. Aus dem baumbewachsenen Erdwall um den Teich grub Pikays Mutter feuchten Lehm aus und nahm ihn in ihrem Korb mit nach Hause. Den Lehm benutzte sie, um ihre Haare zu waschen und um ihre Blechteller, Töpfe und Pfannen zu schrubben.

»Kies und Lehm sind besser als Seife und Wasser«, sagte Kalabati, die der Meinung war, man solle so wenig wie möglich im Geschäft kaufen und das Geld für wichtigere Dinge im Leben aufsparen.

Als die Monsunwolken des ersten Jahres vorübergezogen waren und die Herbstsonne am Himmel leuchtete, begann er sich in dem neuen Haus heimisch zu fühlen. Es war fast, als hätten sie schon immer dort gewohnt. Er gewöhnte sich schnell ein. Es war ihm immer leichtgefallen, sich anzupassen.

Viele Jahre später dachte er: Wer nicht bereit ist, seine Gewohnheiten zu verändern, wenn er an einen neuen Ort kommt, der geht unter.

Eines Tages nahm ihn seine Mutter mit auf einen Spaziergang, um ihm zwei große Bäume am Rand des Dorfes zu zeigen. In den Bäumen wohnten Adler und Geier. Unter den Bäumen waren Männer damit beschäftigt, tote Kühe zu entbeinen und deren Haut so zu bearbeiten, dass sie an den Schuhmacher verkauft werden konnte, der dann Schuhe und Taschen daraus fertigte.

»Das da«, sagte seine Mutter und zeigte auf die Männer, die an der Kuhhaut zerrten, »sind Leute, die zu uns gehören.«

»Unsere Freunde?«, fragte er.

»Nein, unsere Kaste.«

Das war nicht ganz korrekt. Die Männer, die sich um die toten Tierkörper kümmerten, kamen aus einer Familie, die zu den Ghassi gehörte und in den Dörfern im Wald, hinter den Maisfeldern wohnte. Sie waren auch Unberührbare, das war es, was seine Mutter gemeint hatte. Die Situation des Ghassi-Volkes war schrecklich. Die Brahmanen fanden sie sogar noch unreiner als die Pan, weil sie nicht nur mit toten Kühen hantierten, sondern auch – noch schlimmer – Rindfleisch aßen. Die Brahmanen scheuten sogar ihre Schatten, schon einen Ghassi nur zu sehen, war für einen Brahmanen ein schlechtes Omen.

Doch die Stellung der Ghassi-Frauen als Unberührbare, das wusste Kalabati, war nach Einbruch der Dunkelheit wie weggezaubert. Dann kamen Männer aus den umliegenden Dörfern, rituell reine und hochstehende Männer, um Sex von den Ghassi-Frauen zu kaufen. Sogar Brahmanen, die sie bei Tage noch angespuckt hatten, besuchten im Schutz der Dunkelheit gern ihre Hütten.

Doch von diesen schändlichen Vorgängen im Dorf erzählte Pikays Mutter dem Jungen nichts. Sie war der Meinung, dass er so lange wie möglich vor der Erkenntnis geschützt werden sollte, wie grausam das Leben zu den Unberührbaren sein konnte.

Beim zweiten Monsun im neuen Dorf, kurz bevor er in die erste Klasse kommen sollte, stand Pikay im Maisacker und beobachtete, wie eine Gruppe Ghassi-Männer eine tote Kuh unter dem grauen Himmel zum Spukbaum zerrte. Er sah, wie sie den schweren Tierleichnam ablegten und anfingen, die Haut vom Fleisch und das Fleisch von den Knochen zu trennen. Fliegen schwirrten über den Fleischbergen, während die Geier immer dichter und niedriger schwebten. Am Ende stürzten die Vögel pfeilschnell auf die Erde, setzten sich neben die Fleischhaufen und warteten. Unbeweglich wie Steinfiguren saßen sie da, mit einer Körpersprache, die mehr Geduld als Gier verriet. Es war, als wären die Geier Götter und keine Raubvögel. Pikay konnte nicht verstehen, warum sie nicht sofort zu fressen begannen. Dann sah er zum Himmel hinauf. Dort kreisten immer noch zwei Vögel, die sich als Letzte von allen mit einer solchen Kraft zur Erde stürzten, dass sich der Luftzug von ihren Flügeln wie ein Wirbelsturm anhörte.

Pikay träumte davon, es ihnen nachtun zu können. Er nahm Anlauf und rannte den abschüssigen Weg herunter, der sich zu ihrem Haus schlängelte, streckte die Arme wie Flügel aus und stieß wie die abtauchenden Geier pfeifende Laute aus.

»Mama, wenn ich auf dem Rücken von einem Geier sitze, kann ich dann auch fliegen?«, fragte er, als er nach Hause kam.

Seine Mutter machte schnell seine Träume vom Fliegen zunichte.

»Nimm dich vor den Geiern in Acht! Die picken dir die Augen aus! Sie machen dich blind!«, antwortete sie streng.

»Aber warum haben die Geier auf das letzte Vogelpaar gewartet, ehe sie anfingen zu fressen?«

»Die Geier«, sagte sie, »können denken. Genau wie die Menschen. Sie haben einen König und eine Königin, genau wie die Menschen. Sie haben Söhne und Töchter und leben in Familien, genauso wie die Menschen. Wenn eine Kuh gestorben ist, berichten die Spähgeier dem Geierkönig und der Geierkönigin, was sich tut. Kein Geier wagt es, mit dem Fressen zu beginnen, ehe der Geierkönig gelandet ist und sich etwas genommen hat. Erst dann können die anderen anfangen«, erzählte sie.

»Deshalb haben die Geier, die du gesehen hast, so geduldig gewartet.«

Sie fuhr fort:

»Der König und die Königin sind die schönsten unter den Geiern. Sieh nächstes Mal nur genau hin, ihre Federn schimmern wie Gold in der Sonne.«

Sie legte ihre Hand auf seine Stirn.

»Man könnte sagen, die Welt der Geier ist der der Menschen sehr ähnlich.«

Pikays Großmutter mütterlicherseits wohnte allein in einem kleinen Dorf, das ein paar Kilometer weiter im Dschungel lag. Verglichen mit dem neuen Haus der Familie war ihre Hütte noch einfacher, mit Wänden aus Bambus, Lehm und trockenem Gras, die oft während des Monsuns zusammenbrachen.

Die Hütte der Großmutter war von einem Garten umgeben, in dem hoch das Maiskraut stand. Wenn die Maiskolben reif waren, erhielt der Garten Besuch von wilden Tieren. Der Bär mit seinem langen schwarzen Fell kam regelmäßig, und ein anderer hungriger Gast war der Fuchs. Wenn Großmutter es leid war, dass ihre Maisernte von Tieren aufgefressen wurde, baute sie eine Vogelscheuche aus Stroh, die sie hoch oben in einen Bambusbusch hängte. An den einen Arm hängte sie eine Messingglocke, die im Wind klingelte. Daraufhin hielten sich die meisten Tiere fern, doch nicht alle.

An dem Abend, als Hathi zu Besuch kam, waren Pikay und seine kleine Schwester Pramodini bei der Großmutter. Die Kinder waren schon eingeschlafen, als zwei erwachsene Elefanten und ein Elefantenjunges mit einer solchen Kraft das Maiskraut heruntertrampelten und sich die Maiskolben einverleibten, dass der Boden vibrierte und die Hütte wackelte. Aber Großmutter bekam keine Angst. Sie trat vor die Hütte, sammelte ein Büschel trockenes Gras zusammen, zündete es an und wedelte damit. Leider waren auch die Elefanten nicht ängstlich. Der größte Elefant scharrte mit dem Hinterbein und lief schnaubend und brüllend direkt auf Großmutter zu. Sie musste die Grasfackel fallen lassen und in die Hütte zurück, wo sie die Holztür zuschlug und den Riegel vorlegte.

Der Elefant warf sich mit seinem ganzen Körpergewicht gegen das instabile Gebäude, sodass die Lehm- und Strohwände nur so knisterten, knackten und zu bersten begannen. Großmutter weckte ihre Enkel, bat Pikay, einen Schritt zurückzutreten, setzte sich die kleine Pramodini auf die Hüfte und schlug mit der Faust auf die hintere Wand, die zum Wald wies, um ihnen einen Fluchtweg zu ermöglichen. Es gelang ihr, ein Loch in die Wand zu hauen und Pikay vor sich aus der Hütte, über die Steinmauer, durch das Kaktusland und das Dorngestrüpp zu scheuchen. Pikay erinnert sich, dass er die Dornen nicht spürte, als sie seine Haut durchdrangen, denn es war, als wäre er betäubt. Aber das Blut sickerte aus Schürfwunden und Rissen, und die Nacht war wie ein böser Traum.

Sie blieben nicht stehen, ehe sie völlig erschöpft waren. Er kann sich nicht erinnern, wie lange sie liefen, denn ihre Flucht vor den Elefanten kam ihm gleichzeitig kurz und unendlich lang vor. Blutig und verschwitzt sanken sie an einem Baumstamm herunter, um auf die Morgendämmerung zu warten. Die Nacht tönte von Mücken, Heuschrecken und Grillen.

Was, wenn sie nun wütend auf uns sind und uns nachlaufen, um uns zu zertrampeln?, dachte Pikay.

*Im Grenzland zwischen* Dickicht und Schilf an den Waldseen um Borås surrten Mücken und kleine Fliegen. Die Laubsänger zwitscherten in hohen Tönen, während scheue Elche und Rotwild zwischen den Tannen in den hundertjährigen Wäldern ästen. Das Regenwasser glitzerte in den Reifenspuren der Waldmaschinen auf den abgeholzten Hügeln. Grauer Rauch stieg aus den Schornsteinen der roten Sommerhäuser auf den Lichtungen.

Lottas Familie ging regelmäßig in Borås in die Kirche. Ihre Mutter war in einer Familie aufgewachsen, in der man das Fegefeuer fürchtete und vor den Predigten der Pfarrer erschrak, die davon berichteten, was passierte, wenn man sündigte. Ihr Vater ging mit zu den Gottesdiensten, obwohl er nicht gläubig war. Allerdings war sie nicht ganz sicher, was er von Religion und Kirche hielt. Er verriet nur selten, was er dachte, und es fiel ihm schwer, am Leben teilzunehmen. Doch es gab Momente, in denen Lotta trotzdem das Gefühl hatte, einen Draht zu ihm zu haben. Das war, wenn sie ohne zu sprechen nebeneinander saßen, und sie eine tiefe Gemeinschaft mit ihm empfand.

Als Lotta acht Jahre alt war, wurde eine ihrer Tanten während der Schwangerschaft krank. Die Familie betete zu Gott, aber der Tante ging es immer schlechter. Als Mutter und Kind starben, war sie sehr enttäuscht und wütend auf Gott, der sich geweigert hatte, ihre Gebete zu erhören.

Ohne wirklich überzeugt zu sein, ließ sie sich, hauptsächlich weil alle anderen es machten, konfirmieren. Der Einfluss der Eltern und der Mitschüler war stark, und es war schwer, seinen eigenen Weg zu gehen. Wenn man zu sehr abwich und aus der Norm fiel, konnte sich das gegen einen wenden. Lotta hegte keine starken Überzeugungen, es fiel ihr überhaupt schwer, für eine einzige Sache zu entbrennen. Sie fand, dass es in fast allem, was die unterschiedlichen Menschen behaupteten, ein Körnchen Wahrheit gab, und deshalb konnte sie sich auch nicht politisch engagieren. Wie konnte man überzeugt sein, dass eine Partei zu hundert Prozent recht hatte und die andere falsch lag? Parteipolitik war nichts für sie.

Manchmal summte sie ein Lied, das sie im Alter von drei Jahren auswendig gelernt hatte. Das Lied handelte von dem ewigen Licht, das über allem menschlichen Tun, Streben und Verrichten scheint.

Dieses Licht gibt es auch in mir, fand Lotta. Doch es war nicht Gott, sondern etwas anderes.

*Wolken ziehen hin und her,*
*manchmal friert das Herz,*
*doch da oben leuchtet mir,*
*was es still begehrt.*

Im Jugendalter machte sie sich im Osten auf die Suche. Sie las die Upanischaden und dann weiter die Schriften der Veda und Buddhas Predigten. Sie fand, die alten hinduistischen Bücher hätten Ähnlichkeiten mit der Bergpredigt aus der Bibel. Doch beim Christentum missfiel ihr die Ausdrucksweise. Es schließt mehr aus, als es gibt, dachte sie. Die Christen scheinen vor allem daran interessiert, Grenzen zu anderen zu ziehen. Alle Menschen, ganz gleich, ob man gläubig war oder nicht, wurden von derselben Lebensenergie getrieben. Das Herz, dachte sie, schlägt aus demselben Grund in allen Menschen, ganz gleich, was man glaubt.

Alle Atome im Weltall gehören zusammen. Alles gehört zusammen.

Die asiatischen Philosophien darüber, dass alle Menschen und Tiere nach ihrem Tod aufgelöst werden und in anderen lebendigen Dingen wiedererstehen, beeindruckten sie stark. Ja, es ist, wie das buddhistische Wort sagt, dachte sie. Willst du mehr über deine Vergangenheit wissen, dann bedenke das Leben, das du jetzt lebst, und willst du mehr über deine Zukunft wissen, auch dann bedenke das Leben, das du jetzt lebst.

Das Leben wird wiedergewonnen und immer neu erschaffen. Wir alle waren Erde und Wasser und werden wieder Erde und Wasser werden – darüber dachte Lotta als Jugendliche nach.

*Er war der* König unter den Kindern der Unberührbaren im Dorf. Er sammelte Steine, die er auf den Straßen fand. Flache, glatte, schmeichelnde, helle Steine mussten es sein. Dann nahm er Holzkohle aus dem Ofen in der Küche und malte Sonnenaufgänge, Sonnenuntergänge und bewaldete Hügel auf die Steine.

Schnell wurde Pikay immer geschickter. Er nahm die Nachbarskinder mit auf eine große, flache Klippe beim Fluss, bat sie, die Augen zu schließen und erklärte dann feierlich, dass er mithilfe seiner magischen Kräfte einen Tiger herbeilocken und ihn dazu bringen würde, auf dem flachen Stein vor ihnen zu stehen. Die Kinder waren skeptisch, aber sie schlossen die Augen. Und er beeilte sich und malte einen Tiger mit weit aufgerissenem Maul auf den Stein. Dann bat er sie, die Augen zu öffnen. Sie standen stumm da und starrten erstaunt. Er glaubte, sie seien erschrocken, als würde wirklich ein richtiger Tiger vor ihnen stehen, doch das war vielleicht nur ein Wunschtraum. Dann brachen sie in Gelächter aus.

Er dachte, zumindest mache ich die Leute mit meinen Zeichnungen fröhlich.

Allmählich brachte er sich weitere Motive bei und verfeinerte die Technik. Er malte vor der Schule, nach der Schule und den ganzen Sonntag. Er fand Steine, die in andere Farben spielten als Beige und Grau. Er entdeckte, wie man aus Blättern und Blumen andere Farben als Schwarz herstellen kann. Er lernte, aus Flusslehm Teller zu machen. Die bemalte er mit Mustern und bepinselte sie mit Eigelb, um sie haltbar zu machen. Auch auf Papier malte er, dort meist Waldmotive: Blätter, Blumen, Bäume.

Jeder Stein im Umkreis von hundert Metern um ihr Haus herum wurde in ein Kunstwerk verwandelt, sein Kunstwerk. Und auf den Regalen im Haus: reihenweise dekorierte Teller.

Wenn ein anderer Mann aus der Pan-Familie einen Sambar schoss, dann wurde der Großvater von Pikay eingeladen, als Allererster davon zu probieren. Bei den Festen kamen die Dorfbewohner mit glücksbringendem Tigerfell und Vogelfedern zu ihm. Die vornehme Position des Großvaters färbte auf Pikay ab und verlieh ihm einen hohen Status unter den Kindern der Unberührbaren im Dorf. Er war stolz auf seinen Großvater und ahmte ihn nach. Mit Pfeil und Bogen, die er vom Großvater zum Geburtstag geschenkt bekommen hatte, führte er die Spielkameraden auf Expeditionen in den Dschungel. Wie immer waren sie nackt, aber sie hatten sich mit Pfauenfedern, Gürteln aus Schneckenhäusern und Schneckenarmbändern geschmückt. Sie schlichen über die Pfade und spielten, sie würden Tiger und Hirsche jagen. Jedes Mal, wenn sie den Laut eines Eichhörnchens, das einen Baumstamm hinaufflief, oder eines Adlers, der über den Baumwipfeln kreiste, hörten, stieg die Spannung.

Sie spielten, dass er der Häuptling sei und ein anderer in der Gruppe der spirituelle Ratgeber des Häuptlings. Der Ratgeber pflückte Früchte, verbeugte sich tief und würdevoll und überließ die Früchte dem Häuptling. Dann liefen sie allesamt lachend zum Fluss, um zu angeln, oder in den Wald, um hoch oben in den Bäumen die Bienennester zu öffnen.

Pikay war derjenige, der sich um den Honig kümmerte. Er kletterte mit einem Büschel trockenem Gras auf einen Baum, zündete das Gras an und hielt es unter den Bienenstock, um die Bienen auszuräuchern. Im Mund hatte er einen Spieß, den er in das Nest steckte, um die Bienen zu verjagen, die trotz des Rauchs noch drin waren. Er war ein Meister darin, doch manchmal gingen die Bienen zum Gegenangriff über. Doch wie schlimm er auch gestochen wurde, er kletterte doch niemals herunter, ehe er nicht den Honig probiert hatte. Mit der einen Hand um den Baumstamm leckte er ihn von dem Spieß, wobei ihm der Honig über die Wangen und bis auf die Brust lief. Mit dem süßen Geschmack im Mund und den klebrigen Händen ließ er den Honig zu den anderen hinuntertropfen. Seine Untertanen auf der Erde machten ihre Münder weit auf und ließen die süßen Tropfen, die vom Himmel fielen, auf ihren Zungen landen.

Die Spiele im Wald gehören zu seinen schönsten Kindheitserinnerungen. Die Neugier und die Sehnsucht nach Abenteuer trieben ihn dorthin. Der Wald war voller Überraschungen und Geheimnisse, von denen ihnen, das spürte er, nur ein ganz kleiner Teil offenbart wurde. Der Rest blieb verborgen und mystisch. Dieses Gefühl hat er sich bewahrt. Es genügt, nur einen kleinen Teil des Lebens zu verstehen. Der Rest kann für ihn gern unbekanntes Terrain bleiben.

*Pikays Vater trat* frenetisch in die Pedale seines Fahrrads, pfiff und hatte gute Laune. Die Straße vor ihnen führte zwischen Maisfeldern, Mangobaum-Hainen und Gruppen von braunen Lehmhütten hindurch, und sein weißes Oberhemd flatterte im Fahrtwind, derweil er Schlaglöchern, Steinen und Zweigen auswich. Pikay war auch froh, überglücklich. Er saß auf dem Gepäckträger mit Vaters Hemd wie ein Segel vor sich ausgespannt. Sie waren auf dem Weg in die Stadt, weg von der Geborgenheit unter Gleichgesinnten, aber er fühlte sich mutig und abenteuerlustig und genoss die Ungewissheit.

Endlich würde er mit der Schule anfangen.

Der Lehrer in der Primary School in Athmallik hatte Shridhar versprochen, dass sein Sohn mit der ersten Klasse würde anfangen können, obwohl das Schuljahr schon vor über einem Monat begonnen hatte. Vielleicht hatten seine Eltern aus Sorge, Pikay könnte dort schlecht behandelt werden, die Entscheidung hinausgezögert, denn sie hatten ihre eigenen bitteren Erfahrungen gemacht.

Die Schule war ein erdbraunes lang gestrecktes Haus aus Lehm, in dem mehrere Klassenräume aneinander gebaut waren, die durch eine lange, gemeinsame Veranda miteinander verbunden waren. Davor lag ein sandiger Schulhof, dessen äußere Grenzen von Bambusstöcken und Schlingpflanzen, die eine dichte Mauer aus Grün gewebt hatten, markiert waren.

Pikay schaute erwartungsfroh ins Klassenzimmer. Er sah den

Lehrer, der einen unglaublich dicken Bauch hatte. Der Lehrer bemerkte seinen Blick.

»Genau wie Ganesha«, sagte er stolz und strich sich lachend über den Bauch.

Dann setzte er den Unterricht fort. Er zeigte auf einen Buchstaben nach dem anderen auf der schwarzen Tafel, und die Klasse las laut im Chor.

So viele Kinder, so viele Freunde, die ich haben werde, dachte Pikay.

Der Lehrer unterbrach den Chor und zeigte auf den Platz, auf dem er sitzen sollte. Aber der Zeigefinger des Lehrers wies nicht auf die Gemeinschaft innerhalb des Klassenzimmers, sondern auf die Veranda draußen.

»Dort«, sagte er, »dort sollst du sitzen, Pradyumna Kumar Mahanandia!«

Pikay hockte sich im Schneidersitz auf den sandigen Boden unter dem Verandadach. Nun war er verwirrt. Soll ich allein hier draußen sitzen?, dachte er enttäuscht. Doch sein Vater nahm keine Notiz von dieser Entscheidung. Gab es etwas, das er wusste, wovon Pikay keine Ahnung hatte? Der Vater ergriff seine Hand, sagte auf Wiedersehen, ging zu seinem Fahrrad, das am Bambuszaun lehnte, und radelte davon.

Jetzt war Pikay allein mit all diesen unbekannten Menschen. Ob sie ihm wohlwollten? Davon war er jetzt nicht länger überzeugt. Die Lust auf den Schulanfang, die er verspürt hatte, war verschwunden. Warum klang der Lehrer so böse, und warum durfte er nicht bei den anderen auf dem Boden drinnen im Klassenraum sitzen?

Bald kam der Lehrer auf die Veranda hinaus, um ihm bei den Schreibübungen zu helfen. Er breitete eine dünne Schicht Sand auf seine Holzplatte und zeigte mit dem Finger, wie er die Buchstaben in den Sand malen sollte. Pikay merkte, dass der Lehrer es vermied, ihn anzufassen. Er saß nah bei ihm, schien sich aber davor zu hüten, ihn zu berühren. Warum benahm er sich so?

Von seinem Platz auf der Veranda aus hatte er dennoch den Überblick über die Klasse, wenn der Lehrer auf der schwarzen Tafel zeigte, wie sie den Buchstaben »ma« im Oriya-Alphabet schreiben sollten, und er die Schüler aufforderte, den Laut zu wiederholen.

»Ma, ma, ma, ma, ma«, lasen Pikay und die ganze Klasse im Chor.

Als es Zeit für die Pause war, klingelte der Lehrer mit der Messingglocke. Die Schüler rannten raus, um im Hof zu spielen. Er stand auf, um hinterherzulaufen.

»Wohin willst du?«, fragte der Lehrer.

Die Frage ließ ihn verstummen. War das nicht klar?

»Du darfst nicht mit den anderen spielen!«, fuhr der Lehrer fort.

Pikay gewöhnte sich schnell daran. Am ersten Schultag saß er allein in einer Ecke des Schulhofs und kämpfte mit den Tränen. Am zweiten Tag entdeckte er einen kleinen Teich hinter dem Schulhaus, wo er sitzen und allein spielen konnte. Nach einer Woche war die Zeit allein am Teich zu etwas geworden, wonach er sich sehnte. Und doch begriff er immer noch nichts. Er spiegelte sich in der Wasseroberfläche. In dem sich kräuselnden Bild von sich selbst suchte er nach Zügen und Farben, die von denen der anderen Kinder abwichen. Vielleicht war seine Nase zu platt, die Haut zu dunkel, das Haar zu lockig? Manchmal meinte er, in dem dunklen Wasserspiegel wie ein Waldwesen auszusehen. Dann wieder fand er, dass er aussah wie alle anderen.

Erst nach einer Woche fragte er seine Mutter, was er schon am ersten Abend hätte fragen müssen, wozu er aber zu verwirrt war, um es formulieren zu können:

»Warum muss ich draußen vor dem Klassenzimmer sitzen?«

Seine Mutter saß in der Hocke, grillte Maiskolben und kochte Chapatis über dem Feuer in der Küche. Sie sah ihn an.

»Warum darf ich in den Pausen nicht bei den anderen sein?«, fragte er weiter.

Endlich antwortete sie.

»Wir sind Dschungelmenschen«, sagte sie.

Er sah sie an und war verwirrter. Was meinte sie damit?

»Früher einmal lebte unser Volk im Wald. Vielleicht wären wir besser dort geblieben und hätten unser Leben zwischen den Bäumen gelebt, anstatt ins Dorf zu ziehen und mit dem Steppenvolk zu wohnen.«

Sie nahm ihn hoch und setzte ihn auf ihren Schoß.

»Wir dürfen nicht zum Tempel gehen, dann werden die Priester böse. Das hast du ja bereits gemerkt. Wir können unser Wasser nicht am selben Brunnen holen wie die anderen, deshalb gehe ich nicht zum allgemeinen Brunnen, sondern jeden Tag zum Fluss oder zum Reservoir. Und wir können nichts dagegen tun. Wir müssen es akzeptieren.«

»Warum denn?«, fragte er.

»Weil wir Unberührbare sind, weil wir in eine niedrigere Kaste geboren sind … oder eigentlich … in überhaupt keine Kaste.«

Sie fing seinen Blick auf.

»Es wird trotzdem gut, du wirst schon sehen, wenn du nur an die Wahrheit glaubst …«

Sie wischte sich die Tränen ab.

»… und wenn du ehrlich zu dir selbst und zu anderen Menschen bist.«

Am Abend lag er auf seiner Strohmatte und grübelte nach, ehe er einschlief. Die hohen Laute der Fledermäuse flirrten durch die Nacht, und die Hunde jaulten. Seine Mutter klapperte mit Holzstöckchen und mit den Essensschalen aus Edelstahl. Das waren Geborgenheit verströmende Alltagsgeräusche, zu denen einzuschlafen er gewohnt war, aber heute konnte er nicht aufhören zu grübeln. Was ist Kaste? Was bedeutet unberührbar? Er ahnte, dass dies das seltsame Verhalten des Lehrers erklärte, doch warum war das so? Warum waren alle so damit beschäftigt, diese Regeln zu beherzigen?

*Pikays Klasse bekam* ein Beet in einem Küchengarten am einen Ende des Schulhofs zugeteilt. Dort pflanzten die Schüler gemeinsam Gurken, Okra, Auberginen und Tomaten. Wenn das Gemüse reif wäre, dürften sie es ernten und mit nach Hause nehmen. Pikay durfte dabei sein und säen und wässern. Niemand beschwerte sich darüber, dass er die Samen und das Wasser berührte.

Als die Erntezeit kam, bekam er einen eigenen Korb, während die anderen in der Klasse sich einen teilten. Das war, damit das Gemüse der anderen nicht von seiner Unreinheit befleckt würde, das war ihm klar. Doch er scherte sich nicht groß darum, sondern dachte vielmehr an all die guten Tomaten, die er seiner Mutter nach Hause bringen würde. Er war so begeistert darüber, zum Haushalt beitragen zu können, dass er zum Garten lief, über den Wasserschlauch stolperte und an den gemeinsamen Korb der anderen Kinder stieß, sodass die obersten Tomaten auf den Boden rollten. Schnell beugte er sich herab, sammelte die Tomaten auf und legte sie zurück.

Sein Lehrer reagierte verärgert.

»Ist dir klar, was du da gemacht hast? Jetzt hast du das ganze Gemüse verunreinigt!«, schimpfte er.

Pikay stand wie versteinert da und sah zu, wie der Lehrer den Korb an sich riss. Er ahnte schon, dass etwas Unangenehmes passieren würde. Dann hob der Lehrer den gemeinsamen Korb hoch und schüttete in seiner Wut alle Tomaten über ihm aus. Ein Regen von Früchten prasselte auf seinen Kopf und dann auf den Boden, während der Rest der Klasse mucksmäuschenstill im Kreis um ihn herum stand und zusah. Der Lehrer meinte, er könne nun genauso gut alles Gemüse mit nach Hause nehmen, denn es wäre ja sowieso alles besudelt.

Weinend sammelte er die Tomaten auf und legte sie in den Korb.

Seine Mutter freute sich, als er mit dem wohlgefüllten Korb nach Hause kam, doch als er erzählte, wie es dazu gekommen war, war sie niedergeschlagen. Sie fürchtete, dass er nicht mehr in die Schule würde gehen wollen und dass der Lehrer und die anderen Schüler und deren Familien anfangen würden, sie zu drangsalieren.

»Man weiß nie«, sagte sie, »die Kastenhindus können völlig durchdrehen und alle Unberührbaren im Dorf bestrafen.«

Doch am nächsten Tag tat der Lehrer so, als wäre nichts passiert. Und weder Pikay noch der Rest der Familie bemerkte irgendwelche Reaktionen. Es war, als wäre die Sache mit den Tomaten nie geschehen.

Pikay musste viel über das Ereignis nachdenken. Der Lehrer hatte erklärt, dass das, was er berührte, schmutzig blieb. Was würde dann geschehen, wenn er die ganze Klasse berührte? Würden sie wütend werden? Oder würden sie so tun, als wäre nichts geschehen?

Das muss ich ausprobieren, dachte er.

Als die Schüler sich eines Morgen wie immer auf dem Schulhof aufreihten, war die Gelegenheit da. Er streckte die eine Hand aus und lief in raschem Tempo an der ganzen Reihe entlang und schlug jedes Kind auf den Bauch. Als er mit den Schülern fertig war, lief er auch am Lehrer vorbei und schließlich noch am Rektor und schlug auch sie auf den Bauch.

Der Lehrer stand dumm da und starrte, erst auf Pikay, dann auf den Rektor und schließlich auf die Kinder.

»Kommt!«, befahl der Lehrer und wandte sich seinen Schülern zu. »Wir gehen zum Brunnen und waschen uns.«

»Pikay, du bleibst hier, um dich kümmere ich mich später.«

Wenn die Schüler gegen die Schulordnung verstoßen hatten, schlug der Lehrer sie mit dem Rohrstock, aber Pikay wurde nicht geprügelt, weil der Lehrer seinen Stock nicht besudeln wollte, denn dann hätte er die Verunreinigung auf die anderen Schüler übertragen. Für Pikay erfand der Lehrer eine andere Form der Bestrafung. Er musste sich auf die Veranda stellen und die Augen schließen. Dann trat der Lehrer ein Stück zurück und bewarf ihn mit kleinen, scharfkantigen Steinen, die auf der Haut brannten und hässliche blaue Flecken hinterließen.

Pikay verfluchte den Lehrer, dachte aber gleichzeitig resigniert, was seine Mutter ihm beigebracht hatte, nämlich dass so das Leben außerhalb von zu Hause aussah. So wurden Leute wie er behandelt. Dagegen konnte man nichts tun.

Doch ab und zu suchten ihn Wut, Rachelust und Sehnsucht nach einer göttlichen Gerechtigkeit heim. Bittere Gedanken, die ihm kamen, wenn er am Nachmittag nach Hause radelte, wenn er am Abend einschlafen sollte und wenn er in der Morgendämmerung wach lag und die Ereignisse des vorangegangenen Tages noch einmal durchlebte.

Eines Morgens schlief der Lehrer auf seinem Stuhl hinter dem Katheder ein, während die Schüler im Chor die Morgengebete sprachen. Pikay hatte schon an seinem Atem gemerkt, dass er auf dem Weg zur Schule Schnaps getrunken haben musste – und während der Lehrer nun immer lauter schnarchte, ging ihm allmählich sein Mund auf, bis er weit geöffnet war. Da geschah etwas Fantastisches, was er niemals vergessen würde. Eine der Tauben, die auf einem Dachbalken saß, kackte plötzlich. Und der Vogelkot fiel nicht nur direkt auf das Katheder, nein, er fiel über den Stuhl des Lehrers und zur Begeisterung der Schüler in seinen offenen Mund. Der Lehrer fuhr wütend auf und schrie und brüllte, schimpfte seine Schüler aus, weil er meinte, einer der Jungs in der Klasse habe ihm einen Streich gespielt.

Es war, als hätte die Taube Pikays Gedanken gelesen, und er ergötzte sich an dem Ärger und dem Ekel des Lehrers.

An den Tagen, an denen der Schulinspektor zu Besuch kam, war alles anders. Der Inspektor sollte kontrollieren, ob die Schule die Gesetze Indiens befolgte, die besagten, dass niemand aufgrund seiner Kaste diskriminiert werden dürfe. Er trug einen blauen Blazer, ein weißes Hemd und weiße Hosen mit Bügelfalten und besaß eine selbstverständliche Autorität, lächelte höflich, war aber gleichzeitig bestimmt.

Die Gegenwart des Inspektors veranlasste den Lehrer und die Klassenkameraden, Pikay anders zu behandeln.

Am Morgen erklärte der Lehrer, dass Pikay natürlich bei seinen Klassenkameraden im Klassenzimmer sitzen solle – gerade so, als ob die Unberührbarkeit nur ein böser Traum gewesen sei. Er durfte in der Gemeinschaft dabei sein, Schulter an Schulter bei den anderen auf dem Boden sitzen und in den Pausen mit ihnen spielen. Niemand sagte zu ihm, er müsse Abstand halten. Er war so froh, fühlte sich so frei und merkte am Anfang gar nicht, dass alles nur eine Show war, und dass, sowie der Inspektor vom Hof gefahren wäre, die Hölle weitergehen würde.

Wenn er das geahnt hätte, wäre er nicht so gut gelaunt gewesen.

Am Abend erzählte er seiner Mutter, wie er die anderen Kinder beeindruckt hatte, weil er die Fragen des Inspektors richtig beantworten konnte. Da sah sie stolz aus und war so gerührt, dass sie weinte. Er mochte die Gefühle, die er in ihr erzeugte, denn dadurch fühlte er sich wichtig und wertvoll. Einige Jahre später, als er Teenager war, erkannte er, dass sie in Wirklichkeit über die Heuchelei geweint hatte und darüber, dass die Gemeinschaft nur eine Kulisse war, die an den Tagen aufgezogen wurde, an denen der Inspektor zu Besuch kam.

Er träumte oft davon, dass der Inspektor zurückkommen und sich schräg hinter den Lehrer setzen würde, um mit Adlerblick über die Klasse zu schauen. Der Inspektor würde alles und alle sehen und gerecht sein. Er selbst würde mitten in der Klasse unter seinen Klassenkameraden sitzen. Er meldete sich, gab auf alle Fragen die richtige Antwort und wurde wieder und wieder, Tag für Tag, gelobt. Wenn er dann aufwachte und der Traum verflogen war, lag er noch ein Weilchen still, umfangen von dem warmen Gefühl, dabei sein zu dürfen. Erst wenn er aufgestanden war und auf die Veranda trat, um die Sonne zu begrüßen, kehrte der Druck auf der Brust und die Erinnerung an die Zeremonie zurück, die jedes Mal stattfand, wenn der Inspektor das Klassenzimmer verlassen hatte, um in das Schulbüro in Athmallik zurückzufahren. Der Lehrer, der Brahmane war, und die Klassenkameraden gingen dann gemeinsam runter zum Teich und schrubbten ihre Körper mit Seife und Wasser. Sehr lange standen sie da und wuschen sich, als wären sie in einen Misthaufen gefallen.

Jetzt wusste er, warum.

Als er von der Schule nach Hause kam, weinte er verzweifelt. Seine Mutter tröstete ihn.

»Die waren so schmutzig«, sagte sie. »Wie gut, dass du sie dazu gebracht hast, zu baden. Die mussten sich wirklich mal waschen. Igitt, wie die stanken!«

So redete sie immer weiter, bis er aufgehört hatte zu weinen. Auch wenn er wusste, dass nicht stimmte, was sie sagte, betteten ihre tröstenden Worte doch den Schmerz warm und weich ein. Es gab einen Menschen, der ihn nicht mied.


Aber nicht nur der Schulinspektor brachte den Lehrer und die Klassenkameraden dazu, sich anders zu verhalten. Als sie in der dritten Klasse waren, bekamen sie Besuch von einem britischen Kolonialbeamten, der nach der Selbstständigkeit in Orissa geblieben war. Er schritt mit geradem Rücken ins Klassenzimmer, Seite an Seite mit seiner Frau. Er trug einen dunklen Anzug, sie ein geblümtes Kleid. Ihre Gesichter waren weiß und glatt wie Joghurt. Die Brahmanen-Mädchen der Klasse gingen mit Blumengirlanden zu ihnen und hängten sie ihnen um den Hals. Zur Feier des Tages durfte Pikay noch einmal mit den anderen im Klassenzimmer sitzen, als gäbe es die Diskriminierung der Unberührbaren nicht. Gemeinsam stellten sie sich auf und sangen für ihre Besucher, wieder vereint wie eine große Familie.

Als die ausländischen Besucher das Klassenzimmer verlassen wollten, ging die Frau zu Pikay hin und strich ihm über die Wange. Sie sah ihm direkt in die Augen und lächelte.

»Ich darf dich anfassen, denn ich bin auch unberührbar«, sagte sie, nahm ihre Blumengirlande und hängte sie Pikay um den Hals.

Das Gefühl der Zusammengehörigkeit war berauschend. Er wusste zwar, dass diese Gemeinschaft immer nur vorübergehend war, doch er erlaubte dieser Einsicht nicht zu landen, vertrieb sie wie eine Mücke, wollte den Augenblick genießen.

Wenn die Briten zusahen, dann existierten die Kastengrenzen nicht. Vielleicht war das Leben für uns besser, als sie noch das Land regierten, dachte er.

Er sah verstohlen zu der weißen Frau hinüber und rief sich die Prophezeiung des Astrologen ins Gedächtnis: nicht aus dem Distrikt, nicht aus der Provinz, nicht einmal aus dem Land. Sollte er sich womöglich mit einer Frau in geblümtem Kleid und einem Gesicht weiß wie Joghurt verheiraten?

*Lottas Sehnsucht wurde* immer größer. In der Zeitung las sie von George Harrison, der nach Indien gereist war, seine geistigen Gurus getroffen und das Sitarspiel erlernt hatte, um dann zusammen mit den Menschen vor einem hinduistischen Tempel in London ein indisches Lied zu spielen. Und sie las ein Interview mit Maharishi, dem Guru der Beatles, der sagte, dass er vor seinem Innern die kosmische Kapazität der britischen Popband sehen könne.

Eines Tages las sie die Schlagzeile: »Beatles reisen nach Indien, um zu meditieren.« Sie hatte das Gefühl, Indien wäre überall, man konnte ihm kaum entgehen.

Lotta dachte oft an ihren Opa, der gestorben war, als sie zwei Jahre alt war. Er hatte so intensiv von all den Reisen geträumt, die er nie unternommen hatte. Sein größter Wunsch war es gewesen, einmal wegfahren zu können. Er war Meister in einer Weberei gewesen, hatte einen Freund, der Handlungsreisender mit Textilien aus Bombay war, und er hatte die Bücher von Rudyard Kipling, Jack London und Sven Hedin gelesen und von Abenteuern in Asien geträumt.

Oft holte Lotta das vergilbte Exemplar der Zeitschrift *Idun* heraus, in der er die Anzeigen für Kreuzfahrten nach Indien eingekringelt hatte. Ihr Opa hatte die Reise niemals angetreten. Stattdessen hatte er die Welt zu sich nach Hause geholt. Einmal hatte er ein Räuchergefäß auf dem Schrott gefunden. Wie sich herausstellte, stammte es aus Persien. Niemand wusste, wie das auf einem Schrotthaufen in Borås gelandet war, aber das spielte keine Rolle. Lottas Opa hielt das Gefäß in Ehren. Das war sein Abenteuer.

Als er starb, bekam Lotta das Räuchergefäß, das sie viele Jahre später in eine Nische in ihr Haus auf der Waldlichtung hängte. Ich werde mich nicht mit Requisiten begnügen, dachte Lotta, ich werde alles umsetzen, wovon mein Opa geträumt hat.

Die Familie lebte in einer kleinen Dreizimmerwohnung, das Geld war oft knapp, und man musste sparsam leben. Ihr Vater und ihre Mutter betrieben ein Stoffgeschäft, das sie geerbt hatten, das ihnen aber keinen richtigen Spaß machte. Die Geschäfte gingen immer schlechter, und am Ende mussten sie Konkurs anmelden. Lottas Vater fing an, im Wald zu arbeiten, auf einem Grundstück, das zur weitläufigeren Familie gehörte, und ihre Mutter arbeitete in der Zahnpraxis ihres Bruders als Zahnpflegerin.

Sie hatten nur wenig Geld, waren aber adlig. Doch was andere als einen stolzen Titel betrachteten, war für die halbwüchsige Lotta nur eine Belastung. Es machte keinen Spaß von Schedvin zu heißen. Lotta wollte einfach nur so sein wie alle anderen.

Sie schämte sich für ihren adligen Namen, aber auch dafür, dass sie mit ihm und dem doch privilegierten Leben nicht zufrieden war.

Die Familie besaß ein altes rostiges Auto, das oft kaputtging. Doch Lotta und ihre Schwestern wünschten sich ein Pferd. Also wurde in der Familie gemeinsam diskutiert, wofür man sich entscheiden sollte: Pferd oder neues Auto? Beides war nicht möglich. Lottas Mutter traf schließlich die Entscheidung.

»Es ist wichtiger als ein neues Auto, den Mädchen eine Freizeitbeschäftigung zu geben.«

Sie wandte sich an Lotta und ihre Schwestern:

»Ihr müsst lernen, für etwas anderes als nur für euch Verantwortung zu übernehmen.«

Im Kino sah Lotta einen Film über einen Jungen, der auf einem Elefanten durch den indischen Dschungel ritt. So einen will ich als Freund haben, dachte sie und begann, sich Brieffreundschaften in Nairobi, Japan, Österreich und San Francisco aufzubauen.

Aus Nairobi kam eines Tages mit der Post ein Armband aus Elefantenhaar, das sie am nächsten Tag stolz in der Schule trug.

*Der erste Premierminister* Indiens hieß Jawaharlal Nehru. Er glaubte an alles, was modern war: die Industrie, die Stadt und die Eisenbahn. In seinen Reden darüber, wohin Indien unterwegs war, sprach er davon, dass das Neue den abgestorbenen Wald des Vergangenen ersetzen müsse. Das inspirierte viele Inder. Pikays Vater gehörte zu Nehrus Bewunderern, ebenso wie der neue Rektor der Schule.

Bei seinem Amtsantritt in der Schule versammelte der Rektor die Schüler auf dem Schulhof, um von Maschinen und anderen modernen Dingen zu erzählen, die er in der Stadt gesehen hatte. Erst berichtete er vom Telefon, dann beschrieb er die Eisenbahn.

»Ein Zug«, sagte er in dramatischem Tonfall, »ist ein sehr langer Gegenstand. Er erinnert an eine Schlange, eine riesige Schlange, die sich von hier, wo ich stehe, bis zum Fuß des Berges dort hinten erstreckt.«

Er zeigte auf die grasbewachsene Böschung ein paar Hundert Meter entfernt.

»Und er ist auch eine Schlange, die sich durch die Landschaft schlängelt. Ich bin drei Tage und drei Nächte damit gereist. Wir waren mehr als hundert Menschen, die im Zug saßen oder lagen«, sagte der Rektor.

Pikay hörte gut zu und stellte sich den Zug als eine riesige, künstliche Schlange vor, die sich im Sand wand, während die

Menschen rittlings darauf saßen, wie man ein Pferd oder einen Elefanten reitet.

»Noch Fragen?«, erkundigte sich der Rektor, als er fertig geredet hatte.

Pikay hob die Hand.

»Kann die Schlange springen wie eine Kobra?«

Er dachte an die Geschichte von der Kobra, die ihn vor dem Regen geschützt hatte, als er nur ein paar Tage alt war. Und dann musste er an die Kobra denken, die ihn gebissen hatte, als er fünf Jahre alt gewesen war, und auf die er so wütend gewesen war, dass er sie gefangen, gepackt und zurückgebissen hatte, bis das Schlangenblut ausgetreten war und der Schlangenkopf leblos runtergehangen hatte. Nun sah er vor seinem inneren Auge eine sich windende Schlange und stellte sich eine viele Male größere vor und wie sie glänzte und glitzerte, während sie mit großen Hüpfern über die Eisengleise rutschte.

Der Rektor lachte trocken und kicherte dann etwas theatralisch.

»Der Zug ist zu schwer, um hüpfen zu können, denn er ist ganz und gar aus Eisen gemacht«, sagte er.

Das Eisen musste furchtbar schwer sein, das wurde ihm jetzt klar, und natürlich könnte der Zug sich unmöglich von der Erde erheben, aber er hatte noch eine Frage:

»Wird sie auch in unser Dorf geschlängelt kommen?«

Nun war die Geduld des Rektors zu Ende. Er antwortete barsch:

»Nein, das kann sie nicht. Sie kann nur auf Eisen fahren, auf Eisenstraßen, und die haben wir hier nicht.«

Unglaublich, dachte Pikay. Straßen aus richtigem Eisen! Wie viel Eisen es wohl kosten würde, um sie zu bauen! Mehr Eisen als alle Pfeilspitzen seines Großvaters zusammen, und dabei hatte der doch viel mehr Pfeile als jeder andere im Dorf. Wenn ich alle Pfeilspitzen von Großvater zusammennehme und sie einschmelze, dann reicht das vielleicht für … er dachte gründlich nach … vielleicht für einen Meter Eisenstraße. Nicht mehr. Und der Rektor sagt doch, dass er drei Tage und drei Nächte auf Eisenstraßen gefahren ist! Er versuchte, sich das vorzustellen, doch davon wurde ihm nur schwindelig, und er musste den Kopf schütteln, um das Schwindelgefühl loszuwerden.

Nach den ersten fünf Jahren in der Primary School wechselte er für die siebte Klasse auf die Upper Primary School. Er sollte im Internat der Schule wohnen und genauso wie sein Vater und seine Brüder nur an einem Tag in der Woche, nämlich sonntags, zu seiner Mutter nach Hause fahren.

In den Sälen und Fluren der Schule hing an dünnen Fäden etwas herunter, das er noch nie zuvor gesehen hatte. Runde Lichtkugeln aus Glas. Die leuchtenden Kugeln erstaunten ihn. Welch ein starker Schein! Die müssen aber viel Öl verbrauchen, dachte er. Er ging um die Lampen herum und schaute ganz genau von allen Seiten, um den Ölbehälter zu finden.

»Wie befüllen denn die Stadtbewohner ihre Lampen?«, fragte er seinen Vater am ersten Sonntag, als er nach Hause kam.

Der Vater antwortete, dass er nicht alles auf einmal wissen müsse, sondern eins nach dem andern lernen solle.

»Aber dann musst du dich daran gewöhnen. Unser Premierminister hat uns versprochen, dass wir bald auch solche elektrischen Lampen in unserem Dorf haben werden«, sagte er.

Vom ersten Tag an wussten in der neuen Schule alle Lehrer und Mitschüler, dass er unberührbar war, und sie behandelten ihn entsprechend. Er trug ein zusammengefaltetes Kastenzertifikat in der Tasche, das von den örtlichen Behörden ausgestellt war. Es gewährte ihm Zugang zu den Quoten, die denjenigen vorbehalten waren, die zu den *Scheduled Castes,* den *Schedules Tribes* und *Other Backward Castes* gehörten, den Unberührbaren, dem Stammesvolk und anderen niedrigen Kasten.

»Kastenzertifikat. Journal Nr. 44. Hiermit wird bestätigt, dass Sri Pradyumna Kumar Mahanandia, der Sohn von Sri Shridhar Mahanandia aus Kondpoda, Athmallik, im Dhankanal-Distrikt, einer gelisteten Kaste angehört. Seine Unterkaste ist Pan.«

So stand es dort. Da hatte er es quasi schwarz auf weiß, dass er unberührbar war, ein Paria, ein Bürger zweiter Klasse. Das Zertifikat ermöglichte ihm Ermäßigungen für Zugfahrten, und eines Tages würde er damit leichter in die Universität kommen können, doch in erster Linie war es ein Aussätzigenstempel. Er war ein armer Schwächling, der besonders behandelt werden musste, um überleben zu können.

Sein neuer Lehrer war auch der Leiter des Internats und instruierte ihn, wie sich ein Unberührbarer zu verhalten hatte. Pikay durfte nicht in die Küche gehen und auch nicht in den Speisesaal, wenn sich jemand anders dort aufhielt. Stattdessen sollte er sich auf den Fußboden im Flur setzen und auf sein Essen warten. Dann kam der Koch mit einer Metallschale und Essen zu ihm hinaus. Sorgfältig achtete er darauf, dass seine Kelle nicht die Essenschale von Pikay berührte, und schüttete aus einem halben Meter Höhe Reis, Gemüsecurry und Linsen in die Schale.

An manchen Tagen bekam er nur Reis, weil das Essen aus war. Er bekam immer zuletzt. Wenn er klagte, seufzte der Koch resigniert.

»Das kommt von dem Karma aus deinem vorigen Leben, das musst du verstehen und respektieren«, sagte er.

Diese Erklärung hatte er bereits gehört. Er wusste, dass diejenigen, die so dachten, entweder selbst Brahmanen oder von Brahmanen indoktriniert waren. Sie hatten gelernt, die Unberührbaren wie Ausgestoßene zu behandeln, es war nicht ihre Schuld, versuchte er sich einzureden. Und doch spürte er die Wut in sich wachsen.

Die Schule hatte einen Dhobi Wallah angestellt, einen Mann, der die Kleider der Internatsschüler wusch. Nur die von Pikay nicht. Als Pikay das merkte, wuchs seine Wut noch mehr, doch er wagte nicht, geradeheraus zu sagen, was er empfand. Stattdessen schlich er zum Flussufer und nahm, als wäre er noch ein kleiner

Junge, seine Schleuder heraus und schoss die Wasserkrüge des Dhobi Wallah kaputt. Der Wäscher konnte Pikay noch erkennen, wie er sich zwischen den Bäumen am Flussufer davonschlich, und noch in derselben Woche nahm er Kontakt zu seinem Vater auf und beklagte sich:

»Ihr Sohn muss unsere Traditionen und Regeln verstehen und begreifen. Wo kommen wir hin, wenn plötzlich alle machen, was sie wollen?«, schrieb er in einem Brief an Pikays Vater.

Shridhar antwortete, dass er die Regeln sehr gut kenne und sein Sohn ebenso. »Aber«, so schrieb er, »die Regeln sind ungerecht und eine Schande für ein Land wie Indien, das modern werden und mit den erfolgreichen Nationen im Westen mithalten will.«

Hatte der Wäscher noch nie eine Rede von Premierminister Nehru gehört? Wusste er nicht, dass die Politiker in New Delhi von einem Indien frei von Kastenhierarchien träumten? Hatte er etwa nicht die klugen Ausführungen Nehrus darüber gelesen, dass alle Menschen einen freien Willen besaßen, der nicht von alten Mustern gesteuert werden durfte? Das Leben ist wie ein Kartenspiel, hatte Nehru in einer seiner Reden gesagt. Die Karten, die dir ausgeteilt werden, sind das Vorbestimmte im Leben, aber dein Geschick, sie auszuspielen, ist dein freier Wille.

Nachdem der Dhobi Wallah den Brief von Pikays Vater gelesen hatte, ging er zu Pikay, der im Korridor vor dem Speisesaal saß und einsam sein Abendessen aß. Er flüsterte:

»Komm heute Abend mit deinen Kleidern zu mir. Pass auf, dass dich niemand sieht. Ich werde deine Kleider waschen, und du bekommst sie morgen früh, wenn die andern noch schlafen, zurück.«

Ein kleiner Sieg.

Die indische Gesellschaft ist voller Widersprüche, dachte Pikay oft. Ein gutes Beispiel dafür war, wie sich das Kastensystem seinem Großvater gegenüber verhielt. Der Großvater war ein für seine weltlichen Aufgaben respektierter Mann, und dennoch war es für die Brahmanen undenkbar, Essen oder ein Glas Wasser entgegenzunehmen, mit dem er in Kontakt gekommen war. Und natürlich weigerten sie sich, ihn in den Tempel zu lassen.

Die Pan-Leute hatten seit Hunderten von Jahren als Weber gearbeitet. Doch Pikays Großvater brach mit dieser Tradition und nahm eine Büroarbeit in Athmallik an. Obwohl er für die Brahmanen nicht mehr als ein Stück Rattendreck war, behandelten ihn die Briten würdig. Die Briten taten alles, um die Brahmanen zu reizen, also wurde er zum Häuptling seines Dorfes auserwählt, was bedeutete, dass er als Streitschlichter fungieren musste, wenn die Leute sich stritten. Außerdem wurde er zum Stellvertreter der Kolonialherren ausersehen, denn die Briten trauten den Brahmanen nicht.

»Die Brahmanen haben so viele Tabus, was das Essen betrifft, und gleichzeitig so seltsame Umgangsregeln, dass man nicht weiß, wann man sie verunglimpft oder verehrt – das wissen sie nur selbst«, meinten die Briten in Athmallik.

Sie wussten, dass die Skepsis auf Gegenseitigkeit beruhte. Die orthodoxen Brahmanen verachteten die Briten und nannten sie *beefeaters,* was nicht schmeichelhaft gemeint war.

Pikay musste daran denken, wie die Briten seinen Großvater und keinen Brahmanen zum Chatai des Dorfes gemacht hatten – ein Titel, der verpflichtete. Der Chatai sollte an die Kolonialbehörden berichten, wer geboren und gestorben war oder wer sich strafbar gemacht hatte, denn das Dorf hatte kein Polizeirevier und kein Einwohnermeldeamt. Darüber hinaus war es der Chatai, der Strafen vollzog. Wenn jemand gegen ein Gesetz verstoßen hatte, dann war Pikays Großvater es, der auf Anweisung der Briten mit seinem Holzstock die Prügelstrafe ausführte.

Der Großvater sagte immer zu Pikay, dass er die Briten mochte.

»Die Briten halten, was sie versprechen, es sind gute Leute. Im Unterschied zu den Brahmanen schütteln sie uns die Hand und fassen uns an«, sagte er.

Dann warnte er den Enkel: »Halt dich nur von den Brahmanen fern. Wenn du zu ihnen nicht Abstand hältst, dann werden sie dein Unglück sein.«

Das Leben in der Schule von Dhenkanal war wie eine Wanderung durch die Wüste, während der Zirkus, der in die Stadt kam, eine Freistatt war. Die Zirkusleute schlugen ihre Zelte auf, pflockten ihre Elefanten an und bauten einen transportablen Vergnügungspark auf. Schon am ersten Abend stand eine lange Schlange vor dem Riesenrad und den Karussells, die auf umgebauten Fahrrädern von Männern in Gang gehalten wurden. Die rostigen Attraktionen quietschten, blinkten, pfiffen und piepten. Der Tivoli wirkte verfallen, doch Pikay war von den surrenden und scheppernden Fahrgeschäften beeindruckt. Das Zirkuszelt aber hatte es ihm am meisten angetan, ohne dass er richtig gewusst hätte, warum. Er ging zwischen den Wohnwagen der Zirkusleute umher, streichelte die Pferde und die Elefanten und stellte sich den Jongleuren und Löwendompteuren vor.

Pikay war immer sehr darauf bedacht, allen vom ersten Moment an klarzumachen, dass er unberührbar war. Das tat er aus Rücksichtnahme, denn dann konnten die Menschen selbst wählen, ob sie Abstand halten oder ihn wegjagen wollten, um nicht beschmutzt zu werden.

»So was ist uns doch egal!«, sagte einer der Dompteure.

»Wir sind Muslime und wissen genau, wie es dir ergeht, wir werden nämlich selbst wie Unberührbare behandelt«, sagte ein Jongleur.

Er verstand nicht recht, was sie meinten, denn er wusste noch nicht, dass die Muslime in Indien es ebenso schwer hatten wie die Unberührbaren. Eigentlich gehören die Muslime ja nicht zum Kastensystem, doch ganz früher einmal waren sie Hindus der untersten Kaste gewesen, die, indem sie konvertiert waren, versucht hatten, dem Unberührbaren-Status zu entkommen. Leider half das nichts. Die Diskriminierung folgte ihnen nach.

Das Kastensystem ist doch wie eine unheilbare Krankheit, dachte er.

Jeden Tag nach der Schule ging er in den Zirkus. Endlich ein Ort, an dem er gut behandelt wurde! Er mochte die Freundlichkeit der Zirkusleute, ihre Neugier und die vorurteilsfreie Art. Sie antworteten auf seine Fragen und hörten seinen Erzählungen zu. Das war er nicht gewohnt. Nach einigen Tagen boten sie ihm Arbeit an. Er dachte: Warum nicht? Es war ihm egal, dass die Schule darunter leiden würde. So war er. Er dachte nicht an die Folgen. Und Angebote, die gut klangen, lehnte er nicht ab.

Er war geschmeichelt. Zum ersten Mal in seinem Leben wurde er trotz seiner Unberührbarkeit akzeptiert.

Zwei Wochen lang schleppte er Heu für die Tiere und Leitern für das Zelt herbei. Er schrieb und malte ihre Werbeplakate.

»Werde unser Clown und geh mit uns auf Tournee!«, forderte ihn der Zirkusdirektor auf.

Ja, warum nicht? Jetzt fangen sowieso bald die Sommerferien an, dachte Pikay.

Als Clown bekam er einen langen gestreiften Mantel und eine rote Plastiknase, und er musste ein paar der klassischen Clown-Nummern lernen. Das war nicht schwer. Und das Publikum lachte. Das war leicht verdiente Anerkennung.

Die Zirkusleute lobten ihn. Doch als der Direktor fragte, ob er mit auf eine lange Tournee durch mehrere Bundesstaaten in Ostindien kommen wolle, zögerte er. Er hatte das Gefühl, dass irgendetwas nicht stimmte. Die Arbeit als Clown war eine Bestätigung seiner Außenseiterposition. Was ist ein Clown denn anderes als eine missratene Figur, die versucht, ihre Freunde zurückzugewinnen, indem sie sich selbst lächerlich macht? Er war unter Gleichgesinnten, hatte Arbeit, verdiente sogar etwas Geld, aber gleichzeitig fand er, dass das Lachen der Kastenhindus im Publikum höhnisch klang.

*Die Examensprüfung an* der High School in Chendipada war ein einziges Scheitern. Er saß stumm da und konnte auf fast keine Frage antworten. Die Mathematik- und Physikprüfung war eine Katastrophe. Er hatte nichts von dem verstanden, was die Lehrer gesagt hatten.

Ich bin unberührbar, werde drangsaliert und kann gar nichts, dachte er voller Selbstmitleid.

Wenn er die Prüfung nicht schaffte, würde er keine Zukunft haben. Dann würde er sich damit zufriedengeben müssen, die Toiletten in den Häusern reicher Menschen zu putzen, Weber zu werden oder Ziegelsteinbrenner, denn das waren Berufe, die für unberührbare Inder vorgesehen waren, die, ebenso wie er selbst, nicht imstande waren, etwas aus ihrem Leben zu machen. Er ging zum Fluss hinunter, um eins zu werden mit dem Strom und vielleicht in eine neue Welt zu gelangen, in eine andere und bessere Welt. Er sprang ins Wasser. Jetzt würde das Leiden ein Ende haben. Jetzt wartete etwas Neues.

Was wird Mama sagen?, konnte er noch denken, ehe er in den Fluten verschwand. Und anstatt sich vom Strom hinunter ins Dunkel ziehen zu lassen, kämpfte er mit aller Kraft um sein Leben.

Er kam wieder an die Oberfläche, schwamm an Land und kletterte ans Ufer. Dann wiederholte er hartnäckig den Versuch. Sprang ins Wasser, kämpfte noch einmal gegen den Strom, trieb an die Oberfläche. Dann sprang er ein drittes Mal, sank schwer nach unten und klammerte sich an einem dicken Stein auf dem Grund des Flusses fest. Nun war es doch Zeit für den Abschied von dieser Welt hier.

Jetzt gab es kein Zurück.

Aber der Stein lockerte sich, er rutschte ihm weg, und Pikay trieb wieder nach oben.

Klitschnass und traurig ging er nach Hause, legte sich auf den Boden im Schlafsaal der Schule und starrte an die Decke.

Er überdachte noch einmal die Geschehnisse der letzten Zeit. Wie sehr er das Gerede der Lehrer und Mitschüler, des Wäschers und des Kochs über die vorbestimmten Rollen aller Menschen in der Gesellschaft verabscheute! Doch gleichzeitig dachte er, dass alles, was er tat, einen Sinn hatte. Nichts war sinnlos. Selbst ein Scheitern war zu etwas gut. Das Gefühl des Ausgestoßenseins hatte einen Sinn, der Plan, sich umzubringen, ebenso, und der Stein, der sich lockerte und so seinen Selbstmordversuch scheitern ließ, hatte auch einen Sinn. Auf der Suche nach Trost wanderten seine Gedanken zu dem Palmblatt mit seinem Horoskop. Die Prophezeiung. Er dachte an die Frau, die er heiraten würde, und stellte sie sich von Kopf bis Fuß vor. Vor ihm in der Dunkelheit erschien das Bild einer hellen Frau. Sie war schön und trug ein sanftes Lächeln. Er spürte die Wärme eines Körpers, und als er die Augen schloss, war es, als wäre er von einem Lichtschein umgeben. Ohne zu wissen, warum, wusste er, dass dieses Licht von seiner Mutter kam. Es bestand gar kein Zweifel. Es war, als würde sie auf dem Boden neben seiner Strohmatte sitzen und über ihn wachen.

»Weißt du«, sagte sie, »die anderen sind dumm, und du machst alles richtig. Eines Tages wirst du die Frau treffen, von der die Prophezeiung spricht.«

Als das Leben am dunkelsten war, war es das Licht seiner Mutter, das ihn daran hinderte, den Schritt zur anderen Seite hinüber zu tun.

Wie schön, dass du hier bei mir sitzt, war das Letzte, was er dachte, ehe er an diesem verzweifelten Abend einschlief.

Die militärischen Trainingslager waren obligatorisch für alle Jungen vor dem letzten Grundschuljahr. Indien hatte schließlich zwei Kriege gegen Pakistan und einen gegen China geführt. Die Kriege waren in feuchten Dschungeln, heißen Salzwüsten und auf eiskalten Gletschern ausgetragen worden. Selbst Schuljungen mussten bereit sein, im nächsten Krieg zu dienen, denn dass der kommen würde, war nach Meinung aller nur eine Frage der Zeit.

Im Sommer zwischen der neunten und der zehnten Klasse fanden die großen Jugendlager des National Cadet Corps in Baulpur statt. Über tausend Jugendliche aus ganz Orissa wurden versammelt, um exerzieren und schießen zu lernen. Sie wohnten in Zelten, die an den Stränden des Brahmin unter Mangobäumen standen, deren Äste schwer von reifen Früchten waren, von denen ab und zu eine in den Sand fiel. Die Übungen waren eintönig und trist, aber Pikay war von den Uniformen, den Mützen mit Messingmedaillons und den derben Lederstiefeln fasziniert. Er fand, die militärische Ausrüstung verleihe ihm Macht.

Zusammen mit zwei anderen Kadetten wurde er ausgewählt, bei den Zelten zu wachen, um Essen zuzubereiten, während die anderen einen Kilometer am Fluss entlangmarschierten. Den ganzen Nachmittag lang hatten sich dunkelblaue regenschwere Wolken über den Bäumen aufgetürmt. Die Kraft der Wolken entlud sich in Windböen, und bald peitschte der Regen nieder, und Hagelkörner, groß wie Mais, fielen vom Himmel. Keiner hatte damit gerechnet, dass der Sturm so schnell und so heftig zuschlagen würde. In weniger als einer Minute wurden alle Zelte dem Erdboden gleichgemacht. In der dichten Dunkelheit, die nur hin und wieder von einem weißblauen Blitz aufgehellt wurde, stolperte Pikay und fiel in einen Graben, den er am selben Tag zusammen mit anderen Jugendlichen aus dem Lager ausgehoben hatte. Als die Böen kamen, fiel auch ein anderer seiner Kamera-den in den Graben. Der andere Junge wurde von einem großen Ast des Mangobaumes getroffen, den der Wind abgerissen hatte, als wäre er ein Zahnstocher. Ein kleinerer Zweig stürzte herab und traf Pikay, der einen stechenden Schmerz empfand. Er sah auf und sah ein Rinnsal Blut, das zu Pfützen wurde und in den Graben lief und seine Kleider durchnässte. Er tropfte nur so von Blut.

Doch es war nicht sein eigenes, sondern das des Kamera-den.

Danach verlor Pikay das Bewusstsein und erwachte erst mehre-re Stunden später wieder auf einer harten Pritsche im Kranken-haus von Dhenkanal, wo über ihm eine Glühbirne stechend hell leuchtete. Er hatte sich das Bein gebrochen, aber der Freund war von dem großen Ast erschlagen worden. Er war tot.

Neue Examensprüfungen folgten. Als alles völlig hoffnungslos erschien, kam die Wende. Der Tiefpunkt war erreicht. Die Erin-nerung kehrte wieder. Die Blockierung wich.

Mit Ach und Krach bestand er die Prüfung. Er hatte doch eini-ges begriffen. Er war nicht nutzlos.

Sein Vater erkannte von Neuem die Chance, Pikay zum Ingeni-eur zu machen. Das war sein Traum: eine strahlende Zukunft für seinen Sohn und ein neues Indien frei von Aberglauben. Die In-genieure würden das neue Land aufbauen. Das gesammelte Wis-sen der Ingenieure würde die gesammelten Mythen der Priester vernichten. Der Vater ermahnte seinen Sohn, sich auf einem na-turwissenschaftlichen College zu bewerben. Pikay tat, wie gehei-ßen, bewarb sich, wurde aufgenommen und begann im folgen-den Herbst auf der neuen Schule. Doch schon bald verlor er die Lust und vertrieb sich die Stunden im ersten Semester damit, Karikaturen von den Lehrern zu zeichnen.

Eines Tages fielen seine Zeichnungen dem Mathematiklehrer in die Hände.

»Unberührbare haben kein Gehirn!«, brüllte der und warf Pikay aus dem Klassenzimmer.

Pikay war nicht verzweifelt. Er wusste, was er wollte, und das war etwas ganz anderes. Physik, Chemie und Mathematik waren seine schlechtesten Fächer. Die Nation sollten andere aufbauen. Er hasste die Naturwissenschaften.

Der Lehrer, der ihn angebrüllt und rausgeschmissen hatte, kam am nächsten Tag auf dem Schulhof zu ihm und gab ihm einen guten Rat:

»Pradyumna Kumar, das hier geht nicht«, sagte er.

»Aber was soll ich dann machen?«

»Bewirb dich auf einer Kunstschule!«

Er befolgte den Rat des Lehrers, scherte sich nicht um die Ingenieurspläne seines Vaters und haute mit 55 Rupien in der Tasche von der Schule ab. Erst wusste er nicht, wohin er gehen sollte, doch dann fiel ihm das geistliche Zentrum Bhima Bhois in Khaliapali ein, das ein paar Stunden Busreise von zu Hause entfernt lag. Pikay wusste, dass die Mönche, die ihre Tage damit verbrachten, zu meditieren und zu singen, verirrte Seelen aufnahmen. Er wurde mit offenen Armen empfangen, bekam eine Strohmatte und Essen und wurde zu den Versammlungen ins Auditorium eingeladen. Von dem Gefühl erfüllt, dass alle im Raum dasselbe Ziel hatten, saß er Seite an Seite mit den singenden Mönchen, die, abgesehen von Rindenstücken, die ihr Geschlecht bedeckten, splitterfasernackt waren. Pikay war fasziniert von dem Begründer der Bewegung, Bhima Bhoi. Die Mönche hatten ihm erzählt, Bhima Bhoi sei ein Waisenjunge aus der Gegend gewesen, der die Kastenhierarchien, die Klassenunterschiede und die scheinheiligen Brahmanen leid geworden war und deshalb eine Sekte gegründet hatte, die bald viele Anhänger fand.

Die Mönche sangen die Gesänge ihres Gurus und sprachen seine Gedichte, die vom Traum einer gerechten Gesellschaft handelten, in der die Menschen in Gemeinschaft lebten und nicht in verschiedene Gruppen eingeteilt waren, die miteinander konkurrierten. Pikay empfand es als tröstlich, dass er mit seinen Gedanken nicht allein war. Hier war er unter seinesgleichen, und die Mönche hegten dieselben Ansichten über die Brahmanen wie er selbst. Aber er konnte doch nicht den Rest seines Lebens der Meditation widmen. Er konnte nicht Mönch werden, ehe er das Leben ausprobiert hatte. Er würde heiraten, das stand schließlich in der Prophezeiung, und er wollte mehr von der Welt sehen als Athmallik.

Also brach er auf und fuhr schwarz mit dem Zug gen Norden nach Westbengalen. An Bord des vollbesetzten Zuges, der sich quietschend auf den Gleisen auf sein neues Leben zubewegte, dachte er an den Rektor, der den Zug wie eine große Schlange aus Eisen und Blech beschrieben hatte. Er erinnerte sich an die Bilder, die er dazu in seinem Kopf gehabt hatte: die Gleise wie eine Straße aus massivem Eisen und die Menschen, die rittlings auf der Zugschlange saßen, die sich durch die Welt schlängelte. Jetzt musste er über seine eigene Dummheit lachen. Es gab so vieles, das er falsch verstand.

Sein nächstes Ziel war Kala Bhavana, die Kunstschule in dem berühmten Ort Santiniketan, dessen Universität von dem Nationaldichter Rabindranath Tagore gegründet worden war, das hatte er in der Schule gelernt. Er kam in der Herberge der Schule unter, die nur eine Rupie kostete, das konnte er sich leisten. Doch der Traum, hier einen Kurs zu besuchen, schien unerreichbar. Das monatliche Schulgeld war zu hoch, und er wagte nicht, seinem Vater zu schreiben und um mehr zu bitten. Stattdessen bekam er den Hinweis auf eine Kunstakademie in Khallikote, zu Hause in Orissa, die eine Schule für Studenten aus minderbemittelten Familien war.

Voller neuer Hoffnung fuhr er schwarz mit dem Zug nach Süden und kam zur Kunstschule, die zwischen hohen Bergen und

dem großen Chilikasee in einem alten Kolonialhaus mit Marmor-
fußboden und Eisenzaun lag.

Diese Schule war ungeheuer populär, weil sie gratis war. Die
Konkurrenz war hart. Er war einer von hundert Bewerbern auf
die dreiunddreißig Plätze, die gerade frei waren. Für die Aus-
wahl mussten die Bewerber eine Probe ihrer Geschicklichkeit mit
Pinsel, Kohle und Stift geben. Sie saßen in einem riesigen Kreis
auf dem Hof und malten Stillleben, die in der Mitte des Krei-
ses aufgestellt waren. Einen Krug, Weintrauben und drei Man-
gos.

Pikay sah verstohlen zu den Zeichnungen der anderen hinüber
und fühlte Siegesgewissheit. Nachdem die Lehrer ihre Arbeiten
durchgesehen hatten, wurden am folgenden Tag die Auserwählten vorgestellt. Die Lehrer nannten die Glücklichen.

Er war einer von ihnen.

Außerdem wurden die Auserwählten nach ihrem Können
durchnummeriert.

Er war die Nummer eins.

Auf der Kunstschule in Khallikote erzählte er niemandem, dass
er unberührbar war, und es fragte auch niemand danach. Die Studenten und die Lehrer stammten aus unterschiedlichen Teilen
des Landes. Alle kümmerten sich um alle, als würden keine Kas-
ten- oder Klassenunterschiede existieren. Das war ein neues und
starkes Gefühl. Das hier war ein anderes Indien, es erinnerte an
das der umherreisenden muslimischen Zirkusgesellschaft.

Ein anderes Leben war möglich.

Das Jahr in Khallikote war von mehreren Erfolgen gekrönt. Die
Lehrer fanden, dass er talentiert sei, und ermunterten ihn, sich
im Frühjahr um ein Stipendium für die Kunsthochschule in Neu-
Delhi zu bemühen. Er bewarb sich, und als der Sommermonsun
mit Gewitter und Blitzen gekommen war, kam die Antwort in
einem braunen Behördenkuvert, das Shridhar, der Postmeister,
bedächtig nach Hause zu Kalabati trug, die es aufschlitzte, um es
dann wieder ihrem Mann zu reichen, der es lesen durfte.

»Du hast das Stipendium bekommen«, sagte seine Mutter, als Pikay zu Hause anrief.

Der Boden unter seinen Füßen begann zu schwanken.

»Du wirst in die Hauptstadt ziehen«, sagte sie und begann zu weinen.

Der Vater hatte die Ingenieurspläne aufgegeben und gratulierte ihm.

Seine Mutter weinte und fastete vor seiner Abreise nach Neu-Delhi drei Tage lang. Es sei eine große Tragik, dass er so weit wegziehen würde, meinte sie. Doch ihre Gefühle waren zwiespältig. Sie war auch stolz. Zu den Nachbarsfrauen sagte sie triumphierend:

»Mein Sohn wird mit Bus und Zug reisen und dann mit einem Silbervogel in eine Stadt fliegen, die jenseits des Dschungels, jenseits der Berge und jenseits von allem, was ihr je gesehen habt, liegt.«

# Die Verwandlung

*Spätsommer, vergorenes Fallobst* und Monsun. Es war Zeit für die Abreise nach Neu-Delhi. Pikay ging in die Knie und legte seine Hand leicht auf die Füße der Mutter. Sie weinte. Er kämpfte mit den Tränen, erhob sich, umarmte sie, sprang dann auf den Wagen und bat den Kutscher loszufahren. Der Ochse schüttelte die Fliegen vom Kopf und begann, den knarrenden Wagen hinter sich, bedächtig den von Schlaglöchern übersäten Schotterweg entlangzuschreiten. Pikay musste an das Horoskop denken und an die Prophezeiung der Astrologen.

Am nächsten Morgen kam der Zug in Bhubaneswar an, der Hauptstadt des Bundesstaates Orissa, die ihn mit einem Überfluss an Eindrücken begrüßte. Breite, schnurgerade Boulevards mit weiß gekleideten Verkehrspolizisten an den Kreuzungen. Reihen von Diplomatenautos mit Männern auf den Rücksitzen, die gut gebügelte weiße Baumwollanzüge trugen. Stattliche antike Sandsteintempel, von gut gepflegten Gärten umgeben. Basare, auf denen die Waren aus den wohlgefüllten Geschäften, die mit weit geöffneten Toren an den Straßen lagen, nur so zu fließen schienen. Wunderbare Essensgerüche entströmten den Restaurants. Kühe schaukelten träge zwischen klingelnden Fahrrädern und Autorikschas am Wegesrand entlang. Und abends erstrahlten die Tempel, die hohen Glashäuser und die Eingänge der Läden von Licht. Solch ein glitzerndes Spektakel, eine solche lebendige Welt. Wie würde da erst Neu-Delhi glänzen?

Er war jetzt 22 oder 21 oder vielleicht auch 20 Jahre alt – er wusste es selbst nicht, und seine Mutter, die Analphabetin war, wusste es auch nicht sicher. In seiner Familie feierte man keine Geburtstage. Doch jetzt war das Jahr 1971, das stand auf dem Kalender, der in der Schule an der Wand gehangen hatte, und auf den ersten Seiten der Zeitungen, die am Bahnhof zum Verkauf auf den Bürgersteigen lagen.

Sein Leben im Dorf hatte so viele Male den Charakter verändert: Auf die unbekümmerte Freude der Kindheit war die Einsicht über die Einsamkeit des Unberührbaren gefolgt. Jetzt begegnete ihm ein neues Gefühl von Freiheit. Alles – Häuser, Straßen, Volksleben, die Parks, die Tempel, die Stimmen der Verkäufer – schien ihm wie der Traum von einer besseren Welt.

Der Utkal Express zwischen Bhubaneswar und Neu-Delhi brauchte laut Fahrplan zweieinhalb Tage, doch als sie in den Bahnhof der Hauptstadt einfuhren, hatten sie mehr als acht Stunden Verspätung. Der Mann auf der Koje unter ihm zuckte nur mit den Schultern, als Pikay fragte, was geschehen sei.

»Fragen wir lieber, was *nicht* geschehen ist. Wir sollten uns freuen, dass wir es bis hierher geschafft haben, und uns nicht über Dinge beunruhigen, die schon geschehen sind. Was willst du denn daran schon ändern?«

Natürlich würde er versuchen, sich auf die Zukunft zu freuen, anstatt an die Gegenwart zu denken. Er würde sich darüber freuen, dass er nicht mehr im Dorf war, wo man ständig unterdrückt wurde, sondern in der Hauptstadt, wo Träume wirklich werden und Ambitionen gedeihen konnten.

In der ersten Nacht in seiner neuen, schönen Welt schlief er tief und traumlos im fünften Stock des staatlichen Gästehauses. Am ersten Morgen stand er im Flur und sah aus dem Fenster, rieb sich die Augen und verspürte Angst. Er war voller Mut und mit verrückten Plänen eingeschlafen, doch beim Aufwachen kämpften Ängste in seiner Brust. Plötzlich hatte er das Gefühl, am liebsten in die Geborgenheit, ins Bett, ins Dorf in Orissa, zur Familie zurückkehren zu wollen.

So weit er sehen konnte: breite Straßen mit dunklem, glattem Asphalt, weißen und beigefarbenen Autos mit runden Formen, Busse mit durch die vielen Zusammenstöße im dichten Verkehr verbeultem Blech, Lastwagen in allen Farben des Regenbogens, schwarze und gelbe Mopedrikschas, Schwärme von Motorrädern und im Hintergrund riesige Bauten aus Beton, Stahl und Glas, die in der brennenden Septembersonne glänzten.

Werde ich mich hier jemals zu Hause fühlen?, fragte er verzagt.

Er bezweifelte schon, dass er es wagen würde, rauszugehen. Außerdem fürchtete er, dass er sich nur schwer würde verständlich machen können. Schließlich sprach er Oriya, seine Muttersprache, und Englisch, das er in der Schule gelernt hatte. Doch nicht alle konnten Englisch. Und in der Hauptstadt Indiens sprachen die meisten Menschen Hindi, das er zwar in der Upper Primary School gelernt hatte, mit dem er sich aber nicht vertraut fühlte. *Mai Orissa se ho.* Ich bin aus Orissa. *Mai tik ho.* Mir geht es gut. Wenn hier Hindi-Kenntnisse gefragt waren, dann fürchtete er, dass es auf steife, formelle und kindliche Konversationen hinauslaufen würde. Er ließ den Finger auf der Karte zwischen Gästehaus und Kunstschule hin und her wandern. Das war weit. Er wusste nicht, wie er den richtigen Bus erwischen sollte. Und wenn er in die falsche Richtung fuhr? Wenn er nicht zurückfinden würde? Wenn er überfallen oder betrogen wurde? Wenn die Großstädter erkannten, wie verloren er war, wie unsicher er sich fühlte und welche uralten Kleider er trug – und ihn dann womöglich auslachten?

Die erste Woche lief er den Weg zur Schule hin und zurück, um nicht herausfinden zu müssen, welcher Bus der richtige war. Dann beschloss er trotz allem mit dem Bus zu fahren. Doch als er an der Bushaltestelle ankam, bekam er es mit der Angst zu tun. Klappernd, mit starker Schlagseite, dichtem schwarzem Rauch aus dem Auspuff und mit in Trauben an den Türöffnungen hängenden Passagieren beladen, fuhren unaufhaltsam die runtergekommenen Busse der Delhi Transport Corporation vorbei. Die Busse blieben nicht stehen, so wie sie es in Orissa machten, sondern drosselten an der Bushaltestelle nur das Tempo, sodass er und die anderen Wartenden aufspringen konnten.

Er schaffte es auf den Bus und weg von der gefährlichen Türöffnung. Nach einer ganzen Weile, in der er eingezwängt in der nach Schweiß riechenden Menschenmenge stand, stellte er fest, dass die hohen Häuser und Rondells kleineren Lehmhäusern gewichen waren. Er sah Äcker und Wäldchen.

Ihm wurde klar, dass dieser Bus nicht auf dem Weg zur Schule war. Nun war geschehen, was er am meisten gefürchtet hatte: Er war in die falsche Richtung gefahren.

Er sprang an der nächsten Haltestelle ab, ging auf die andere Seite der Straße und hielt den Daumen hoch, damit ihn jemand mit in die Stadt zurück nahm.

Am folgenden Tag marschierte er wieder zu Fuß zur Schule. Je mehr er auf den breiten Boulevards an all den großen Häusern und riesigen Rondells vorbeiging, desto weniger furchterregend wirkte Neu-Delhi. Das Gefährliche und Anonyme begann, ihm bekannt vorzukommen. Er empfand Erleichterung. Hier war Freiheit. Hier war er nicht der unberührbare Pan-Junge, der Sohn von Shridhar Mahanandia, dem unberührbaren Briefträger in Athmallik, und Kalabati Mahanandia, der dunklen Frau aus dem Stammesvolk. Hier hatte niemand überhaupt je von Athmallik gehört, geschweige denn, dass man wusste, wo es lag. Hier hatte keiner eine Ahnung davon, was es bedeutete, als Pan oder Kutia Kondh geboren zu sein, und wo in der Kastenhierarchie das stand. Hier fragte man überhaupt nicht, zu welcher Kaste jemand gehörte.

Auf dem Delhi College of Art waren die Lehrer modern und radikal. Sie waren Gegner der Sonderbehandlung aufgrund von Kasten. Hier durfte er genau wie in der Kunstschule in Khallikote zusammen mit dem Rest der Klasse im Klassenraum sitzen. Schüler aus hohen Kasten saßen neben solchen aus niedrigeren Kasten, und Pikay hörte mehrere Lehrer sagen, dass das Kastensystem ein zu bekämpfendes Übel sei. Sie sagten es laut und stolz und fast triumphierend zur ganzen Klasse, als wollten sie die jungen Leute auffordern, sich von allem Alten zu befreien. Pikay durfte sogar gemeinsam mit den anderen essen. Das fühlte sich geradezu revolutionär an. Im selben Speisesaal, am selben Tisch, aus denselben Schüsseln. Niemand zuckte zurück, wenn er sich näherte, und niemand scheute seine Nähe oder seine Berührung. Abends wanderte er leichten Schritts nach Hause. Neu-Delhi, die Großstadt, kam ihm vor wie seine Zukunft.

Das Stipendium aus dem Bundesstaat Orissa sollte einmal im Monat ausgezahlt werden und reichte für Schulgeld, Künstlermaterial, Bücher, Miete im Gästehaus und Essen. Doch nach einigen Monaten kam kein Geld mehr. Die 50 Rupien, die sein Vater ihm jeden Monat schickte, reichten nur für ein paar Tage. Vermutlich hatte ein Beamter im Büro für die Auszahlung staatlicher Stipendien das Geld in die eigene Tasche gesteckt. Wenn er zu dem Schalter kam, an dem er den Betrag abheben wollte, hieß es:

»Tut mir leid! Kein Geld. Kommen Sie in einem Monat wieder, dann werden wir weitersehen.«


Das erste Jahr an der Kunsthochschule, das so gut begonnen hatte, wurde ein Jahr des Geldmangels, des Hungers und der Sorge darüber, wo er schlafen sollte, wenn die eine oder andere zufällige Schlafgelegenheit nicht mehr möglich war. Die ersten drei Monate wohnte er bei verschiedenen Studienkollegen, doch wollte er ihre Gastfreundschaft nicht zu sehr ausnutzen. Deshalb ging er immer zur New Delhi Railway Station, um zusammen mit Tagelöhnern, Krüppeln, Bettlern und Familien vom Lande, die auf Züge warteten, die in der Morgendämmerung abfuhren, zu schlafen. Auf dem Bahnhof drängten sich in Decken gewickelte Schlafende neben großen Koffern aus glänzendem Metall,

Jutesäcken mit Samen und Halmen, Milchkrügen, Gerätschaften und manchmal der ein oder anderen Ziege.

Im Bahnhof war es wärmer und schöner als draußen auf dem Bürgersteig. In der Hauptstadt waren die Nächte nämlich nicht so warm wie zu Hause im Dorf, sondern oft feucht und von beißender Kälte. Außerdem konnte er sich so auf den öffentlichen Toiletten waschen und musste am Morgen nicht nach Schweiß riechend in die Schule gehen.

An manchen Abenden aber schaffte er es nicht, den ganzen Weg zum Bahnhof zurückzulegen. Dann kroch er stattdessen in eine Telefonzelle und schlief dort.

*Als Lotta achtzehn* Jahre alt war, zog sie nach London, um eine Krankenschwesterausbildung zu machen und im Krankenhaus zu arbeiten. Sie reiste allein, hatte nicht das Bedürfnis, eine Freundin mitzunehmen. Im Gegenteil. Es fühlte sich befreiend an, allein zu reisen. Sie bekam Arbeit in einer traditionsreichen Klinik in Hampstead, wo Langzeitpatienten und Personal wie eine Großfamilie waren. Lotta bekam die Verantwortung für einen alten und sehr kranken Mann übertragen, der als »Sir« angesprochen werden wollte.

»Versprich mir, Lotta, niemals hart in deinem Innern zu werden«, sagte er zu Lotta an ihrem letzten Arbeitstag und hielt dabei ihre Hände.

Diesen Rat hat sie immer in ihrem Herzen getragen.

In London aß sie indisches Essen in kleinen Stadtteillokalen, wo der Duft von Kümmel und Chili einem in der Nase kitzelte, wenn man durch die Tür trat. In der Royal Festival Hall sah sie indische Odissi-Tänzerinnen mit Glöckchen an den Fußgelenken und in der Royal Albert Hall das Konzert für den Weltfrieden von George Harrison und Ravi Shankar. Eine kurze Zeit war sie mit einem Immigranten aus Delhi zusammen.

Und dann war da noch der Bildkalender, den sie im Krankenhaus fand. Auf einem der Bilder war ein großes Rad aus Stein zu sehen. Das Rad sah alt aus und war mit kleinen Skulpturen von Menschen und Elefanten geschmückt. Sie riss das Bild aus und hängte es über ihr Bett in ihrem Heimzimmer. Abends betrachtete sie das Bild.

»Es ist, als übe das Rad eine Anziehungskraft auf mich aus«, schrieb sie in ihr Tagebuch, »als würde es etwas in meinem tiefsten Innern ansprechen, etwas Großes, das es dort gibt, das ich aber vergessen habe.«

*Wenn der Unterricht* für den Tag beendet war, wanderte Pikay zum Connaught Place, dem Zentrum der Hauptstadt. Das war ein großes Rondell, umgeben von im Halbrund stehenden weißen Häusern in viktorianischem Stil mit Kolonnaden und Arkaden, in denen die besten Restaurants und die traditionsreichsten Geschäfte untergebracht waren. In der Mitte des Rondells gab es eine Grünanlage mit Rasen, Büschen, einem Springbrunnen und einem Teich. Dieser Ort roch auf seine eigene Weise nach Großstadt: morastiges Wasser aus dem Teich, Blumen und Räucherwerk von den Obst- und Blumenverkäufern, Dieselabgase von den Bussen und Lastwagen, Kloakengeruch aus den mit Gittern versehenen Gullys und süßer Zigarettenrauch von den Trägern, die sich auf dem Rasen liegend erholten und *bidis* rauchten.

Beim Park lag das flache weiße Haus, in dem sich das Indian Coffee House befand, das Stammlokal für die Studenten, Journalisten und Intellektuellen der Hauptstadt. In der letzten Zeit war hier auch noch eine neue Sorte Gäste anzutreffen: die Hippies, die auf dem Landweg aus Europa gekommen waren. Vor dem Café waren ihre Gefährte geparkt: kleine VW-Bullis und große umgebaute Post- und Überlandbusse, in wilden Farben neu gestrichen und mit fantastischen Zeichnungen und Texten versehen wie EXPEDITION INDIEN 1973–74, NEXT STOP HIMALAYA und OVERLAND MÜNCHEN-KATMANDU TOUR.

Pikay ging im Grunde jeden Tag nach der letzten Unterrichtsstunde zum Indian Coffee House. Er mochte die Atmosphäre und die Mischung von Leuten. An den Wänden hingen Schilder, die erklärten, dass das Café Mitglied in der Kooperative der indischen Kaffeearbeiter sei. Er betrachtete die in Sepiabraun gehaltenen Werbebilder aus den Fünfzigerjahren, deren Botschaft lautete: »A fine type ...« (dazu das Bild von einem stolzen weißbärtigen Kaffeebauern mit weißer Baumwollmütze), »... a fine coffee« (ein Bild von Kaffeebohnen), und schließlich »Both are Indian!«. Die Kellner im Café trugen weiße Pyjamas mit breiten grünen und goldenen Gürteln um die Taille, Sandalen und Kappen, die mit einem Fächer aus gestärkter schneeweißer Baumwolle geschmückt waren. Sie liefen barfuß über die groben Kokosmatten und servierten heißen schwarzen Kaffee und Tee mit fetter Büffelmilch in weißen Porzellantassen mit Untertasse. Hier hätte er stundenlang mit einer Tasse Tee, einem Bleistift und dem Skizzenblock sitzen können.

Er zeichnete Kellner und Gäste, gern auch Ausländer. Die bärtigen, langhaarigen Typen mit langen Baumwolltüchern und Hemden mit indischen Mustern. Mädchen mit hennagefärbten Haaren in Jeans und engen T-Shirts oder in farbenfrohen, pludrigen Baumwollhemden. Manchmal bot er demjenigen, den er gezeichnet hatte, das Bild an, doch er war zu schüchtern, um Geld dafür zu erbitten, und begnügte sich damit, zu einer Tasse Tee eingeladen zu werden. Einige Gäste gaben ihm trotzdem ein paar Münzen als Dank. Für das Geld kaufte er Papier, Farben und Pinsel, um beim Unterricht in der Schule dabei sein zu können.

Wenn er auf dem Bahnhof schlief, ging er nur ein paar Tage in der Woche in die Schule. An den Tagen, an denen er sich kein Essen leisten konnte, war er zu ausgehungert, um den Lehrern zuzuhören und die Übungen zu machen. Dann streunte er stattdessen planlos durch die Stadt. Fast jeden Nachmittag kehrte er ins Indian Coffee House zurück, um Gäste zu zeichnen und sich zum Tee einladen zu lassen. Es gab immer jemanden, der fragte, ob er hungrig sei, und ihn dann mit auf die Straße nahm, um ihn zu frittierten Samosas und Pakoras und zu in Kräutern gesottenen Kichererbsen und Kartoffeln einzuladen, die in kleinen Schälchen aus getrockneten Blättern serviert wurden, oder auch zu irgendeinem anderen Essen, das auf der Straße von umherziehenden Händlern mit Blechwagen verkauft wurde.

Pikay konnte sich Leinwand und Ölfarben nicht mehr leisten, sondern musste sich mit dünnem, flatterigem Kopierpapier, braunem Packpapier und schwarzer Tinte begnügen, die er für ein paar Paise in den schmalen Gassen hinter dem Connaught Place kaufte. Er fing an, hungrige, verhungernde Menschen zu malen, expressionistische Schilderungen der Armut, die alle erschreckten, denen er die Bilder zeigte. Für Pikay waren die Hungermotive wichtig. Er meinte, dass die Pinselstriche die Gefühle ausdrückten, die der Hunger hervorrief, und zugleich den zahlreichen hungernden Menschen der Welt eine Stimme gaben. Indem er das Leiden malte, wurden die Hungergefühle gelindert, und er erlebte Zeiten innerer Ruhe.

Nachdem er ein halbes Jahr lang das Schulgeld nicht bezahlt hatte, wurde er von der Liste der Studenten gestrichen. Er ging nicht mehr zur Schule, denn das kam ihm sinnlos vor, auch wenn die meisten Lehrer ihm anboten, dass er weiterhin am Unterricht teilnehmen dürfe. Er hörte auf zu malen. Er hatte Wichtigeres zu tun, zum Beispiel jeden Tag Essen zu besorgen.

Wenn er vier Tage lang nichts gegessen hatte, bekam er Magenkrämpfe. Es fühlte sich an, als würde der Magen plötzlich zugeschnürt. Die intensiven Schmerzen dauerten ein paar Minuten, hörten dann aber wieder auf und gingen in das übliche Hungergefühl über, das er nun schon seit einiger Zeit kannte. Seine Stimmung wechselte, er fühlte sich mal antriebslos und niedergeschlagen, dann wieder überaktiv und energisch. In den Perioden der Aktivität fantasierte er von Essen. Er sah vor sich, wie er in ein frisch gebackenes Chapati-Brot biss und aus großen Schalen Panir und Blumenkohl in dicken, sättigenden Soßen aß.

Er irrte lange planlos auf der Jagd nach irgendeiner Mahlzeit durch die Stadt. Während einer seiner schlimmsten Hungerwanderungen landete er auf der Ferozeshad Road in den feinen Regierungsvierteln und verspürte plötzlich einen starken Geruch von Essen. Er konnte sich nicht beherrschen. Das Tor in der Mauer eines stattlichen Bungalows stand weit offen. Er sah hinein. Im Garten standen Partyzelte und darunter lange Tische mit roten Tischtüchern. Er sah Kellner in weißen Turbanen und blauen Uniformjacken mit Tabletts voller Gläser mit Goldrand hin und her laufen, und Musiker in dunkelblauen Anzügen mit verschnörkelten, glitzernden Applikationen spielten auf glänzenden Messinginstrumenten.

Eigentlich war Pikay zu vorsichtig, um etwas Verbotenes zu wagen, für das er bestraft werden konnte, doch der Hunger hatte seine Scheu gebrochen. Diesmal zögerte er nicht. Er betrat den Garten, in dem eine Hochzeitsgesellschaft mit vielen Hunderten Gästen stattfand, die umherliefen, sich unterhielten und am Buffet bedienten. In Edelstahlschüsseln sah er Lammfleisch in Spinat, weißen Schafskäse in roter Chilisoße, Tandoori-Hühnchenschenkel mit Pfefferminzsoße, goldgelbe Samosas, Kichererbsenmasala in Joghurtsoße, Kartoffel- und Blumenkohlauflauf mit Kümmelsamen und Korianderblättern, Chapatis, Nan, Pakoras.

Die Magenkrämpfe kehrten immer noch regelmäßig wieder. Jetzt setzte er alles auf eine Karte, nahm einen Teller und schaufelte sich so viel wie möglich darauf, um sich dann in die Nähe des Eingangs zu stellen und zu essen.

Obwohl er sich zu beherrschen versuchte, konnte er doch nicht anders als gierig wie ein verhungerter Hund zu essen. Er hatte Sorge, entdeckt zu werden, und sah in alle Richtungen, ob ihn vielleicht jemand anstarrte, begegnete aber keinem Blick. Alle waren mit sich selbst beschäftigt.

Als der Teller leer war und der Bauch voll, schlich er zum Ausgang. Drei Schritte von der Freiheit draußen auf der Straße entfernt, klopfte ihm jemand bestimmt und autoritär auf die Schulter.

Er erstarrte, Panik stieg in ihm auf.

Jetzt, dachte er, jetzt lande ich in einer Polizeizelle, und dann schicken sie mich zurück nach Orissa. Und dort warten Scham und Erniedrigung. Doch wie im Traum hörte er eine Stimme, nah und doch von weither:

»Kaffee oder Tee, Sir?«

Er wandte sich um und sah einen der Kellner mit golden umsäumter Weste und weißem Turban, der ihn anstarrte. Erst konnte er gar nicht begreifen, was der Mann gesagt hatte. Doch es war nicht die Rede von der Polizei. Nein, er hatte gefragt, ob er Kaffee oder Tee wolle. Er spürte, wie die Freude sich in seiner Brust ausbreitete, lehnte schnell dankend ab, machte ein paar beherrschte Schritte, bis er merkte, dass niemand ihm nachschaute, und rannte dann zwischen den geparkten Diplomatenautos und Mopedrikschas die von Gärten gesäumte Straße hinunter.

Er lief bis zum Mandi-House-Rondell und dann keuchend die breite Straße zum Connaught Place hinauf. Erst als er vor dem Indian Coffee House war, blieb er stehen und ruhte sich aus. Er holte tief Luft, spürte in sich hinein und lächelte. Der mahlende Schmerz im Magen war verschwunden.

Doch der Hunger kehrte zurück, und mit ihm das Fieber und die Erschöpfung. An manchen Tagen aß er nichts anderes als die Jamubeeren, die an den Bäumen entlang der Parliament Street wuchsen. Im Herbst, direkt nach dem Monsun, waren die Bäume voll von den blau-lila Beeren. Wenn niemand sie pflückte, fielen sie auf die Straße und hinterließen viele blaue Punkte. Die Beeren waren süß und machten ihn wach. Wasser trank er aus den Hähnen an der Straße. Am Ende wurde er jedoch magenkrank und konnte nicht einmal mehr die Nahrung bei sich behalten, die er noch ergatterte.

Trotz der Magenkrankheit blieb der Hunger. Er magerte ab und bekam einen immer enger werdenden Tunnelblick. Alles, und zwar alles auf der Welt, drehte sich nur noch darum, Essen zu finden.

Es wurde Herbst und dann Winter, und die nächtlichen Temperaturen fielen wieder auf nur wenige Grad über null hinunter. Er schlief unter der Minto-Brücke, der roten Eisenbahnbrücke beim Connaught Place, und wärmte sich an Laubfeuern. Er hatte keine Freunde mehr und spürte, wie die Apathie von ihm Besitz ergriff. Irgendwann konnte er nicht einmal mehr ins Café gehen und Leute zeichnen, sondern schrieb stattdessen flehende Briefe an seinen Vater mit der Bitte um Geld. Hinterher, als die Prüfung vorüber war, fragte er sich, ob alle diese Briefe ihr Ziel überhaupt erreicht hatten, denn dann wäre die Rettung doch wohl schneller gekommen.

Es wurde Frühjahr, die Wärme kehrte zurück, und dann kam der Sommer mit Hitze. Die Temperaturen in Delhi näherten sich 45 Grad, der Asphalt schlug Blasen, die Bürgersteige lagen zwischen Sonnenaufgang und Sonnenuntergang verlassen da. Ihm ging es schlecht, er hatte ständig Magenschmerzen, und wieder einmal spielte er mit dem Gedanken an Selbstmord.

Delhi, Indien, die Welt! Mehr und mehr war er davon überzeugt, dass es nirgends Platz für ihn gab. Er war arm, ausgestoßen, unerwünscht und unnütz.

Ich bin ein einziger Fehlgriff, dachte er.

Es war höchste Zeit, dem Schmerz ein Ende zu bereiten. Auf zitternden Beinen wanderte er wie in Trance zum Yamuna-Fluss. Als er auf der Wasseroberfläche aufkam, hoffte er, dass er niemals wieder hochkommen würde.

Doch auf halbem Weg zum Grund in dem braunen verunreinigten Wasser kam Pikay zu sich und merkte, wie er mit allen Kräften darum kämpfte, an die Wasseroberfläche zu kommen, um Luft zu holen. Genauso wie das letzte Mal. Der Körper weigerte sich, die Ohnmacht der Gedanken zu akzeptieren. Es war, als würden seine Arme und Beine von einer anderen Kraft gesteuert, die nicht aufgegeben hatte.

Er schleppte sich ans Flussufer und wanderte dann klatschnass die brennend heißen Straßen entlang, bis er an ein Eisenbahngleis kam. Da entschied er sich, auf effektivere Weise seinem Leben ein Ende zu machen. Er würde den Kopf auf die Gleise legen und auf den Zug warten.

Doch die Gleise waren von der Nachmittagssonne glühend heiß. Das heiße Eisen ließ ihn sofort wieder hochfahren. Er hatte eine Verbrennung am Hals, und die tat so weh, dass ihm klar wurde, dass er nicht auf den Gleisen würde liegen können, bis der Zug kam.

Stattdessen setzte er sich daneben.

Ich werde mich vor den Zug stürzen, wenn er kommt, dachte er. Zwei Schritte nur, und alles ist vorbei. Kann es eine einfachere Art geben, die Welten zu wechseln?

Die Stunden vergingen. Kein Zug kam. Was war denn los? In der Abenddämmerung sah er einen Mann die Gleise entlangkommen. Pikay fragte ihn, wo denn alle Züge hin verschwunden seien.

»Ich bin Lokführer«, sagte der Mann.

»Und warum fährst du dann nicht den Zug?«, fragte Pikay.

»Hast du nicht die Zeitungen gelesen?«

»Nein.«

»Wir sind im Streik.«

»Streik?«

»Jetzt sitz mal nicht hier rum. Geh nach Hause zu deiner Frau!«

»Aber ich habe kein Zuhause und keine Frau, und der Bauch tut mir vom Hunger weh. Was glaubst du denn, warum ich hier sitze?«

Der Lokführer zuckte nur mit den Schultern und verschwand.

Eine Weile später kam ein Polizist.

»Verschwinde, ehe ich dich einbuchte!«, brüllte er und drohte ihm mit seinem Knüppel.

Am nächsten Tag fiel ihm ein Exemplar der *Times of India* in die Hände. Der Eisenbahnerstreik, so las er, wurde von George Fernandes, dem Gewerkschaftsboss der Eisenbahner, angeführt. Fernandes hatte darüber hinaus noch mehrere andere Arbeitervereinigungen dazu gebracht, aus Sympathie mit den Lokführern die Arbeit niederzulegen. Insgesamt streikten 17 Millionen Inder. Man protestierte gegen Inflation, Korruption, Nahrungsmittelknappheit – und vor allem gegen die Regierung von Premierministerin Indira Gandhi. Einer der Journalisten schrieb, dass es sich möglicherweise um den größten Streik der Weltgeschichte handelte.

Anscheinend bin nicht nur ich am Ende meiner Kräfte, dachte er, sondern ganz Indien steht vor dem Kollaps. Und nun war der Grund dafür, dass mein Leben gestern nicht zu Ende gegangen ist, der größte Streik der Weltgeschichte!

Die Unzufriedenheit der Eisenbahner mit ihren Arbeitsbedingungen hat ihn davon abgehalten, sich zu töten. Welch ein großartiger Zusammenhang! Es sollte ganz einfach nicht sein, dass er starb. Es gab eine höhere Macht mit Plänen für sein Leben. Das muss man respektieren, dachte er.

Es konnte kein Zufall sein, dass er mehrere Male mit dem Versuch, sich umzubringen, gescheitert war.

Nun musste er sich auf die Prophezeiung konzentrieren. Was besagte sie? Ja, sie handelte von einer Frau aus einem fremden Land. Pikay dachte an die englische Frau mit der hellen, glatten Haut und dem geblümten Kleid, die seine Klasse in der Grundschule besucht hatte. Dann tauchte die Frau, die sein Schicksal war, immer wieder in seinen Tagträumen auf.

Die Fantasie, in der sie plötzlich vor ihm erschien, wuchs, wurde immer größer und nahm immer mehr Raum in seinen Gedanken ein.

Ein neuer Freund wurde Pikays Rettung aus dem Hunger und den Fantasien. Er hatte angefangen, wieder sporadisch zum Unterricht am New Delhi Art College zu gehen, als er Narendra traf. Zusammen gingen sie ins Indian Coffee House, wo ihn Narendra zum Tee einlud.

»Und vielleicht eine Kleinigkeit zu essen?«, schlug Pikay vor.

Narendra studierte Medizin und war genauso wie Pikay unberührbar, zugezogen und einsam in Delhi. Er war über die für Angehörige niedriger Kasten reservierten Quoten ins Medizinstudium gekommen und machte sich gut, besser als viele der Brahmanen-Studenten, die dennoch den Kontakt zu ihm verweigerten. Pikay erzählte ihm schon am ersten Tag von all den Strapazen, dem Hunger und der Verzweiflung, die er in der letzten Zeit erlebt hatte. Narendra tröstete ihn und gab ihm Geld, damit er regelmäßiger essen könnte, und vor allem andere Dinge als Beeren und gefundene Essensreste. Nach zwei Wochen verschwand das Fieber, das er schon eine Weile gehabt hatte.

»Wahrscheinlich hattest du eine Shigella-Infektion, das sind fiese Salmonellen, der sogenannte ›Delhi-belly‹«, sagte Narendra.

»Aber wie bin ich dann gesund geworden?«

»Man wird von selbst gesund, wenn man isst und sich pflegt.«

Noch einen weiteren Schritt Richtung Abgrund, noch ein paar mehr Wochen des Hungers, und er wäre gestorben. Noch eine weitere Woche mit Beeren und Schmutzwasser, und die Krankheit hätte ihn erledigt.

Nach dem Zusammentreffen mit Narendra trudelten sogar die Stipendienzahlungen wieder ein, die so lange ausgeblieben waren. Und das Glück hatte noch mehr Begleiter. Pikays Vater antwortete auf seine Briefe und entschuldigte sich damit, dass er nicht gewusst habe, wie ernst es war. Dem ersten Brief des Vaters nach Monaten lag ein zusätzlicher Hundert-Rupien-Schein bei, der, wenn er sparsam war, für eine Woche Essen reichen würde.

*Nun bezahlte er* wieder das Schulgeld und ging zum Unterricht. Kraft und Lust am Malen kehrten zurück, und die Welt erhielt wieder ihre richtigen Farben. Eifrig bemühte er sich, neue Freunde kennenzulernen. Es gab einen Studenten in der Schule, den er oft nachts unter der Minto-Brücke traf. Der hatte auch immer mal wieder kein Geld und musste auf der Straße schlafen. Ebenso wie Pikay wusste er, was es bedeutete, hungern zu müssen. Trotzdem war es nicht dieser Bruder im Unglück, mit dem er die größte Gemeinsamkeit empfand.

Die Mehrheit der Studenten kam aus vornehmen Familien, nicht nur aus der Mittelklasse, sondern aus der politischen und wirtschaftlichen Elite der Hauptstadt. Der Vater des einen war der Chef der indischen Postbehörde, eine Studentin war die Tochter des bulgarischen Botschafters, eine dritte stammte aus einer reichen parsischen Kaufmannsfamilie in Bombay und legte einen beneidenswerten Großstadtstil an den Tag.

»Ich bin im Herzen von Bombay aufgewachsen«, pflegte sie zu sagen, warf ihr langes offenes Haar zurück und spuckte ihren Kaugummi auf den Fußboden.

Pikay sah sie bewundernd an und fühlte sich in ihrer Gegenwart schüchtern und unterlegen. Wie sollte er sich nur gegenüber ihrer Selbstsicherheit und Zielstrebigkeit verhalten?

Solange die Studenten Englisch miteinander sprachen, fühlte er sich zu Hause. Als er mehr Geld zusammengespart hatte, als er benötigte, um sich satt zu essen, kaufte er sich Reader's Digest-Bände, um sich einen größeren Wortschatz anzueignen. Wenn seine Freunde Hindi sprachen, dann verunsicherte ihn das noch mehr. Inzwischen verstand er die Sprache einigermaßen, war aber nicht gut darin, die Davanagari-Buchstaben zu lesen, die sich von dem Alphabet unterschieden, in dem seine Muttersprache Oriya geschrieben wurde. Er fürchtete immer, seine Freunde könnten auf etwas zeigen, das in Hindi geschrieben war, und ihn bitten, es vorzulesen.

Im Café der Schule sprach er immer häufiger mit einem Jungen, der muslimisch aussah, und es – wie sich herausstellte – auch war.

»Hallo, ich heiße Tarique, Tarique Beg«, sagte er in gepflegtem Englisch und prahlte anschließend damit, dass er erst als Nachrücker in die Schule aufgenommen worden war.

»Was ein Glück war«, fügte er hinzu.

»Warum war das Glück?«, fragte Pikay.

»Frag meinen Vater«, antwortete Tarique, der gar nicht eingebildet wirkte.

»Deinen Vater?«

»Meinen Vater, Mirza Hameedullah Beg. Hast du von ihm noch nie gehört?«

»Ein bekannter Name, aber nein … erzähl! Ist er berühmt?«

»Er ist Oberster Richter des Höchsten Gerichtshofes.«

»Oh, Tarique, du bist der Sohn eines mächtigen Mannes.«

»Ja, so ist es. Leider.«

»Leider?«

Sie hatten beide ein starkes Interesse an Philosophie. Doch weder Pikay noch Tarique lockten die hinduistischen Schriften, die die Brahmanen wichtig fanden. Sie spornten einander vielmehr an, buddhistische und jainistische Texte und die Mystiker des Sufi zu lesen. Dann konnten sie Stunden im Schulcafé verbringen und über die Erkenntnis der Natur des Menschen und die Erweiterung des Bewusstseins reden, und wenn sie dann plötzlich aufsahen, stellten sie erstaunt fest, dass der Wachmann schon hereingekommen war, um die Schule zu schließen.

Pikay war immer noch obdachlos, und Tarique nahm ihn mit zu sich nach Hause.

»Du kannst auf meinem Fußboden schlafen. Papa hat sicher nichts dagegen.«

Die Familie Beg wohnte in einem vom Barock inspirierten Palast mit zwanzig Schlafzimmern und neun Badezimmern in der schattigen Bungalowstadt im Süden Delhis. Kurz nachdem Pikay sich mit dem reichsten Studenten der Hochschule angefreundet hatte, heiratete Tariques Schwester. Die Familie arrangierte ein großes Fest mit ausladendem Buffet im Garten des Hauses. Große Teile der indischen politischen Elite waren geladen, darunter sogar die Premierministerin Indira Gandhi. Doch Pikay war auf dem Fest nicht willkommen. Als die Gäste am Haupteingang des Hauses eintrafen, legte er sich in Tariques Zimmer auf den Boden und wartete darauf, dass Tarique mit einem geschmuggelten Teller Essen zu ihm kommen würde. Das Zimmer wurde abgeschlossen. An diesem Abend war er nicht mehr wert als eine Kakerlake.

Pikay hörte das Stimmengemurmel, das Klirren von Gläsern und die Musik. Er hörte das Lachen und vernahm den Geruch von Essen. Erst spät am Abend kam Tarique endlich mit einem Teller zu ihm.

Drei Monate lang wohnte er in Tariques Zimmer. Trotz der enormen finanziellen Unterschiede zwischen ihnen fanden sie beide, dass sie viele Gemeinsamkeiten hatten. Doch Träume, Zukunftspläne und Philosophie konnten immer erst besprochen werden, wenn Pikay eine Sache erledigt hatte. Jedes Mal, wenn sie sich sahen, stellte Pikay zunächst die Frage, ob Tarique etwas zu essen habe. Als die beiden viele Jahre später über E-Mail wieder Kontakt zueinander aufnahmen, war es die stärkste Erinnerung von Tarique an seinen armen Freund aus Studententagen, dass er ständig so hungrig gewesen war. Der Hunger kam immer zuerst, und wenn der gestillt war, konnten sie sich Buddha widmen.

Tariques Vater wurde der bettelarme Freund des Sohnes immer suspekter. Der Oberste Richter war höflich gegenüber Pikay und grüßte respektvoll, wie es sich für einen wohlerzogenen ehemaligen Studenten des Trinity College aus Cambridge gehörte, doch Tarique wurde von seinem Vater immer häufiger ins Gebet genommen und musste um Gnade für seinen minderbemittelten Freund bitten.

Tarique erzählte Pikay, sein Vater versuche ihn zu überzeugen, dass er sich nicht mit dem armen Dschungeljungen abgeben, sondern sich stattdessen Freunde aus bekannteren und wohlhabenden Familien suchen solle. Die Situation wurde jeden Tag schwieriger. Am Ende war Tarique gezwungen zu behaupten, dass Pikay ausgezogen sei. Doch heimlich durfte er weiter dort wohnen, und Tarique fing an, Essen aus dem Speisezimmer der Familie auf sein Zimmer zu schmuggeln. Wenn der Vater, der in dem einen Flügel des Palastes wohnte, Tarique, der im anderen Flügel lebte, besuchen kam, musste Pikay sich im Schrank verstecken. Da stand er dann in der Dunkelheit, ängstlich und beschämt, und hörte draußen im Zimmer die murmelnde Stimme des Richters.

Das ganze Frühjahr 1973 lang versteckte er sich vor Tariques Vater und dem Rest der Familie. Wie lange genau dieser Zustand währte, kann heute keiner der beiden mehr sagen. Vielleicht ist Pikay an einem Maitag ausgezogen, als das Quecksilber die zerbrechlichen Glasthermometer zu sprengen drohte und der Asphalt im Rondell des Connaught Place wie warmer Karamell klebte. Vielleicht aber auch erst, als der Südwestmonsun mit bleigrauen Wolken aufzog, die Straßen der Hauptstadt sauber spülte und die Hitzewelle des Frühsommers linderte. Niemand weiß es mehr genau. Hingegen erinnert sich Pikay sehr gut, dass Tarique, der geschworen hatte, ihn niemals im Stich zu lassen, der beste Freund war, den man auf Erden haben konnte. Mit einem solchen Freund war die Welt ein erträglicher Ort.

In einer der heißen Frühlingsnächte auf dem Fußboden von Tarique hatte er schreckliche Albträume. Nach dem Erwachen waren nur noch Angst und Schrecken übrig. Schweißnass riss er die Augen auf und sah seine Mutter, wie sie in der Dunkelheit von Tariques Zimmer auf ihn zukam. Sie war vom schwachen grauen Schein der Morgendämmerung umhüllt, und ihr Sari war nass und schmiegte sich an den Körper an, als kehrte sie eben von ihrem morgendlichen Bad im Fluss beim Dorf zurück. Wie gewöhnlich war ihr schwarzes Haar nass, und wie immer hatte sie einen Tonkrug mit Wasser auf dem Kopf.

Wie konnte Mama hier sein? In Neu-Delhi?, fragte sich Pikay.

»Alles wird sich für dich fügen«, sagte sie mit düstrer Miene und stellte den Krug auf Tariques Fußboden.

»Meine Lebensreise ist nun zu Ende«, fuhr sie fort. »Sona Poa, du musst dich um deine Schwester kümmern, vergiss nicht, dass du eine Schwester hast!«

Wieder schlug er die Augen auf und war jetzt hellwach. Im Zimmer war niemand außer ihm selbst und Tarique, der tief und fest in seinem Bett schlief. Es war halb vier Uhr früh. Er dachte an das Gefühl von damals, als seine Mutter bei ihm gewesen war und ihn getröstet hatte. Doch nun begriff er, dass die Geborgenheit auf tönernen Füßen stand, schließlich hatte sie gesagt, dass nicht alles in Ordnung war. Je mehr er an ihre Schlussworte dachte, desto schneller schlug sein Herz. Er konnte nicht auf dem Boden liegen bleiben, als wenn nichts geschehen wäre, und noch weniger konnte er wieder einschlafen.

Ohne Tarique zu wecken, packte er seine Tasche, schlich aus dem Haus und ging zum Bahnhof. Dort zögerte er nicht, sondern sprang in einen Waggon, in dem sich Passagiere ohne Sitzplatz auf Holzbänken drängten. Und schon nach weniger als einer Stunde, nachdem er auf Tariques Fußboden aus dem Traum erwacht war, war er auf dem Weg gen Osten.

Nach drei Tagen, viermal umsteigen und einer langen Busreise durch den Wald auf Straßen voller Schlaglöcher stand er vor dem Haus seiner Eltern in Athmallik.

Shridhar kam heraus und sah seinen Sohn erstaunt an, der mit zerknitterten Kleidern, wirrem Haar, verschwitzt und von Schmutz starrend vor ihm stand.

»Woher wusstest du, dass Mama krank ist?«, fragte er.

»Ich wusste es nicht«, antwortete Pikay. »Oder ... doch, ich wusste es. Ich habe es geträumt.«

»Kalabati wusste, dass du unterwegs bist«, sagte Shridhar. »Wir haben ihr nicht geglaubt. Ich habe versucht, es ihr auszureden, aber sie war hartnäckig. Ich weiß, dass mein Sohn unterwegs ist, sagte sie mehrere Male.«

»Komm jetzt, deine Mutter wartet auf dich«, sagte Shridhar. »Unser Vogel ist dabei, den Käfig für immer zu verlassen.«

Die Verwandtschaft war um Kalabatis Bett versammelt. Sie war erst um die fünfzig, das Haar noch nicht grau, aber eine Hirnblutung hatte ihr die Lebenskraft genommen – zumindest hatten sie das in der Krankenstation in Athmallik gesagt.

Kalabati durchbohrte Pikay mit ihrem Blick und kam ohne große Begrüßungsphrasen zur Sache.

»Du sollst niemals Alkohol trinken und du sollst dafür sorgen, dass deine zukünftige Frau niemals unglücklich wird.«

Dann fügte sie, genau wie im Traum, hinzu:

»Und du musst dich um deine Schwester kümmern. Vergiss nicht, dass du eine Schwester hast.«

Schnell wurde sie immer schwächer. Das Gespräch mit dem Sohn war eine letzte Kraftanstrengung gewesen. Als Pikay am selben Nachmittag vorsichtig etwas Wasser in ihren halb geöffneten Mund goss, konnte sie nicht mehr schlucken. Es war nur noch ein gurgelndes Geräusch aus ihrer Kehle gefolgt von einem matten Husten zu hören. Sie drehte sich mühevoll um und lag auf der Seite. Der Blick glitt in die Ferne, und ihr Atem wurde immer langsamer und leichter. So starb Kalabati.

Bereits am selben Nachmittag schickte Shridhar nach dem Zimmermann des Dorfes, dass sie ein Klafter Holz zum Verbrennen der Leiche benötigten. Dann trugen der Vater und Pikay zusammen mit dem kleinen Bruder Pravat ihren Körper hinunter zum Fluss, stellten die Bahre ab und hockten sich ans Ufer, wo der Boden steil ins strömende Wasser abfiel.

Sie warteten geduldig. Die Sonne ging unter. Der Wind frischte auf. Die Wolken sammelten sich am Himmel. Dann kam der Regen, die Erde bebte unter dem Dröhnen des Himmels, und Blitze durchschnitten die Dunkelheit, genau wie schon während vieler anderer Monsunperioden. Pikay hielt die Leiche seiner Mutter auf seinem Schoß fest, weil er Angst hatte, dass die Mächte des Wetters ihm ihren mageren Körper entreißen könnten.

Der Abend war schwarz wie Ruß, doch im kurzen Schein der Blitze konnte er immer wieder das erloschene, bleiche Gesicht seiner Mutter und ihre steifen grauen Füße sehen. Viele Unberührbare unter den Dorfbewohnern, die sich versammelt hatten, um der Verbrennung beizuwohnen, liefen weg, weil sie glaubten, böse Geister hätten vom Flussbett Besitz ergriffen.

Doch Pikay empfand keine Angst. Er war traurig, aber auch ruhig und geborgen.

Endlich erschien der Zimmermann. Doch er kam zu Fuß und hatte weder einen Karren noch den Ochsen bei sich. Der Wagen mit der Holzladung war ein gutes Stück vom Fluss entfernt kaputtgegangen, deshalb konnte er leider das bestellte Brennholz nicht liefern. An diesem Abend konnte es keine Kremierung geben.

»Du kannst nicht die ganze Nacht in diesem Unwetter mit Kalabatis Leiche im Schoß dasitzen«, sagte Shridhar zu Pikay. »Bald wird sie anfangen zu verwesen.«

Pikay und Pravat sahen auch, dass sie etwas tun mussten. Sie kletterten die sandige Böschung zur Sandbank hinunter, die hier in den Fluss hinausragte, und gruben zusammen mit dem Vater mit den bloßen Händen eine Grube von einem halben Meter

Tiefe, in die sie Kalabati vorsichtig legten. Weil die Verbrennung nicht möglich war, musste es ein Sandbegräbnis sein, doch sie hofften, dass der Fluss bald ihre Leiche in seinen wirbelnden Wassermassen mitnehmen würde. Am wichtigsten war, dass sie wieder mit dem Wasser vereint wurde.

Der Vater und der kleine Bruder bissen die Zähne zusammen. Pikay weinte. Plötzlich fasste er einen dramatischen Entschluss. Er sprang ins Grab, legte sich auf seine Mutter und bat die anderen, ihn mit zu begraben. Ein paar Sekunden lang war es ganz still und ruhig. Der Regen peitschte, niemand sagte etwas, doch plötzlich hob Shridhar ohne ein Wort seinen Sohn aus dem Grab, setzte ihn auf die Sandbank und begann, mit den Händen zu graben und den Körper seiner Frau zu bedecken.

Am nächsten Morgen reiste Pikay nach Delhi zurück. Er wollte nicht bei der Trauerzeremonie dabei sein, die ein paar Tage später abgehalten werden sollte, denn zu dem Anlass wäre er gemäß der Sitte gezwungen gewesen, sich die Haare abzurasieren, und dafür war ihm sein wallendes Haar, das er, von den Hippies in der Hauptstadt inspiriert, hatte wachsen lassen, zu kostbar. Außerdem fand er, dass er sich dort am Flussufer bereits ausreichend von seiner Mutter verabschiedet hatte.

Das Gefühl der Geborgenheit, das er mit dem toten Körper der Mutter auf dem Schoß empfunden hatte, verschwand rasch. Im Zug, der ihn durch das Gangestiefland zum Erwachsenenleben in der Hauptstadt zurückbrachte, verspürte er nichts als Leere.

Es ist ein unsichtbares Band, das gerissen ist, schrieb er später in seinem Tagebuch. »Manchmal fliegen wir, doch landen wir immer im Arm der Mutter. Jetzt, da sie nicht mehr ist, fehlt mir ein Grund, auf dem ich stehen kann. Das Leben ist instabil geworden. Der Boden schwankt unter meinen Füßen. Ich falle.«

Das Semester ging zu Ende, und in den Ferien brachen Pikay und Tarique gemeinsam zu einer langen Reise auf. Sie planten, Pikays

Vater und seine Brüder zu besuchen und vielleicht auch ein paar Denkmale zu Buddhas Ehren.

Zu Beginn ihrer Reise fuhren sie in Pikays Heimatdorf. Per Anhalter durchquerten sie Orissa und besuchten einen niedergeschlagenen Shridhar, der den Tod seiner Frau noch nicht verwunden hatte. Dann nahmen die beiden den Bus vom Gangestiefland auf die Hochebenen des Himalaya zum Katmandu-Tal in Nepal. Sie waren zum ersten Mal im Ausland, sahen zum ersten Mal schneebedeckte Berggipfel und Wasserpfützen, die nach dem Nachtfrost mit einer dünnen Eisschicht überzogen waren.

Das war eine knisternd glasklare neue Welt. Die Farben waren so stark und kontrastreich, der Himmel so frei und blau, nicht diesig von Smog und schmutzig braun wie in Neu-Delhi. Eines Nachmittags, als er die Bäume im Ratna Park in Katmandu zeichnete, kam ein Mann zu ihm. Der Mann führte die Hände zu einer Begrüßung zusammen, sagte höflich »Namaste« und fragte, ob er auch Menschen porträtieren würde.

Pikay zögerte, antwortete dann aber:

»Ja, das kommt vor.«

Der Mann hatte eine gerade und markante Nase und einen nepalesischen Hut, der wie eine Bootsmütze aussah. Das verlieh ihm ein sehr charakteristisches Profil, was ihn zu einem leichten Zeichenobjekt machte. Der Mann war sehr zufrieden und bat, die Zeichnung für ein paar Rupien kaufen zu dürfen. Das weckte die Neugier eines Mannes, der gerade vorüberkam und der Pikay nun fragte, ob er auch von ihm so eine Zeichnung anfertigen könne. Während die Sonne allmählich hinter den Berggipfeln des Himalaya verschwand, hatte sich eine Volksmenge um ihn versammelt und eine Schlange erwartungsfroher Kunden, die ihr Porträt gezeichnet haben wollten und bereit waren, dafür zu zahlen.

Nach vier Stunden Zeichnens schmerzte sein rechter Arm, aber die Taschen beulten sich von Münzen und zerknüllten Geldscheinen.

Mit dem Geld, das er verdient hatte, konnte er vier Tage lang sein Frühstück und Abendessen in den Cafés an der Freak Street bezahlen. Für sich selbst bezahlen zu können und nicht auf die Großzügigkeit Tariques angewiesen zu sein, empfand er als Befreiung. Die Unruhe, die er stets verspürte, weil er zu wenig Geld hatte, ließ nach. Vielleicht wird sich alles für mich fügen, dachte er.

Tarique und Pikay waren zwei fremde Vögel unter den westlichen Hippies in den beiden Cafés, die »Patan« und »Snowman« hießen. Ein unberührbarer Dschungeljunge und ein muslimischer Reicheleutesohn, beide aus Indien – das passte nicht zu den abenteuerlustigen europäischen Mittelklassesprösslingen. Die jungen Europäer flohen den Westen, Pikay und Tarique sehnten sich dorthin. Pikay für seinen Teil bewunderte nicht den Reichtum und technischen Vorsprung des Westens, sondern die Tatsache, dass es dort keine Brahmanen und kein Kastensystem gab. Natürlich gibt es auch in Europa arme Leute, dachte er, doch werden sie nicht so unterdrückt wie die Unberührbaren in Indien.

Sie taten ihr Möglichstes, um sich unter die Europäer zu mischen, die sich die Abende in den Cafés damit vertrieben, den Materialismus zu verachten, Hasch zu rauchen und Apfelkuchen zu essen. Wahrscheinlich betrachteten die Westeuropäer Pikay und Tarique – zwei Eingeborene, die Jeans trugen, belesen waren und gut Englisch sprachen – als exotische Errungenschaften ihrer Hippiegemeinschaft.

Doch das Wichtigste war, dass Pikays Leben eine neue Wendung bekommen hatte. Zum ersten Mal hatte er begriffen, wie er Geld verdienen konnte. Der letzte Abend in Katmandu fühlte sich wie der Anfang eines neuen Lebens an, in dem er nie wieder würde hungern müssen.

Zurück in Neu-Delhi hatte Tarique Angst vor seinem Vater und wagte deshalb nicht, Pikay mit zu sich nach Hause zu nehmen.

Der Freund machte ihm keinen Vorwurf, denn wäre er in Tariques Situation gewesen, hätte er sich genauso verhalten. Wieder einmal war Pikay obdachlos. Einige Nächte schlief er bei Freunden aus der Schule, an anderen kehrte er auf den Steinfußboden im Bahnhof zurück. Das war schwer und düster und fühlte sich wie ein herber Rückschlag an.

Doch jetzt wusste er, wie er Geld verdienen würde. Er richtete sich zwei Stellen ein, an denen er seine neue Laufbahn als kommerzieller Künstler verfolgen wollte. Die eine am Springbrunnen im Connaught-Place-Park im Zentrum, und die andere im Wohngebiet Palam beim Flugplatz am äußeren Rand der Stadt.

Wenn die Polizei an einem Ort zu unangenehm wurde, wechselte er zum jeweils anderen. Manchmal musste er sich aus schwierigen Situationen herausreden.

»Sir, honorable Police Commander, please, ich muss doch irgendwie meinen Lebensunterhalt verdienen, oder, Sir? Finden Sie das nicht auch?«

Die meisten Polizisten waren sowohl bestechlich als auch freundlich. Der Chef des Reviers begnügte sich damit, dass er als Bestechung ein Porträt von ihm malte.

»Zeichne, und du musst nicht zahlen«, erklärte er.

So zierten immer mehr seiner Bleistift- und Kohleporträts die ansonsten so kahlen Wände des Polizeireviers.

*Die Gäste aus* dem Indian Coffee House kamen oft am Springbrunnen vorbei und sahen sich Pikays Bilder an. Jeden Nachmittag gab es einen kleinen Volksauflauf vor seiner neu gekauften Staffelei. Manchmal kam die Polizei und bat die Leute, doch weiterzugehen, oder sie nahmen ihn mit aufs Revier. Dann beklagte er sich nicht, denn er hatte begriffen, welchen Vorteil es hatte, über Nacht eingebuchtet zu werden. Er bekam eine warme Zelle, wurde zum Essen eingeladen und durfte sogar duschen. Am Morgen ließen sie ihn dann wieder frei.

So begann die Zusammenarbeit mit einem der Polizisten: Wenn die Hauptgeschäftszeit vorüber war, kam die Polizei, um Pikay abzuholen. Er bekam dann eine Pritsche in einer Zelle und der Polizist fünfzig Prozent seiner Einkünfte. Doch irgendwann schöpften die Kollegen des Polizisten Verdacht, dass da irgendetwas Illegales laufen könnte, und der Mann sah sich gezwungen, die Übereinkunft zu kündigen. Nun durfte sich Pikay eine Zeit lang nicht blicken lassen.

Doch Pikay musste schließlich jeden Tag Geld verdienen, und deshalb verlegte er in dieser Zeit sein Porträtgeschäft in die Gegend um den Flughafen.

Am Tag der Republik, dem 26. Januar 1975, säumten viele Menschen die Straße ins Zentrum. Der Verkehr war gesperrt, und die Polizisten hatten Ketten gebildet, damit die Volksmassen nicht auf die Straßen drängten. Die Menschen standen dicht an dicht und Schulter an Schulter und sahen angestrengt zu den Terminals. Einige hatten Plakate in den Händen, andere Blumen. Er sah Männer mit Kameras und Notizblöcken. Da ging plötzlich eine Bewegung durch die Volksmenge, jemand wurde zur Seite geschubst und fiel, Flüche waren zu hören, die jedoch bald von erwartungsvollem Gemurmel übertönt wurden. Auf wen warten sie wohl?, fragte sich Pikay.

Dann kamen zwei Polizeijeeps und dann noch mal zwei. Die Kolonne kroch langsam dahin, als wollte man dem Publikum etwas zeigen. Das Gemurmel schwoll an. Pikay hatte sich vorn einen Platz mit guter Sicht erkämpft und sah nun plötzlich einen offenen Jeep mit einer Frau drin. Ihre Haut war hell.

Aus einem Land weit weg, dachte Pikay, für den die Frau vor Licht strahlte.

»Walentina, du bist unsere Heldin!«, rief jemand.

Pikay stand eingezwängt zwischen einer Gruppe hochgewachsener Sikhs und einer Schulklasse an der Bordsteinkante. Die Kinder jubelten. Auch Pikay jubelte. Da er keine Blumen hatte, malte er eine Skizze von der Frau, die vom Himmel gefallen und auf dem Flughafen gelandet war, um jetzt wie eine Königin zum Zentrum der Stadt gefahren zu werden. Dann drängte er sich durch die Menschenansammlung vor, um näher an den Jeep zu kommen, der jetzt angehalten hatte, und wollte ihr seine Zeichnung in den Wagen reichen. Ein Sicherheitsbeamter hielt seinen Knüppel dazwischen, nahm aber mit einer barschen Bewegung die Zeichnung und betrachtete sie. Dann sah Pikay, wie der Wachmann lächelte und das Blatt an die Frau weiterreichte. Auch sie betrachtete das Porträt, und der Sicherheitsmann zeigte auf Pikay. Er begegnete ihrem Blick, dann beugte sie sich vor und sagte etwas zu dem Wachmann, der sich daraufhin Pikay zuwandte.

»Madame will dich kennenlernen«, sagte er.

»Jetzt gleich?«

»Natürlich nicht, du Idiot! Wie sollte das möglich sein?«

Er bekam einen Zettel mit einer Adresse. »Embassy to The Union of Soviet Socialist Republics, Shantipah, Chanakyapuri«, stand darauf.

»Morgen um zwölf Uhr. Bring die Zeichnung mit und komm nicht zu spät«, schnauzte der Wachmann.

Im Eingang zur Sowjetischen Botschaft im sauberen Diplomatenviertel Chanakyapuri drängten sich indische Regierungsbeamte und russische Diplomaten mit Journalisten und Fotografen. Etwas weiter drinnen im Gebäude, im Zentrum des Geschehens mitten im Versammlungsraum mit den eingerahmten Fotografien sowjetischer Führer an den Wänden, stand die Frau, die er am Tag zuvor gezeichnet hatte. Ein Wachmann schob ihn zu ihr vor, woraufhin sie seine Hand nahm und ihm in gebrochenem Englisch für die Zeichnung dankte.

»Ein schönes Porträt«, sagte sie und stellte sich vor: »Walentina Tereskowa.«

»Ein schönes Gesicht«, erwiderte Pikay.

Wer war sie? Gemeinsam lächelten sie in die Kameras. Tereskowa! Den Namen hatte er noch nie zuvor gehört. Er schaffte es nur, sie zu begrüßen und ein paar Höflichkeiten auszutauschen. Mit so vielen Diplomaten und Journalisten im Raum konnte er nichts Persönliches zu ihr sagen. Er wusste ja nicht einmal, ob sie verheiratet war oder nicht.

Dann wurden sie von den neugierigen Journalisten befragt.

»Wer bist du? Woher kommst du?«, wollten sie wissen.

Pikay aber bat die Journalisten, ihm lieber zu sagen, wer Walentina Tereskowa war.

»Mein Gott, wie dumm kann man eigentlich sein? Die erste Frau im Weltraum!«, rief einer der Journalisten.

Pikay wurde von Wollust erfüllt. Er stellte keine weiteren Fragen. Im Weltraum! Das genügte ihm. Nun antwortete er auf die Fragen der Journalisten und erzählte von dem Dorf im Dschungel und seinen Eltern. Die Journalisten schrieben fleißig mit. Die

Inder lieben Sonnenscheingeschichten, und die Journalisten witterten eine gute Story. Pikay, der arme, kastenlose Junge aus dem Dschungel, der die Chance bekommen hatte, die berühmte Weltraumfahrerin zu treffen.

Am selben Abend saß er im Café am Connaught Place und dachte an Walentina Tereskowa. Inzwischen hatte er die Zeitung gelesen. Die Frau, die er gezeichnet hatte, war ursprünglich Arbeiterin in einer Textilfabrik gewesen und dann zur Kosmonautin ausgebildet worden. Am Morgen des 16. Juni 1963 hatte sie ihren Raumanzug angezogen und war in den Bus gestiegen, der sie zum Startplatz brachte – das hatten die Zeitungen berichtet. Die Rakete hatte geschnaubt und nach zwei Stunden des Countdowns hatten die Motoren gezündet und die Rakete hatte abgehoben. Walentina, deren Funkname »Möwe« war, begann ihre Reise auf der Umlaufbahn der Erde. Innerhalb von zwei Tagen, zweiundzwanzig Stunden und fünfzig Minuten drehte sie achtundvierzig Runden um die Erde und landete dann in ihrer kleinen Kapsel aus Stahl mit Fallschirmen in der kargen Steppe Kasachstans. Zurück auf der Erde wurde sie Forscherin in der Raumtechnik, Mitglied des Obersten Sowjets und führendes Mitglied im Zentralkomitee der Sowjetischen Kommunistischen Partei.

Und nun war sie in Indien.

Eine Frau, die in einem Gefährt durchs All gefahren war, hatte etwas Göttliches an sich. Er dachte an die schwer zugängliche Göttin Durga, die als eine helfende und segnende Gestalt beschrieben wurde, die Allmutter, die in den Lauf der Welt eingreift, um die Dämonen zu bekämpfen, welche die göttliche Ordnung bedrohen. Durga, die in der Darstellung auf einem abgehauenen Büffelkopf steht und in den Händen die Waffen der großen männlichen Götter hält. Manchmal wird sie auch auf einem Löwen oder einem Tiger reitend dargestellt.

Walentina Tereskowa hatte die Erde verlassen, war aber zurückgekehrt. Eine Frau von einem Ort jenseits von allem, was es gab. Eine Frau, die auf einem brüllenden Löwen ritt, auf einer schnaubenden Rakete. Eine Kosmonautin.

Ist sie vielleicht die Frau, die die Astrologen vorhergesehen hatten?

Er fantasierte von einem Leben mit ihr. Doch das war nicht ganz einfach. Er sah sich, wie er in einer Autokolonne zusammen mit ihr zum Sonnenuntergang nach Westen fuhr. Er stellte sich vor, wie sie nach einer langen Reise in ihrer Heimatstadt in der Sowjetunion ankämen und wie sie dann in einem geblümten Kleid neben ihm stünde, während er selbst einen dunklen, westlichen Anzug trug. Er versuchte auch, sich alles um sie herum vorzustellen. Doch die Träume wurden immer diffuser, das Gefühl der Nähe immer schwächer und die Farben immer blasser. Er wusste nicht, wie er sich eine sowjetische Stadt oder das Haus einer Kosmonautin vorzustellen hatte. Er wusste nicht, wie man in der Sowjetunion lebte, wie das Essen dort schmeckte und wie deren Autos, Bäume und Basare aussahen.

Der Traum erlosch. Die Hoffnung, dass die Erfüllung der Prophezeiung nah wäre, wurde immer schwächer. Der Wunschstern am Himmel wirkte matt und bleich.

Mit leerem Kopf wanderte er in der Dunkelheit durch die menschenleeren Straßen auf der Suche nach einem Pappkarton oder einer Telefonzelle, in der er schlafen konnte.


Tags darauf sah er erwartungsvoll auf die Tageszeitungen, die auf dem Bürgersteig vor dem Bahnhof aufgereiht lagen. Die *Navratnam Times*. Die *Times of India*. Die *Hindustan Times*. *The Hindu*. *Indian Express*. Was hatten sie über ihn geschrieben?

»Bist du das auf dem Bild in der Zeitung?«, fragte der Teeverkäufer.

»Ja, das bin ich«, antwortete er, bezahlte dem Mann dreißig Paise und erhielt einen unförmigen, rauen roten Tonbecher mit dampfendem Tee.

Der Teeverkäufer, der mit seinem verbeulten Aluminiumtopf vor einem knisternden Feuer aus Zweigen auf der Erde hockte, sah ihn beeindruckt an.

Er kaufte die *Times of India* und blätterte.

Auf Seite zwölf sah er das Bild von sich und Walentina in der Botschaft. Die Schlagzeile lautete: »Junge aus dem Dschungel trifft Frau aus dem All.«

Es rauschte in seinem Kopf. Dort stand tatsächlich seine Lebensgeschichte in der Zeitung.

An jenem Tag war Pikay das Gesprächsthema in den Warteschlangen am Bus und an den Teeständen. Mehrere Zeitungen hatten die Geschichte von ihm und der russischen Kosmonautin gebracht. Die Menschen grüßten ihn, als er von seiner Nachtherberge am Bahnhof durch die Stadt marschierte und dabei einen Umweg über die unebene Hauptstraße durch den Paharganj-Basar nahm. Die Leute blieben stehen und fragten, ob es ihm gut gehe und ob er glücklich sei, als er an den abblätternden Fassaden und den lose herumbaumelnden Reklameschildern vorbei die breite Panchkuian Road hinauf zum Connaught Place marschierte.

*Nach einem Sommerjob* im Krankenhaus in Stockholm war Lotta wieder in England, um an der Südküste Englisch zu lernen. Natürlich, so entschied sie, würde ihre Abschlussarbeit von Indien handeln. Sie nahm den Zug von Portslade-by-Sea nach London und besuchte die Bibliothek des Commonwealth-Institutes, um Material über das Land im Osten zu sammeln. Während einiger intensiver Wochen erarbeitete sie eine Ausstellung über das Dorfleben in Orissa im Osten Indiens und die rituellen Wandmalereien des Stammesvolkes.

Als sie dort saß und die Bilder von Textilien mit gewebten Ikat-Mustern betrachtete, hatte sie plötzlich eine Eingebung. Die Bilder kamen ihr bekannt vor. Ganz ähnliche Muster hatte sie schon auf Festkleidern in Schweden gesehen. Als sie die indischen Muster sah, wurde ihr klar, dass sie fast eine Kopie der Toarp-Tracht aus den Wäldern von Borås waren. Wie konnten sich die indischen und die schwedischen Muster so ähnlich sein?

Alles hat einen Sinn, dachte Lotta.

*Indien hatte Probleme.* Die Inflation blühte, und die Arbeitslosigkeit stieg. Pikay las in den Zeitungen, dass Premierministerin Indira Gandhi fand, die Lage sei immer schwerer zu kontrollieren. Und die Anhänger der Hindu-Rechten drohten damit, religiöse Gruppen aufzuhetzen und das Land in Brand zu setzen. Aber Pikay ging wie gewöhnlich vom Bahnhof zum Springbrunnen, um seinen Lebensunterhalt zu verdienen.

Als er dort eines Tages saß und zeichnete, baute sich ein elegant gekleideter Mann vor ihm auf.

»Ein Porträt, Sir?«, fragte Pikay. »Ten minutes, ten rupies!«

»Nicht von mir«, antwortete der Mann. »Komm mal her, damit wir ungestört reden können.«

»Warum?«

»Unser geliebter Staatspräsident, der ehrwürdige Fakhruddin Ali Ahmed, will dich zum Abendessen einladen. Außerdem möchte er, dass du ein Porträt von ihm anfertigst«, sagte der Mann, der sich als der Sekretär des Präsidenten vorstellte.

Einige Tage später wurde Pikay in einem weißen Diplomatenwagen mit rotem Blinklicht auf dem Dach und heulendem Martinshorn zum Palast des Präsidenten chauffiert.

Der Präsidentenpalast war ein enorm großes Gebäude aus Sandstein. Er hat wirklich riesenhafte Ausmaße, dachte Pikay. Der ausladende Palast suggerierte Macht und Stärke.

Er wurde von der Präsidentengarde empfangen, die aus kräftigen Sikhs in Turbanen bestand. Die könnten mich mit einer Hand zerquetschen, dachte er. Man brachte ihn ins Innere des Palastes, der ursprünglich von den Briten für den letzten Vizekönig gebaut worden war. Gold, Spiegel, Kristalllüster – der alte koloniale Glanz des Empire imponierte Pikay. Noch nie hatte er etwas Vergleichbares gesehen, außer vielleicht auf Bildern. Fast undenkbar die Vorstellung, dass er sich im Zentrum des Geschehens mitten in der Hauptstadt befand und gleich den Staatspräsidenten treffen würde.

Er begrüßte den Präsidenten höflich, indem er die Handflächen zusammenführte und sich tief verbeugte. Der Präsident saß neben einem kleinen Tisch, und Pikay begann sogleich mit dem Porträt. Der Sekretär nahm die Zeit.

»Sag Bescheid, wenn du fertig bist«, forderte ihn der Sekretär auf.

Dreizehn Minuten später, als Pikay »fertig!« gerufen hatte, drückte der Sekretär auf den Knopf der Stoppuhr. Der Präsident betrachtete die Zeichnung. Lange saß er da und studierte das Bild, ohne seine Gefühle zu offenbaren, dann wandte er sich Pikay zu.

»Wie schön«, sagte er.

Dann lachte der Präsident und machte Scherze. Pikay fand, sein Lachen klang wie ein schwergängiges Moped. Das machte ihn zu einer komischen Figur und gleichzeitig zu einem ganz gewöhnlichen alten indischen Mann.

Als er schon im Gehen war, hörte er den Präsidenten zu seinem Sekretär sagen:

»Sie dürfen nicht vergessen, meiner Tochter Geld zu schicken.«

Pikay gefiel es, dass der Präsident Indiens offenbar an dieselben Dinge dachte wie alle Eltern, nämlich wie es wohl ihren Kindern erging, wenn sie zu Hause ausgezogen waren. Das machte ihn menschlich und liebenswert. Als Pikay aus dem Palast kam, wurde er von Reportern und Blitzlichtgewitter begrüßt. Die Presse wollte wissen, was der Präsident gesagt habe.

»Er sagte, der Sekretär solle Geld an seine Tochter schicken«, erzählte Pikay in der Annahme, dass die Journalisten dies auch als ein Zeichen dafür nehmen würden, dass Indien einen fürsorglichen Präsidenten hatte.

Doch die Journalisten waren nicht so begeistert.

»Der soll sich um das Land kümmern und nicht um seine eigene Familie«, sagte einer von ihnen.

»Indiens Zukunft ist ja wohl wichtiger als die seiner Tochter«, klagte ein anderer.

»Wir haben eben die Regierung, die wir verdienen«, konstatierte ein Dritter.

Am nächsten Tag veröffentlichten die Zeitungen Artikel über den Besuch im Palast, die mit einem Foto von Pikay und einer Abbildung seines Porträts des Präsidenten illustriert waren. Die Information, dass er dreizehn Minuten gebraucht hatte, um das Porträt zu malen, war in einem der Artikel hervorgehoben, als ginge es um einen Sportwettkampf.

Im Frühjahr 1975 ging die Polizei immer öfter gegen Volksaufläufe vor. Die Regierung fürchtete, die politischen Unruhen könnten in Gewalt, Krawalle und Aufruhr ausarten.

Pikay hatte jetzt ein Schild am Springbrunnen aufgestellt, auf dem stand »Ten Rupies, ten minutes«. Die Schlangen wurden immer länger. Allmählich war er so populär, dass die Polizei ihn als Sicherheitsrisiko betrachtete. Der Polizeichef vom Revier am Connaught Place kam zum Springbrunnen und sagte:

»So kann es nicht weitergehen!«

Und dann nahm man ihn wieder fest.

Wenn er früh am nächsten Morgen entlassen wurde, ging er satt und ausgeruht zur Kunsthochschule und danach zum Springbrunnen, um dort weiterzumachen, wo er am Abend vorher unterbrochen worden war.

Die Bleistiftskizzen nahmen die Kunden mit, doch die Landschaftsmotive und die expressionistischen Ölgemälde aus seiner

Hungerperiode hängte er an den Zaun und die Betonmauern. Es kamen immer neue Gemälde dazu. Jeden Abend zwischen sechs und neun Uhr wurden die Wasserfontänen und die Scheinwerfer eingeschaltet und spielten in einem schönen Schauspiel zusammen. Wenn die Sonne unterging, bildete sich oft zwischen den zerstäubten Wassertropfen ein Regenbogen. Er fand, er hatte den am meisten inspirierenden Ort in der ganzen Stadt gefunden, um zu malen und seine Kunst zu präsentieren.

Die Polizisten waren jetzt wieder höflicher zu ihm. Manchmal nahmen sie ihn fest, doch geschah das meist nur, um Tatkraft zu demonstrieren. Immer öfter ließen sie ihn in Ruhe. Dank der Zeitungsartikel war er jetzt der »Springbrunnenkünstler«. Die Lehrer an der Schule schätzten seine Energie und bedachten ihn mit aufmunternden Kommentaren. Studenten, die ihn früher nicht einmal bemerkt hatten, wollten jetzt seine Freunde werden. Binnen weniger Wochen verwandelte er sich von einem Nichts zu einer Berühmtheit. Niemand hat ein Problem damit, auf jemandem herumzutrampeln, der nichts ist, doch alle lieben den Erfolgreichen.

Nach dem Zusammentreffen mit der Kosmonautin und dem Präsidenten war er fast jede Woche in den Medien. Fernsehen, Radio und Wochenzeitschriften interviewten ihn. Er war zum Gesprächsthema in Slumbaracken und auf Kanzleipartys geworden, und die Schlangen vor der Staffelei am Springbrunnen waren länger denn je. Sein Ruf hatte sich verbreitet und das Zentrum der Macht erreicht, und zwei Parlamentarier, die sein Bild in der Zeitung gesehen hatten, luden ihn in den Member of Parliament Club an der South Avenue in der Nähe des Wohnsitzes der Premierministerin ein. Dort saßen sie und unterhielten sich, als zufällig Haksar auf ihn aufmerksam wurde.

Narayan Haksar war der Privatsekretär von Indira Gandhi. Er hatte erkannt, dass die Regierung in Schwierigkeiten war und öffentliche Erfolge brauchte, und er meinte, Pikay könne ein möglicher PR-Hit werden. Schließlich stammte er aus dem untersten Bodensatz der Gesellschaft, war mit seiner Tätigkeit am Springbrunnen aber gleichzeitig die Personifizierung des Glaubens an eine bessere Zukunft, der, so meinte Haksar, zu vielen Indern noch fehlte. Pikay war ein Opfer des Bösen in der Gesellschaft und somit all dessen, was Indira Gandhi und die Kongresspartei gern abschaffen wollten. Die Unberührbaren stellten eine große Wählergruppe dar, immerhin ein Fünftel der Bevölkerung des Landes. Wenn Gandhi deren Sympathie gewinnen konnte, dann würde sie die drastischen Maßnahmen durchführen können, an denen sie derzeit arbeitete – und trotzdem die nächste Wahl gewinnen.

Pikay erkannte schnell, dass Haksar an der Seite von Indira eine wichtige Figur war. Er war gleichzeitig ihr Medienratgeber, eine Ein-Mann-Gedankenschmiede und ihr politischer Stratege und zudem noch ein engagierter Vertreter einer mehr sozialistisch ausgerichteten Politik. Er gehörte zum engsten Kreis radikaler Brahmanen aus Kaschmir, woher auch die Familie von Indira stammte, und war ganz einfach eine wichtige Figur im Zentrum der Macht. Gewisse politische Kommentatoren, so las Pikay, behaupteten, dass es Haksar war, der hinter der durch die Regierung beschlossenen Verstaatlichung der Banken und der Verbannung kapitalistischer Symbolprodukte wie Coca-Cola stand.

Bei ihrem ersten Treffen im Klub der Parlamentarier stellte sich Haksar nur kurz vor und fragte dann ohne weitere einleitende Phrasen:

»Können Sie sich vorstellen, das Porträt unserer Premierministerin zu zeichnen?«

»Ja, Sir«, antwortete Pikay, fuhr vom Stuhl auf und blieb stehen.

»Okay. Wie kann man Sie erreichen? Telefonnummer?«, fragte Haksar.

»Sir, ich habe kein Telefon.«

»Okay, Adresse?«

»Ich schlafe abwechselnd auf dem Bahnhof und auf dem Polizeirevier, Sir.«

»Schsch!«, flüsterte Haksar.

Er kam näher.

»Ich werde Ihnen eine Wohnung besorgen.«

Indira Gandhi war solch eine beeindruckende Frau. Mütterlich und autoritär zugleich und dazu noch humorvoll. Sie kommentierte Artikel, die sie in der Tageszeitung gelesen hatte, und Dinge, die sie in den Räumen der Premierministerresidenz an der South Avenue sah. Pikay konnte ihrem spöttischen Humor nicht folgen, doch Leute um ihn herum, die gesamte Entourage der Premierministerin, lachten über die geistreichen Witze, mit denen sie um sich warf. Da war es am besten, einfach mitzulachen.

Er hatte sie sich groß vorgestellt und geglaubt, dass er den Kopf in den Nacken legen und nach oben blicken müsse, um ihr in die Augen zu sehen. Doch sie war ebenso klein wie er, knapp eins siebzig. Klein, aber mit weiblicher Figur und schönen Augen. Wie ein Filmstar, dachte er.

Indira fragte höflich, woher Pikay stamme und welche Pläne er für die Zukunft habe.

Seine Stimme zitterte, als er antwortete.

»Orissa, ich stamme aus Orissa, aber jetzt besuche ich das Delhi Art College hier in unserer Hauptstadt«, erwiderte er und versuchte, stolz zu klingen.

»Aha«, antwortete Indira zerstreut, unterbrach sich und sah zu den Blumen, die in Töpfen auf den Fensterbänken standen.

»Hallo«, sagte sie und wandte sich dem Bediensteten zu, der an der Tür stand. »Ihr müsst die Blumen gießen, ihr dürft nicht vergessen, die Blumen zu gießen.«

Dann versank sie wieder in Gedanken.

Indira und Pikay schauten zusammen sein Portfolio mit den Ölgemälden, den Kohlezeichnungen und den Grafiken durch. Die Premierministerin hatte die Kunstschule des Nationaldichters Tagore in Shantiniketan besucht. Das wusste Pikay und deshalb war er davon ausgegangen, dass sie sich wirklich für Kunst interessierte. Er blätterte. Sie schaute, sah ein wenig interessiert aus, nickte und summte.

»Das hier gefällt mir«, sagte sie und hielt eine Zeichnung hoch, »aber die anderen ... hm, nun ja, du musst mehr üben, du musst trainieren, um geschickter zu werden«, erklärte sie bestimmt.

Gleichzeitig ermunterte sie ihn und sagte, sie hoffe zutiefst, dass es ihm gelingen würde, berühmt zu werden.

»Du hast das Zeug dazu«, meinte Indira.

Dann gingen sie in einen anderen Raum, wo von uniformierten Kellnern ein Mittagessen serviert wurde.

Und da saßen sie nun, Indira Gandhi, die weltberühmte Premierministerin, und Pikay, der Dschungeljunge und Obdachlose. Allerdings wusste Indira natürlich nicht, dass Pikay auf dem Bahnhof wohnte, das hatte ihr der Sekretär sicher verschwiegen.

Wenn Mama mich jetzt sehen könnte, dachte er.

Derweil schielte er zu Indira hinüber. Die pellte eine Kartoffel. Seltsam. Hatte die Premierministerin dafür keine Bediensteten?

Nach der ersten Begegnung mit Indira Gandhi ging er auf direktem Weg ins Orissa Bhavan, einem Klub und Gästehaus für Leute aus Orissa, die in der Fremde lebten. Er wollte einen Freund aus der Hochschule besuchen, der als Koch in dem Haus arbeitete. Pikay hatte keine besonderen Erwartungen an den Abend, sondern freute sich hauptsächlich darauf, zum Abendessen eingeladen zu werden, doch als er durch die Tür trat, wurde er von einer Menge Leuten begrüßt, die er noch nie zuvor gesehen hatte. Es kam ihm vor, als sähen ihn alle plötzlich ganz anders an. Sie sehen aus, als warteten sie neugierig darauf, dass ich etwas Interessantes sage, dachte er.

»Pikay, ich habe ein besonders gutes Essen für dich gekocht«, erklärte der Koch und verbeugte sich tief, als wäre eben ein Staatsmann durch die Tür gekommen.

»Aber wer sind die denn alle?«, fragte Pikay und zeigte auf die anderen.

»Journalisten«, antwortete der Koch und grinste. »Die wollen wissen, was sie gesagt hat.«

Ein Reporter von der *Navabharat Times* löste sich aus der Gruppe und bat um ein Interview. Pikay antwortete bereitwillig auf die Fragen. Er genoss die Aufmerksamkeit und die Fragen, was die Premierministerin des Landes gesagt und getan habe. Nun kam er sich bedeutungsvoll vor. Dennoch schien ihm, als wollten die Journalisten die Begegnung als bedeutsamer darstellen, als sie wirklich gewesen war. Er hatte doch nur mit einer einflussreichen alten Dame über Kunst geredet. Klar, das war nicht irgendeine alte Dame. Aber so wahnsinnig fantastisch war das doch wohl nicht, oder?

Während des ganzen ersten Treffens mit Indira Gandhi war er unsicher und ängstlich gewesen. Alle Menschen um ihn herum verehrten schließlich die Premierministerin wie eine Göttin. Er wusste nicht, wie er sich verhalten sollte.

Es gab noch mehr Begegnungen mit Indira. Drei insgesamt, dafür sorgte Haksar. Als sie sich das zweite Mal trafen, ließ die Angst nach, und er fand, sie wirke wie ein wirklich netter Mensch. Er brauchte sich nicht zu fürchten.

Beim dritten Treffen ließ er sich zusammen mit Indira Gandhi und einer Gruppe Unberührbarer aus Orissa im Garten ihres Hauses ablichten. Indiras Fotograf machte die Bilder, die dann am nächsten Tag auf den ersten Seiten einiger Zeitungen publiziert wurden. Auf dem Bild sieht man die elegante Indira in ihrem löwengelben Sari und mit onduliertem Haar, das von distinguiertem Hellgrau in Schwarz übergeht. Die unberührbaren Untertanen hockten auf dem Rasen, als wären sie ihre Lehrlinge.

Nach den Zeitungsartikeln über Pikay und Indira Gandhi florierte zu Hause in Orissa das Gerücht, die Landesmutter, wie sie genannt wurde, habe Pikay adoptiert. Seine Mutter war nicht länger Kalabati, die Frau aus dem Stammesvolk, die seit vielen Jahren tot und begraben war. Seine Mutter hieß jetzt Indira Gandhi.

*Lotta war nicht* der Typ, der sich von Widerständen beirren ließ. Wenn mal Regenwolken am Himmel standen, dann kümmerte sie sich nicht darum, sondern lebte weiter auf der Suche nach Orten, an denen die Sonne schien. Das Hier und Jetzt ist immer wichtig, pflegte sie zu denken. Und man soll das Dunkle nicht wegreden, aber man kann sich auch nicht mit allem Elend identifizieren. Viele Menschen wiederholen einfach ihre Geschichte und halten sich im Vergangenen auf. Es ist fast so, als würde der Mensch nur mit Schmerz funktionieren, aber nicht mit Glück.

Als sie mit Yoga anfing, glaubte sie, eine Philosophie gefunden zu haben, die zu ihr passte. In den Meditations- und Atemübungen fand sich alles, was sie schon für sich erarbeitet hatte: dass man wagen musste, offen zu sein für etwas anderes als das, was man schon ist, und dass man nicht sein Leben lang der Sklave seiner eigenen Sinne sein kann.

Alle Menschen wollen sich entwickeln und glücklich werden, aber es fällt uns schwer, nach diesen Prinzipien zu leben, und wir müssen uns ständig daran erinnern, um nicht zu erstarren, dachte Lotta.

Aber wie kann man glücklich werden, wenn die Menschen auf der Welt einander so behandeln, wie sie es tun, wenn es so viel Ungerechtigkeit gibt? Ja, eigentlich sollte man sich politisch engagieren, doch das ging nicht. Sie spürte, dass sie unmöglich eine Ideologie annehmen könnte, die von jemand anderem fertig ausgedacht war. Und sie konnte nicht mit ganzem Herzen sagen, dass sie Christin, Hindu oder Buddhistin war, konservativ, liberal oder sozialistisch.

Ich nehme mir von allem etwas, dachte sie.

Trotz der christlichen Mutter und ihrer eigenen Neugier auf Yoga und die asiatischen Lebensphilosophien stand sie den Religionen kritisch gegenüber. Sie war Humanistin. Das musste genügen. Alle Menschen hatten dieselbe Lebensenergie, ganz gleich, woher sie stammten und wie ihre Hautfarbe war. Wenn man so denkt, ist es unmöglich, rassistisch zu sein, meinte Lotta.

*Von dem Geld,* das Pikay mit den Porträts verdiente, kaufte er Farben und Leinwand, was zur Folge hatte, dass er andere Motive in größeren Formaten und mit vielfältigeren Techniken malen konnte. Die meisten seiner Bilder verkaufte er am Springbrunnen oder im Indian Coffee House an ausländische Touristen.

Haksar hatte versprochen, sich um eine Wohnung für ihn zu kümmern, doch das konnte dauern. Für das Geld, das er nun hatte, mietete er so lange ein kleines Zimmer in Lodi Colony, einem der besseren Vororte, der direkt im Süden der Stadt neben einem großen, schattigen Park lag, in dem sich ein stattliches Mausoleum mit den sterblichen Überresten der Herrscher des mittelalterlichen Delhi-Sultanats befand. Sein neues Zuhause war allerdings alles andere als stattlich. Ein Bett und ein Nachttisch, drei Haken an der blanken Betonwand, an die er Kleider hängen konnte, und ein paar Quadratmeter Fußboden, auf denen er obdachlose Freunde beherbergen konnte.

Er hatte jetzt mit dem dritten und letzten Jahr auf der Kunstschule begonnen, war selbst oft das Gesprächsthema im Speisesaal der Schule und wurde zunehmend als Guru betrachtet. Studenten, Lehrer und erfahrene Künstler, die oft doppelt so alt waren wie er, kamen zu ihm, um Antworten auf ihre Fragen zu erhalten. Er wurde gefragt, wie er dieses oder jenes machte, was er dachte, welche Materialien er benutzte, ob seine

Mutter und sein Vater bekannte Künstler seien, wie seine Einstellung zur Kunst überhaupt war, und wie sie denn so sei, Indira Gandhi.

Unter denen, die jeden Tag zu ihm kamen und um Rat baten, war ein Mädchen, das erst kürzlich auf der Schule angefangen hatte. Er fand, dass sie einen seltsamen Gesichtsausdruck hatte, so als ob sie an etwas denken würde, was sie nicht zu sagen wagte. Doch schließlich stellte sie sich ihm vor.

»Ich heiße Puni«, sagte sie vorsichtig, als würde sie sich über ihre direkte Art schämen.

Danach kam sie allerdings schnell zur Sache.

»Willst du mit mir zu Mittag essen?«, fragte sie.

Wie gewöhnlich antwortete Pikay spontan ja, er lehnte selten ab. Doch Puni schien an seiner Aufrichtigkeit zu zweifeln.

»Ich störe doch wohl nicht?«, fragte sie besorgt.

»Doch«, antwortete er, »du störst! Du störst mich wirklich bei meiner Arbeit, aber von dir zum Mittag eingeladen zu werden, ist eine angenehme Art, gestört zu werden.«

Nach dem Mittagessen im Speisesaal der Schule lud sie ihn zu sich nach Hause ein.

»Meine Mutter würde dich gern kennenlernen«, sagte sie. »Kannst du am Sonntag kommen?«

»Deine Mutter? Warum das denn? Warum will sie mich kennenlernen?«

»Sie möchte, dass du sie zeichnest.«

Der Verkehr aus Diplomatenwagen, fantasievoll und wirr bemalten Lastwagen und heruntergekommenen Stadtbussen auf der Hauptverkehrsader durch Alt-Delhi floss zäh wie kalter Sirup, als er auf den Strom von Fahrradrikschas traf, der aus den kleinen Sträßchen um die Jama-Moschee herausquoll. Pikay saß auf dem Passagiersitz einer der Fahrradrikschas, schaute auf das Verkehrschaos und das Gewimmel von Menschen und kam sich sehr seltsam vor. Noch nie zuvor hatte er sich von einem Fahrradtaxi kutschieren lassen, noch nie hatte er dagesessen und zugesehen, wie ein anderer Mensch aus eigener Kraft das Fahrzeug vorantrieb. Er dachte an die Grundbesitzer, die Kaufleute und die Brahmanen, die es, als wäre ihr Leben mehr wert, gewohnt waren, sich von anderen Menschen bedienen zu lassen. In diesem Moment fühlte es sich so an, als sei sein Leben mehr wert als das des Mannes vor ihm, der die Rikscha antrieb.

Sie wühlten sich durch die immer dichtere Volksmenge auf dem Chandni Chowk, die sich vor den Juwelieren und den Stoffgeschäften drängte, vorbei an den Schildern, die Werbung für gekühltes Wasser aus dem Hahn machten, und an den Fotografen mit ihren Kastenkameras aus Holz, die die Menschen auf den Bürgersteigen fotografierten. Dann fuhren sie in die Gassen, in denen der Rikschafahrer anderen Radfahrern, verirrten Ziegen, Fahrradkarren, schwankenden Kühen, kläffenden Hunden, Frauen in grauen Kopftüchern und Männern mit gehäkelten Spitzenkäppchen ausweichen musste. Sie fuhren an winzigen Buden in den Häusern vorbei, aus denen Jutesäcke mit Mehl und Chilis feilgeboten wurden. Er genoss alles, was er sah.

Delhis Basare kamen dem Jungen aus dem kleinen Dschungeldorf immer noch wie eine exotische Märchenwelt vor. Die Stadt dampfte vor Geschichte und Macht, aber auch vor Gedränge und Armut. Die schwarze zähe Masse in den offenen Rinnen zwischen den Gassen und den Hauswänden stank entsetzlich, doch der Gestank mischte sich mit einem verführerisch süßen Duft von Patschuli-Räucherwerk, der den Innenhöfen mit ihren Mango- und Feigenbäumen entströmte.

Schließlich waren sie da. Er stieg ab, gab ein ordentliches Trinkgeld, um sein schlechtes Gewissen zu betäuben, und klopfte an die dunkle Holztür eines sehr alten Hauses.

»Herein!«, war eine Stimme zu hören.

Puni kam zur Tür. Sie sah angespannter aus als in der Schule, lächelte nicht, erbot sich aber schnell, eine kalte Limonade für ihn zu kaufen.

»Wasser genügt«, antwortete Pikay.

Sie lachte auf, jetzt noch nervöser, wie es schien.

»Dann Tee oder Kaffee?«

»Vielleicht später.«

Es war still in der Wohnung. Er sah sich um. An den Wänden hingen Bilder von Filmstars, wohlbekannten indischen Idolen, und auf dem Sofatisch lagen Mode- und Lifestylemagazine. Puni kehrte mit einem Tablett zurück, auf dem ein Glas Wasser stand. Aus dem Duft zu schließen, der sich im Raum verbreitete, hatte sie den Umweg über das Badezimmer genommen und noch mehr Parfüm aufgelegt. Sie war von einem süßen Duftnebel aus Jasmin und Rosen umgeben. Er sah sie an. Sie sah anders aus als neulich im Speisesaal der Schule. Sie hatte sich schön gemacht, trug ein glänzendes Salwar Kamiz und hatte Rouge auf die Wangen aufgelegt und die Lippen rot gemalt. Ihre veränderte Kleidung und das neue Make-up vermittelten ihm den Eindruck, dass sie älter wirken wollte, als sie war. Das einfache, schüchterne, aber doch direkte Studentenmädchen aus dem Art College war verschwunden.

Er leerte schnell das Wasserglas.

»Wo ist deine Mutter? Kann ich gleich anfangen?«, fragte er eifrig.

»Ach, Mama, die musste weg, kurz bevor du gekommen bist. Es ist etwas geschehen, irgendetwas Dringendes, das mit ihrer Arbeit zu tun hatte.«

Er merkte gleich, dass hier irgendetwas nicht stimmte

»Warte nur, sie wird zurückkommen«, sagte Puni mit sanfter Stimme.

Doch sein Misstrauen war geweckt, und er entschied sich, nicht eine Minute länger zu warten.

»Der Sonntag ist mein bester Tag am Springbrunnen. Die Kunden warten. Ich muss hin und Geld verdienen. Auf Wiedersehen!«, sagte er und verließ das Haus.

»Guten Morgen!«

Er erkannte die Stimme wieder, die er hinter sich im Flur des Delhi College of Art hörte. Er wandte sich um. Es war wieder Puni.

»Alles in Ordnung?«, fragte er.

»Geht so«, antwortete sie. »Mama hat zwei Kinokarten für die späte Vorstellung heute im Plaza gekauft. Aber sie hat es sich anders überlegt und will nicht mitkommen. Willst du?«

»Ist es ein guter Film?«

»Meine Mutter kauft nur Kinokarten für gute Filme.«

»Lass mich kurz darüber nachdenken. Wir sprechen uns beim Mittagessen.«

Er ging ins Atelier der Schule und räumte die Malsachen vom Tag zuvor auf. Er setzte die Deckel auf einige Farbtuben, die auf der Arbeitsfläche ausgelaufen waren. Warf einen eingetrockneten Pinsel weg, säuberte zwei andere mit Terpentin. Betrachtete sein halb fertiges Gemälde und alle Skizzen, die auf dem Boden verstreut lagen. Nahm einen Pinsel und begann zu malen.

Er versuchte, an Puni zu denken, aber es ging nicht. Eine große mystische Stille erfüllte ihn. Dann vernahm er einen dumpfen Ton und dann noch einen etwas helleren. Es war, als würden die Farben im Gemälde mit ihm sprechen, als wären sie Menschen. Keine artikulierten Worte, sondern eher ein Akkord mit Tönen, die für die verschiedenen Gefühle standen. Er malte schneller, voller Arbeitslust und Energie.

Die Schulglocke läutete. Es war Mittagspause. Doch er machte weiter, als wäre nichts geschehen. Da merkte er, dass noch jemand anderes im Raum war. Er sah einen schwachen Schatten, der sich im Widerschein der nassen Leinwand bewegte. Er malte weiter, als habe er nichts gesehen. Er wusste, wer es war, und er freute sich nicht darüber, was ihn erstaunte. Er hatte das starke Gefühl, dass sie ihn störte und dass er in Ruhe gelassen werden wollte.

»Das ist wirklich ein fantastisches Gemälde«, schmeichelte sie ihm und trat in das Licht vor den großen Atelierfenstern.

Er drehte sich um und sah sie an.

»Willst du mit mir kommen?«, fragte sie.

Er kicherte verunsichert.

»Warte kurz!«, sagte er und lief auf den Flur hinaus, die Treppen hinunter und in Tariques Atelier eine Etage tiefer.

Tarique saß am Tisch und arbeitete an einer Illustration.

»Puni aus dem ersten Semester will heute Abend mit mir ausgehen ...«, begann Pikay.

Tarique sah auf.

»... was meinst du, soll ich mitgehen?«, fuhr er atemlos fort. »Sie will ins Kino.«

Er sah seinen Freund auffordernd an, als würde dieser die Antwort zurückhalten. Tarique seufzte.

»Mein Gott, Pradyumna, sie wird dich nicht kidnappen! Geh einfach mit und mach dir einen lustigen Abend!«

Sie nahmen zusammen eine Mopedrikscha zum Kino. Der Film hieß »Ajanabee« und handelte von einem Jungen aus der Mittelschicht, der sich in ein reiches und schönes Mädchen aus der Oberschicht verliebt. Ein Film über eine unmögliche Liebe. Sie setzten sich ganz nach hinten auf einen Love Seat mit zerrissenem Polster, und der Film begann mit dramatischer Musik. Die Handlung war erschütternd. Das Mädchen aus der Oberschicht wurde schwanger, wollte das Kind aber weggeben – oje, oje, wie unindisch, dachte er – und stattdessen auf ihre Karriere als Model setzen. Sie trennten sich. Das Mädchen zog zurück zu ihrem Vater – welche Schande, dachte er.

Ihm gefielen die Landschaftsszenen, der Gesang und die Tänze. Es war der romantischste Film, der derzeit im Kino gezeigt wurde, das war ihm klar. Eine Zeit lang vergaß er Zeit und Raum, wurde aber in die Wirklichkeit zurückgeholt, als Puni ihre Hand ausstreckte und die seine suchte. Ihre Finger verflochten sich ineinander.

»Meine Mutter hat mich gefragt, wo du all das Geld aufbewahrst, das du als Springbrunnenkünstler verdienst«, flüsterte sie ihm ins Ohr. »Wenn du willst, kann sie das Geld für dich verwahren.«

»Ist nicht nötig, ich habe ein Konto auf der Bank eröffnet«, flüsterte er zurück.

Ein paar Minuten lang saßen sie schweigend da. Eine Liebesszene füllte die Leinwand aus. Der Held küsste die Heldin mit so einem typischen indischen Filmkuss, bei dem man nur ahnen kann, was geschieht. Trotzdem fand er die Romantik peinlich, fühlte sich unwohl und begann zu zittern, als würde er frieren. Sie drückte seine Hand noch fester.

»Was ist los?«, fragte sie.

»Nichts«, antwortete er kurz.

»Aber du zitterst.«

»Es ist kalt, ich friere.«

Sie legte den Kopf auf seine Schulter.

»Es ist nicht kalt.«

»Nicht?«

»Nein, aber ich liebe dich«, sagte sie und seufzte schwer.

Er war verwirrt, unangenehm berührt und schwach.

»Ich habe noch nicht … an Liebe gedacht«, sagte er zögernd.

»Dann kannst du jetzt damit anfangen«, sagte sie.

»Aber«, versuchte er, »in meinem Volk ist man der Meinung, dass man niemanden lieben kann, ehe man nicht verheiratet ist.«

Im Film erschoss der schnauzbärtige Hauptdarsteller gerade einen anderen Mann und stahl dessen Tasche, die voller Juwelen war.

»Ach, das ist nicht schwer«, sagte sie. »Schreib einen Brief an deinen Vater, und ich frage meine Eltern. Meine Mutter mag dich, sie wird meinen Vater überreden, und dann heiraten wir.«

Sie fuhr fort:

»Du verdienst dein Geld als Künstler, und ich ... ja, ich werde auch Künstlerin. Oh, wir können sehr glücklich zusammen werden.«

Er wusste nicht, was er antworten sollte. All diese Träume und Pläne. Aber vielleicht hatte sie recht? Vielleicht war sie seine Zukunft? Vielleicht musste er seinem Vater schreiben und um Erlaubnis bitten, heiraten zu dürfen? Er war sich seiner Gefühle nicht sicher, doch könnte es ja auch sein, dass dies alles geschah, weil es so bestimmt war. Es war einer seiner häufigsten Gedanken, dass alles einen Sinn hatte.

Gegen Ende des Filmes wurde die Tragödie wieder gegen Romantik ausgetauscht, und das war ein Glück, denn sonst hätte er angefangen zu weinen. In der Schlusspassage wurde das Liebespaar wieder zusammengeführt.

Hand in Hand gingen sie aus dem Kino, sprangen in eine Mopedrikscha und fuhren knatternd die vom Regen glänzende Vivekananda Road nach Alt-Delhi. Puni sprang an einer der großen Moscheen ab, und die Rikscha drehte um Richtung Süden zu seinem Zimmer im Vorort.

Zu Hause angekommen begann er sofort, einen Brief an seinen Vater zu schreiben. Den widerstrebenden Gefühlen zum Trotz war er doch ganz sicher, dass Punis Vorschlag eine gute Idee war. Sie war die Richtige! Wahrscheinlich war sie die Frau, von der die Astrologen gesprochen hatten. Nicht aus seinem Dorf oder seiner Gegend, das stimmte, allerdings nicht aus einem anderen Land, wie das Horoskop es vorhergesehen hatte, aber doch fast, dachte er.

Im Brief berichtete er von dem Mädchen, das ihn liebte, und dass es ihn heiraten wollte.

Er bat um die Erlaubnis des Vaters.

Dann rieb er sich die Augen und sah auf die Uhr. Halb eins in der Nacht. Er legte sich aufs Bett. Die Gedanken kreisten in seinem Kopf, während auf der Straße Wildhunde kläffend vorbeirannten. Das Geräusch eines quietschenden Fahrrads kam und verschwand. Es hatte aufgehört zu regnen, und durch das Fenster sickerte milchweißes Mondlicht auf seinen schmutzigen Betonfußboden.

Es ist vorherbestimmt, war sein letzter Gedanke an diesem Tag.

Im Vestibül zu Hause bei Puni roch es nach Essen. Verlockende Düfte stark gewürzter Gerichte. Paratha, Hähnchencurry, Palak Panir, Alu Ghobi. Er war gut gelaunt und fühlte sich seltsam, als er daran dachte, dass all dieses Essen gekocht worden war, weil er zu Besuch kam. Sie hatten sich seinetwegen aufs Äußerste angestrengt. Der Esstisch war voller Schüsseln und Schalen mit Essen. Es gab nicht einmal mehr Platz für die Servietten, die die Gastgeberin stattdessen neben die Teller auf einem mit geblümtem Tischtuch versehenen Sideboard abgelegt hatte.

Er war extrem hungrig.

»Namaste«, sagte er, führte die Handflächen zusammen und beugte sich herab, um die Füße von Punis Vater zu berühren – eine Begrüßung, von der er meinte, dass sie die Forderungen der Eltern nach Anstand und Würde befriedigen müsste.

»Willkommen, Bruder, erhebe dich«, antwortete Punis Vater und drückte ihm auf westliche Art die Hand.

»Wir sind moderne Menschen, die sich die Hand geben.«

Im Raum befanden sich außer Punis Eltern auch ihre beiden Brüder und deren Frauen. Puni selbst saß im Nebenzimmer vor einer Türnische, die mit einem Wandbehang abgeteilt war. Er nahm an, dass sie wahrscheinlich die Gespräche im großen Zimmer belauschte.

Genau so geht das vonstatten, das wusste er, doch gleichzeitig fühlte es sich absurd an. Jetzt würde er von ihrem Vater beurteilt und gutgeheißen werden, als ginge es um die Anstellung in einem Betrieb.

Dabei werde ich doch Puni heiraten und nicht ihren Vater, dachte er.

Die erste Frage des Vaters lautete:

»Welches ist Ihre Kaste?«

Er spürte, wie er rot wurde. Das war ein schlechter Anfang. Er wusste, dass die Familie zu einer hohen Kaste gehörte. Wenn sie traditionell veranlagt waren, dann würden sie seinen Hintergrund nicht akzeptieren. Doch hatte der Vater ja schließlich gesagt, dass sie moderne Menschen seien.

Er antwortete mit einer Gegenfrage:

»Glauben Sie an das Kastensystem?«

Er wartete die Antwort nicht ab, sondern fuhr fort, denn ein Gegenangriff, das spürte er, war seine einzige Chance.

»Was für eine Rolle spielen schon Kasten?«, sagte er. »Selbst wenn ich in einer Region des Stammesvolks geboren bin mit einem Vater, der unberührbar ist, dann habe ich doch wohl dasselbe rote Blut in den Adern wie Ihre Tochter, nicht wahr? Sie hegt dieselben Interessen wie ich. Ich hoffe, dass wir im Leben glücklich werden können.«

Der Vater sah ihm in die Augen. Noch waren keine Türen geschlossen worden. Noch war alles möglich.

»Stammst du aus einer Unberührbaren-Familie in einer Stammesvolkregion?«

Er antwortete nicht auf diese Frage.

»Und meine Tochter hat sich schon in dich verliebt?«

Alle im Raum verstummten. Niemand rührte sich. Nicht einmal ein Räuspern war zu vernehmen. Er hörte die ruhigen Atemzüge des Vaters und seinen eigenen Puls. Er sah sich um. Alles Lächeln war verschwunden. Alle Blicke flackerten unsicher umher.

Die Stille wurde von Punis Mutter gebrochen, die sich klatschend mit der Hand vor die Stirn schlug und rief:

»Oh, mein Gott!«

Der Vater erhob sich, zeigte auf die Tür und brüllte:

»Sei so freundlich, mein Haus zu verlassen. Sofort! Und versuche nur nicht, jemals, jemals wieder Kontakt zu meiner Tochter aufzunehmen!«

Pikay erhob sich und ging mit gesenktem Kopf zur Tür, wo er ein kaum hörbares Auf Wiedersehen flüsterte.

Weinend warf er sich in seiner Bude in Lodi Colony aufs Bett und lag nach den ersten gewaltsamen Gefühlsaufwallungen lange da, starrte an die Decke und fühlte sich ausgelaugt, leer und klein. Die Erinnerungen an die Schule in Athmallik, das Gefühl, nicht dazuzugehören, kehrten zurück. Es war, als hätte dieses Gefühl der Unterlegenheit unter der Oberfläche gelauert und nur darauf gewartet, wieder hervorzubrechen. Jetzt pochte, brannte und schmerzte es. Er zitterte, als hätte er Fieber oder wäre eben einer tödlichen Gefahr entronnen.

Den Rest der Nacht dachte er wieder und wieder diesen einen Gedanken: Warum, warum, warum wurde ich in eine Unberührbaren-Familie im Dschungel hineingeboren?

Die Zeitungen berichteten aus Bombay von den Dalit-Panthern. Dort stand, sie wären durch die Black Panthers aus den USA inspiriert. Die Dalit-Panther hatten ein Manifest verfasst, in dem sie feststellten, dass die Brahmanen, die Indien lenkten, schlimmer seien als die britischen Kolonialherren – genau wie Pikays Vater und sein Großvater es auch immer gesagt hatten. Die hinduistischen Führer, so schrieben die Dalit-Panther, hätten schließlich sowohl den gesamten Staatsapparat als auch die ererbte feudale Macht in Händen. »Wir begnügen uns jetzt nicht mehr mit kleinen Häppchen. Wir sind nicht nur auf eine kleine Hütte innerhalb der Mauern der Brahmanen aus«, stand in dem Manifest.

In der eigenen Zeitung der Unberührbaren, der *Dalit Voice*, verglichen die Dalit-Panther die Diskriminierung der Unberührbaren in Indien mit dem Rassismus gegen Schwarze in den USA:

»Den Afroamerikanern muss bewusst sein, dass ihr Freiheits-kampf nicht vollendet ist, solange ihre Brüder und Schwestern in Asien leiden. Es ist wahr, dass die Afroamerikaner auch leiden, aber wir befinden uns jetzt da, wo die Afroamerikaner vor 200 Jahren waren.«

Als er ein paar Tage später im Café der Schule seinen Tee trank, sah er sie wieder. Sie unterhielt sich mit einem Studenten und wendete den Kopf ab, als er sich näherte. Er wünschte ihr einen guten Morgen, aber sie antwortete nicht, sondern ging Seite an Seite mit ihrer männlichen Begleitung davon.

In der Mittagspause trafen sie wieder aufeinander. Diesmal wandte sich Puni ihm zu.

»Vergiss mich ganz schnell!«, sagte sie.

Sie erklärte, sie würde weder an das Kastensystem glauben noch sich darum scheren, aber ihr Vater würde das tun.

»Ich kann mich nicht gegen meinen Vater auflehnen.«

Ihm fehlten die Worte.

»Hast du den Jungen gesehen, mit dem ich gesprochen habe?«, fragte Puni. »Er macht ein Ingenieursstudium. Papa hatte ihn schon für mich ausgewählt, aber er war bereit, darauf zu verzich-ten, weil ich erklärt habe, dass ich in dich verliebt sei. Das war, bevor mein Vater etwas über deinen Hintergrund wusste.«

Pikay starrte sie erstaunt an. Puni, die so energisch versucht hatte, ihn zu fangen, war wie ausgewechselt.

»Jetzt ist die Sache entschieden. Ich werde ihn heiraten. Und zwar bald!«, sagte sie.

»Liebst du ihn?«, fragte er.

»Ja«, antwortete sie, ohne eine Miene zu verziehen.

Was ist denn das für eine Liebe?, dachte er. Sie lügt, weil sie keinen Streit mit ihrem Vater will.

»Puni, hör mir zu! Ich bin bereit zu kämpfen. Juristisch kann uns niemand aufhalten. Niemand, dein Vater nicht und auch nicht deine Verwandten. Wir können uns zivil trauen lassen, ohne dass ein Verwandter oder ein Priester dabei sein muss, und dann können wir an einen Ort ziehen, wo uns niemand findet, von dem niemand weiß und nach dem keiner fragt.«

Sie drehte den Kopf, ihr Blick flackerte zwischen dem Flur und dem Speisesaal hin und her, während er sprach. Dann unterbrach sie ihn mitten im Satz.

»Versuch nicht, noch einmal mit mir zu reden. Vergiss mich!«

»Magst du mich nicht?«

»Doch, ich mag dich, aber ich kann dich nicht heiraten.«

»Warum nicht, Puni?«

»Ich kann meinen Vater nicht unglücklich machen.«

Allein in seinem Zimmer in Lodi Colony brüllte Pikay los:

»Ihr Brahmanen und alle anderen Oberkasten-Snobs! Was haben wir euch denn getan?«

Seine Gedanken waren voller Hass, erst konnte er nicht einschlafen, und dann wachte er um vier Uhr morgens auf und grübelte die drei Stunden bis zur Morgendämmerung. Nach der Wut kamen die Bitterkeit und das Selbstmitleid.

Auf dem Nachttisch lag ein schmales grünes Buch aus vergilbtem Papier, ungleichmäßig gedruckt und mit schiefen Textzeilen. In diesem Buch las er, wenn er nicht schlafen konnte, um Puni zu vergessen.

Nach der Sage aus dem südindischen Kerala, so las er, beschloss Shiva eines Tages, den Brahmanen eine Lektion zu erteilen. Ah, das hier passt perfekt, dachte Pikay und las weiter. Shiva, so stand in dem Buch, wollte den Brahmanen ihren Hochmut austreiben und beschloss, den am höchsten stehenden und klügsten der Brahmanen von Kerala, den geistig erhöhten Lehrer Adi Shankacharya, zu demütigen.

Der Lehrer hatte es nicht mehr weit bis zur Erleuchtung. Das Einzige, was Adi noch von der Befreiung vom Kreislauf der Wiedergeburt trennte, waren seine Arroganz und sein Stolz und dass er sich weigerte einzusehen, dass er vom selben Fleisch und Blut war wie alle Menschen auf der Erde, ganz gleich, welcher Kaste oder gesellschaftlichen Position sie angehörten.

Shiva und seine Frau Parvati wollten diesem Mann einen Streich spielen und verwandelten sich in ein armes, grundbesitzloses Paar aus der Kaste der unberührbaren Pullaya. Auch der Sohn der Götter, Nandikesan, war als armes Bettelkind verkleidet dabei. Sie sahen aus wie Tagelöhner, ihre Kleider starrten vor Schmutz und Lehm von den Feldern. Außerdem hatte Shiva noch gezaubert, sodass er roch, als hätte er eben Fleisch gegessen und Alkohol getrunken, was für einen rechtschaffenen Brahmanen ein Tabu ist. Shiva torkelte herum, als hätte er die ganze Nacht gesoffen. Um die Szene vollkommen zu machen, trug er eine Karaffe mit Palmwein unter dem einen Arm und hatte eine halbe Kokosnussschale mit Wein in der Hand.

In diesem Zustand begegneten Shiva, Parvati und ihr Sohn dem vornehmen Adi Shankacharya auf einem Weg über einen Erdwall im Reisfeld. Nun schreibt die Sitte vor, dass der Unberührbare den Erdwall zu verlassen und in den Schlamm oder das Wasser zu springen hat, wenn er hier einem Brahmanen begegnet. Doch Shiva und seine Familie gingen weiter direkt auf Adi zu und baten ihn, auf die Seite zu treten, damit sie vorbeikönnten.

Der vortreffliche Adi wurde furchtbar wütend.

»Wie kann es eine Familie wie ihr, unreine, stinkende, betrunkene, Fleisch essende, unberührbare Menschen, wagen, auf demselben Weg zu gehen wie ein reiner und unbefleckter Brahmane? Ihr riecht, als hättet ihr euch in eurem ganzen Leben noch nicht gewaschen. So etwas ist mir noch nie unter die Augen gekommen!«, wetterte Adi und drohte, sie alle drei zu köpfen, denn das hier wäre ein Verbrechen, das nicht einmal die Götter verzeihen könnten.

Shiva antwortete:

»Ich gebe zu, dass ich das eine oder andere Glas getrunken habe und dass es eine Weile her ist, seit ich gebadet habe. Doch ehe ich in den Schlamm des Reisfelds steige, sollst du mir den Unterschied zwischen dir, einem reinen und hochstehenden Brahmanen, und meiner Familie, von der du sagst, sie sei schmutzig, erklären.«

Der verkleidete Shiva erklärte, wenn Adi seine Fragen beantworten könne, dann würde er mit seiner Familie in den Schlamm steigen und ihn vorbeiziehen lassen.

»Wenn ich mir in die Hand schneide, und du schneidest dir in die Hand, dann sieht man, dass wir beide rotes Blut haben – kannst du mir den Unterschied erklären?«, begann Shiva. »Meine zweite Frage: Essen wir nicht den gleichen Reis vom selben Feld? Meine dritte Frage: Bringst du den Göttern nicht Bananen, die die Unberührbaren anbauen, zum Opfer? Meine vierte Frage: Schmückt ihr nicht die Götter mit Blumengirlanden, die unsere Frauen herstellen? Meine fünfte Frage: Kommt nicht das Wasser, das ihr bei den Tempelritualen anwendet, aus den Brunnen, die wir Unberührbare gegraben haben?«

Adi hatte auf keine einzige der Fragen eine Antwort, also fuhr Shiva fort:

»Nur weil ihr von Blechtellern esst und wir von Bananenblättern, heißt das nicht, dass wir unterschiedlicher Art sind. Ihr Brahmanen reitet auf Elefanten und wir auf Büffeln, doch das bedeutet nicht, dass ihr Elefanten seid und wir Büffel.«

Die Fragen machten Adi nicht nur sprachlos, sondern verwirrten ihn. Wie war es möglich, dass dieser Analphabet und unterprivilegierte Mann, der kaum in die Schule gegangen sein konnte, derart ausgewählte und tiefgründige philosophische Fragen stellte? Also begann Adi an Ort und Stelle zu meditieren, woraufhin sich sein siebter Sinn öffnete. Da erkannte er: Die schmutzige Pullayfamilie trat in den Hintergrund, und an ihrer Stelle traten die Götter vor. Da standen nun Shiva, Parvati und ihr Sohn Nandikesan in all ihrer Pracht.

Entsetzt über seine Tat sprang Adi sofort in den schlammigen Reisacker und rezitierte ein Gedicht, um Shiva zu huldigen.

Shiva verzieh ihm.

Adi fragte ihn, warum er sich ausgerechnet vor ihm, dem ergebensten aller ergebenen Shiva-Jünger, in einen Unberührbaren verwandelt habe.

»Du bist gewiss ein weiser Mann und auf dem Weg zu Seelenheil und Erleuchtung«, antwortete Shiva. »Doch du wirst dein Ziel niemals erreichen, solange du nicht begreifst, dass alle Menschen Respekt und Mitleid verdienen. Um dich das zu lehren, habe ich diese Form angenommen.«

Shiva fuhr fort:

»Du musst gegen Vorurteile und Unwissenheit kämpfen und den Menschen aus allen Kasten helfen, nicht nur deinen Brahmanenfreunden. Erst dann kannst du die wahre Erleuchtung erlangen.«

Der Legende nach geschah dies vor vielen Tausend Jahren, so stand es in dem Buch. Heute, las Pikay weiter, ist Shiva in Gestalt eines armen, unberührbaren Menschen jedes Jahr während der Festtage in Nord-Kerala einer der Hauptgötter.

Es gab also noch Hoffnung, erkannte er. In Kerala, so las er, gab es Menschen, die die Lehre von Karl Marx als Fortsetzung der Befreiungstheologie von Shiva betrachteten. Pikay lernte, dass man Gott nicht nur benutzen konnte, um die Armen zu unterdrücken, sondern auch, um dem Hochmut ein Ende zu setzen und die Welt zu verändern.

*Er suchte einen* Psychologen auf, der ihm riet, nie mehr allein zu Hause auf dem Bett in Lodi Colony zu liegen und verrückt zu werden. Der Psychologe meinte, er sollte mit dem Grübeln aufhören und stattdessen mehr mit Freunden unternehmen.

»Versuchen Sie, das Leben zu genießen«, sagte er auffordernd.

Pikay fragte auch einen Freund an der Hochschule um Rat und erhielt einen anderen Tipp. Der Freund meinte, er solle anfangen, Alkohol zu trinken. Der Freund selbst hatte damit nach einer unglücklichen Liebesgeschichte gute Erfahrungen gemacht.

»Das hat den Schmerz gelindert«, versprach er.

Pikay hatte noch nie im Leben einen Tropfen Alkohol getrunken, das war in seiner Vorstellungswelt einfach nicht vorgekommen. Alkohol war etwas für die Verlorenen und Schwachen. Doch jetzt ging er ins Alkoholgeschäft in einer der hinteren Straßen vom Connaught Place und kaufte eine kleine Flasche Indian Made Foreign Liquor, stellte sich in den Schatten eines mit Matratzen beladenen Lastwagens, der unter seiner enormen Last ganz klein aussah, und kippte schnaufend, hustend und am Ende spuckend die halbe Flasche in sich hinein. Dann setzte er sich auf einen Treppenabsatz und wartete. Wartete und wartete, doch nichts geschah.

Aber schließlich wurde die Welt doch sanft in Baumwolle gebettet. Das Gefühl gefiel ihm. Schmerz und Trauer ließen nach. Der Freund hatte recht gehabt. Der Alkohol linderte.

Er ging zum Springbrunnen, um zu arbeiten, konnte aber Stift und Kohle nicht mehr fest in der Hand halten. Also entschuldigte er sich bei seinen Kunden damit, dass er krank sei, packte seine Sachen zusammen und marschierte langsam den großen Boulevard entlang nach Hause. Den Rest des Abends und die ganze Nacht verschlief er, wachte spät am nächsten Tag auf, nur um gleich noch den Rest der Flasche zu leeren.

Er trank immer mehr. In den nun folgenden Wochen trank er vom Aufwachen bis zum Schlafengehen. Der Alkohol bewirkte, dass er sich umsorgt fühlte. Die harte Welt verschwand in einem zarten Nebel. Eckig wurde rund, und Kümmernisse wurden zu Möglichkeiten.

Als er an einem seiner betrunkenen Tage mit dem Skizzenblock unter dem Arm die Parliament Street hinauftorkelte, traf er einen Polizisten, den er früher einmal gezeichnet hatte. Der Polizist erkannte den Alkoholgeruch und fragte ohne Umschweife:

»Warum hast du angefangen zu trinken?«

Pikay sammelte sich kurz und begann dann zu erzählen. Er erzählte von Puni, vom Kinobesuch, wie er vor Liebe gezittert hatte, von der Einladung zu den Eltern, all dem Essen, das sie aufgefahren hatten, vom Vater, dem Rauswurf, der Demütigung und der Angst, dass niemand einen Unberührbaren lieben würde. Er stank nach Whiskey und redete laut und engagiert. Außerdem hatte er Gleichgewichtsprobleme und schwankte hin und her wie ein Baumstamm im Sturm. Und er weinte.

Doch der Polizist blieb geduldig stehen und hörte zu, ohne ihn zu unterbrechen, außer wenn er ihn bat, etwas zu wiederholen, weil es wegen des Schluchzens und Lallens nicht verständlich gewesen war.

Je weiter er in der Erzählung fortschritt, desto erleichterter war Pikay.

»Ach, jetzt sei doch nicht so dumm«, sagte der Polizist schließlich. »Zeig mir mal deine Hand.«

Pikay streckte ihm die Hand hin, und der Polizist betrachtete die Linien auf der Handfläche.

»Sieh doch nur, kein Problem! Die Linien zeigen, dass du dich plötzlich und unerwartet verheiraten wirst, und die Ehe wird wunderbar werden.«

»Aber«, lallte Pikay, »ich bin unberührbar, ich werde niemals eine hinduistische Frau heiraten können, auf jeden Fall keine, die in die Schule gegangen ist, lesen und schreiben kann und aus einer anständigen Familie stammt.«

»Vielleicht ist sie ja gar nicht aus Indien«, gab der Polizist zu bedenken.

Als er am selben Abend im Bett lag, suchte ihn im Grenzland zwischen Bewusstsein und Schlaf ein Strom bitterer Erinnerungen an die Schule heim und mit ihnen das Gefühl, auf immer verdammt und gleichzeitig zu etwas viel, viel Besserem auserwählt zu sein. Im Traum war sie, die Frau, die er suchte, ein weiß gekleideter Engel, der von einem entlegenen Land hergeschwebt kam, über Indien, über die Weizenfelder von Punjab, über die Hausdächer von Neu-Delhi, ins Zimmer und immer näher. Am Ende stand sie so nah, dass sie einander berührten.

Er genoss ihre Nähe, ihren Atem, ihren Duft und das weiche Haar, das sich über seine nackte Schulter legte. Er spürte die Wärme und Ergebenheit und ahnte, dass es Erkenntnisse gab, die er selbst nicht besaß. Diese mystische Gestalt war größer als er, nicht körperlich, aber geistig.

Als er im wachen Zustand an den Traum dachte, fiel es ihm schwer, den Engel deutlich vor sich zu sehen. Er erschien mehr wie ein Nebel, gesichtslos und kalt. Doch das Gefühl der Nähe von etwas, wonach er sich gesehnt hatte, blieb.

Und in der folgenden Nacht war sie wieder da. Im Traum hörte er Musik, die anders war als alles, was er schon gehört hatte. Es klang wie eine Melodie von einem entlegenen und mystischen Ort. Dieser Ort musste sehr schön sein, und er dachte dabei an die Prophezeiung.

*Das Frühjahr 1975* war turbulent mit Demonstrationen gegen höhere Lebensmittelpreise und mit streitenden Hindu-Nationalisten. Die Unzufriedenheit kochte hoch.

Sogar Indira Gandhi war unzufrieden. Sie war wütend auf widerspenstige Richter, kritische Journalisten und streitende Oppositionspolitiker, die ihrer Meinung nach nicht den Verstand besaßen, die Verantwortung für das Land in einer schwierigen Situation zu übernehmen. Doch am allermeisten war sie wütend, weil sie des Wahlbetrugs angeklagt worden war. Ein Gerichtshof war der Ansicht, dass sie im Laufe der letzten Wahl Wähler bestochen und gesetzeswidrig staatliche Gelder benutzt hatte, um ihre persönliche Wahlkampfkampagne zu betreiben. Man sprach ihr ihren Platz im Parlament ab und untersagte ihr für die nächsten sechs Jahre zu kandidieren.

Doch Indira dachte nicht daran, stillschweigend zuzusehen, wie ihre Widersacher sie kaltstellten. Sie nahm die Sache selbst in die Hand und bat am 25. Juni den Staatspräsidenten, den Ausnahmezustand auszurufen und »innere Unruhen« als Grund dafür anzugeben. Auf diese Weise erklärte sie das Gerichtsurteil, durch das ihr die Macht entzogen werden sollte, für nichtig und übernahm stattdessen die ganze Macht. Früh am nächsten Morgen, als der erst Monsunregen der Saison über Neu-Delhi fiel, sammelte sie ihre Minister, um sie zu informieren, und begab sich dann zum All India Radio, um es dem ganzen Volk zu sagen.

»Es gibt keinen Grund zur Panik«, beteuerte sie in Millionen von knisternden Radioapparaten, während sich am Himmel die Monsunwolken zusammenballten.

Danach war sie alleinige Herrscherin. Indira war Indien, und Indien war Indira, wie es der Sprecher der Kongresspartei der Presse verkündete.

Doch noch ehe das Volk es erfuhr, noch ehe die Rede im All India Radio ausgestrahlt worden war, hatte sich das Gerücht bereits von den Politikern und Staatsbeamten zu den morgenmüden Teejungs auf der Parliament Road, zu den turbangeschmückten Sikh-Taxifahrern vor dem Bahnhof unter dem Baum am Patal Chowk und zu den umherwandernden Zuckerrohrsaftverkäufern am Tolstoy Marg verbreitet. Wie ein Lauffeuer ging es durch die Reihen der Schuhputzer, die unter den Arkaden der weißen halbrunden Häuser warteten, zu den Busfahrern der voll besetzten Busse an der Radial Road No 1 und zu den Kellnern im Indian Coffee House, die die Neuigkeit weitererzählten, während sie den Gästen den Kaffee servierten.

Weniger als fünf Minuten später wussten alle, was geschehen war.

Die Presse wurde zensiert, Oppositionspolitiker verhaftet, Gewerkschaften in ihren Möglichkeiten beschnitten.

Journalisten und Intellektuelle kritisierten die Premierministerin, doch Indira war überzeugt, dass die Landlosen, Unberührbaren und Unterdrückten sie unterstützten, dass Pikay und seine Brüder und Schwestern, Indiens Millionen und Abermillionen Ärmste an ihrer Seite stünden.

Ihre Sympathie und ihre Stimmen musste sie gewinnen, wenn sie weiter an der Macht bleiben wollte.

Pikay war überzeugt davon, dass Indira Ordnung ins Land bringen würde.

Die politischen Führer, die die Armen mitnehmen, dachte er, die haben auch das Recht auf ihrer Seite.

Delhi wurde jetzt mit maoistisch klingenden Slogans tapeziert.

Wenn er seinen üblichen Weg zum Springbrunnen am Connaught Place zurücklegte, sah er die schreienden Plakate:
COURAGE UND KLARE VISIONEN – DAS IST INDIRA GANDHI. EINE KLEINE FAMILIE IST EINE GLÜCKLICHE FAMILIE. WENIGER REDEN, MEHR ARBEITEN. UNSER SCHLAGWORT IST EFFEKTIVITÄT.

Und dann der Slogan, der wie eine Reklame für das Indian Coffee House klang: INDISCH SEIN, INDISCH HANDELN.

Ansonsten blieb eigentlich alles beim Alten.

In einer Zeitung hieß der bekannteste Unternehmer des Landes, Mr Tata, den Ausnahmezustand mit den Worten willkommen: »Das mit den Streiks, Boykotts und Demonstrationen ist viel zu weit gegangen. Das parlamentarische System ist einfach nicht auf unsere Bedürfnisse eingestellt.«

Die Mittelschicht, Ladenbesitzer, Geschäftsleute und Staatsbeamte sagten, sie seien das Chaos leid und würden das neue Selbstbewusstsein der Polizisten begrüßen, denn das bedeutete, dass bedrohliche Volksansammlungen aufgelöst, kleine Diebe eingesperrt und die Slumhütten, die entlang Delhis Boulevards entstanden waren, abgerissen wurden. Im Indian Coffee House konnte man Kommentare hören wie:

»Es sind nur die Oppositionspolitiker, die Journalisten und die Intellektuellen, die sich über den Ausnahmezustand beklagen. Aber gewöhnliche Leute wie wir finden das gut.«

Und:

»Delhi braucht eine starke Hand. Es gibt ja überall nur Slums.«

Und sogar:

»Jetzt ist die Kriminalität gesunken, die Züge fahren pünktlich, die Straßen werden gefegt und die Leute sterilisiert, sodass wir nicht in jeder Slumhütte zehn Kinder sehen müssen. Aber die Zeitungen klagen unausgesetzt über Verbrechen gegen die Menschlichkeit und solchen Mist. Jetzt passiert endlich mal was.«

Doch kritisch veranlagte Delhi-Bürger wie Lehrer, Journalisten und Akademiker waren schockiert und empört.

»Dass sie das tun konnte … das ist bestimmt ihr verwöhnter Sohn, der nutzlose Sanjay, der dahintersteckt. Und der Präsident, wie lächerlich, eine Marionette in Indiras Händen.«

Bei riesenhaften Razzien in der ganzen Stadt wurden herausragende Politiker, Rechtsanwälte und Redakteure festgenommen, die in Indiras Augen Feinde der Regierung waren. Schon bald resignierten die Leute. Die Proteste nahmen ab. Doch einige hielten aus und demonstrierten weiter auf den Straßen gegen »Indiras Wahnsinn«, wie auf einem Plakat stand.

Einmal im Monat organisierte die Volksfront für das Bürgerrecht Protestmärsche. Pikay hörte sie ihre Schlagworte brüllen, wenn sie am Café vorbeizogen. Er ging raus, um zuzusehen. Der Demonstrationszug floss auf dem Weg zum Parlament den Boulevard hinunter.

»Indira ist verrückt, und verrückt ist Indien«, skandierte ein Redner.

Der Anführer, der zur Sikh-Minderheit gehörte, schritt an der Spitze eines Demonstrationszuges mit Tausenden Gleichgesinnten in den traditionellen, fußlangen Umhängen, sie trugen Degen in Futteralen mit Blumenmustern und auf dem Kopf trugen sie blaue und orange Turbane.

Er sah mit eigenen Augen, dass die Stadt vor Zorn kochte, doch wenn man die Zeitungen las, schien die Lage im Land ruhig zu sein. Kein Wort von den Protesten.

Die Opposition gegen Indira wurde immer erfinderischer und dachte sich Methoden aus, um die Zensur zu umgehen. In einer Annonce auf der Familienseite der *Times of India* entdeckte Pikay eine Todesanzeige, in der ein anonymer Absender den tragischen Tod von *D. E. M. O'Cracy*, der offenbar von seiner Frau *T. Ruth*, seinem Sohn *L. I. Bertie* und den Töchtern *Faith*, *Hope* und *Justice* betrauert wurde.

Wie leicht die Zensur doch zu betrügen ist, dachte Pikay und lachte still in sich hinein.

Pikay mochte die Landesmutter Indiens, doch der Ausnahmezustand bereitete auch ihm Schwierigkeiten. Er sah sich gezwungen, Haksar zu erzählen, dass manche Polizisten am Springbrunnen zwar höflicher geworden waren, andere aber wegen ihrer Aggressionen ein Problem darstellten. Sie schikanierten die Leute, die in der Schlange standen, rissen und zerrten an den Bildern und forderten ihn auf, einzupacken und zu verschwinden. Es war, als würde die eine Hälfte der Polizeitruppe nicht wissen, was die andere tat. Heute Zuckerbrot, morgen Peitsche. Das war doch schizophren.

Haksar hörte zu, ohne eine Miene zu verziehen, und sagte dann, er müsse nun in sein Büro gehen und ein paar Telefongespräche führen. Er versicherte Pikay, dass man ihm helfen und die Polizisten beruhigen werde.

Tags darauf kam Delhis Gouverneur mit seinem Dienstwagen und einer Entourage von Bediensteten und Ratgebern zum Springbrunnen. Der Gouverneur erklärte, die Polizeischikanen würden augenblicklich aufhören. Kein Polizist werde ihn mehr dafür verhaften, dass er einen öffentlichen Ort als sein privates Atelier benutzte.

Ein paar Tage nach dem Besuch des Gouverneurs kamen Männer vom Elektrizitätswerk und installierten an der Staffelei eine Beleuchtung, sodass er auch spätabends noch arbeiten konnte. Außerdem wurde ihm ein persönlicher Gehilfe zur Seite gestellt, der für ihn Besorgungen machen konnte, wie Essen, Getränke, Stifte und Papier, und der, wenn er am Abend fertig war, die Bilder einsammelte und in einem Abstellraum einschloss.

Die Polizei kam nicht mehr, um ihn zu vertreiben und die Kunden zu schikanieren, sondern um auf seine Bilder aufzupassen. Ein Polizist pro Bild.

»Haben Sie sonst noch einen Wunsch?«, fragte der Polizist, schlug die Hacken zusammen und salutierte.

Haksar erklärte ihm, dass man vorhabe, die Gegend um den Springbrunnen zu Neu-Delhis Montmartre zu machen. Genau wie auf dem Place du Tertre in Paris sollten die Künstler hier frei arbeiten können. Pikay würde zur Touristenattraktion werden.

In den Tagen vor Weihnachten 1975 veröffentlichte *The Statesman* einen Artikel über Pikay und die anderen Künstler auf Delhis Montmartre. Genau wie in Paris war das Geschäft mit Porträtzeichnungen ein größerer Geschäftserfolg als der Verkauf von Gemälden, stellte die Zeitung fest. Die Schlagzeile hieß: »Dein Gesicht ist sein Vermögen«, und der Artikel begann wie folgt:

»Es dauert zehn Minuten und kostet zehn Rupien, von Pradyumna Kumar Mahanandia ein Porträt von sich selbst zeichnen zu lassen. Unter den sieben Künstlern, die am Springbrunnen auf dem Connaught Place ausstellen, ist er der erfolgreichste. Er verdient jeden Abend zwischen vierzig und hundertfünfzig Rupien, indem er Leute zeichnet, die zur Kunstausstellung kommen.

›Nur wenige Menschen sind bereit, ein Vermögen für Landschaften oder moderne Kunst auszugeben, doch alle sind bereit, zehn Rupien für ein eigenes Porträt zu bezahlen, vor allem, wenn es innerhalb von zehn Minuten fertig ist‹, sagt Jagdish Chandra Sharma, einer der Künstler auf dem Platz. Nach einem kargen Monat, in dem Jagdish seriöse Kunst ausgestellt hatte, die nie verkauft wurde, folgte er Mahanandias Beispiel und begann, Porträts von Passanten zu zeichnen. Und bald klingelten auch in seinen Taschen die Münzen.«


Pikay versank in der Welt der Bücher. Er lag auf dem Bett in seinem Zimmer und las über Robert Clive, der nach seinem Tod als Clive of India bekannt geworden war. Das Lebensschicksal des Engländers faszinierte ihn, und er erkannte sich selbst in seinen Abenteuern wieder. Der Unwille, die Erwartungen seines Vaters zu erfüllen, das Fernweh und die missglückten Selbstmordversuche. Das hätte er selbst sein können.

Robert Clive war für seinen Vater eine Enttäuschung. Geboren 1725 war er das am meisten aus der Art geschlagene der dreizehn Kinder. Er war hyperaktiv, eigensinnig und aufmüpfig. Schon im

Alter von drei Jahren galt er als schwer erziehbar und wurde weggeschickt, damit ihn kinderlose Verwandte in der Stadt aufzögen. Doch die kamen auch nicht mit ihm zurecht und schickten ihn nach einigen Jahren zurück aufs Land.

Im Alter von zehn Jahren kletterte er auf den Kirchturm, um die Passanten mit einer Teufelsmaske zu erschrecken. Als Halbwüchsiger wurde er zum Kleinkriminellen. Am Ende war sein Vater es leid. Clive wurde fortgeschickt, um als Buchhalter für die Ostindische Company in Madras zu arbeiten. Der Vater war froh, ihn los zu sein, und auch die restliche Verwandtschaft atmete auf. Es war wohlbekannt, dass die Chancen für jemanden, der nach Indien geschickt wurde, fünfzig zu fünfzig standen: Die Wahrscheinlichkeit, dass er an einem tropischen Fieber sterben würde, war ebenso groß wie die Chance, dass er zurückkehren würde. Der achtzehnjährige Robert Clive empfand das als eine interessante Herausforderung, las Pikay.

Doch der Bürojob in Madras wurde ihm schnell zu langweilig, er konnte keinen Schlaf finden, war aufbrausend und spürte eine Unruhe in der Brust. Er versank in Depressionen, setzte sich die Pistole an die Schläfe und drückte ab. Klick! Noch ein Versuch. Klick! Klick! Danach, so las Pikay, der das Buch gar nicht mehr aus der Hand legen wollte, beschloss Clive, dass doch alles einen Sinn habe und es einen Plan für sein Leben gebe.

Genau wie mein Leben, das seit meiner Geburt vorherbestimmt ist, dachte Pikay.

Er las, dass Clive nach seiner Rückkehr nach Großbritannien den Titel Baron verliehen bekam, dass er dennoch wegen irgendwelcher Nichtigkeiten angeklagt, später aber von diesen Vorwürfen freigesprochen wurde. Im Jahre 1773 beging der eigensinnige Brite aber trotzdem Selbstmord.

Pikay klappte das Buch zu. Robert Clive hatte dafür gesorgt, dass die Briten über Indien herrschen konnten, auch über Orissa. Ohne ihn wäre Indien vielleicht französisch geworden oder unter den muslimischen Königen geblieben oder hätte einen hinduisti-

schen Potentaten bekommen. Die Erzählungen seines Großvaters und seines Vaters und seine eigenen Erinnerungen sagten
ihm, dass der Sieg der Briten das Beste gewesen war, das hatte
geschehen können – zumindest für die Unberührbaren.

»*Ich will nach* Asien reisen. Das möchte ich am allerliebsten. Es gibt nichts Wichtigeres«, bettelte Lotta bei ihren Eltern.

Sie hatte Einwände erwartet, doch als hätte sie ihnen eben eröffnet, dass sie den Bus ins Nachbardorf nehmen würde, sagten die beiden nur ganz ruhig, dass sie selbst wisse, was am besten für sie sei. Sie sagten überhaupt nicht viel. Sie sind eben einiges gewohnt, dachte Lotta. Obwohl sie erst zwanzig Jahre alt war, hatte sie doch schon ein Jahr lang allein in England gelebt. Außerdem wusste sie, dass ihre Eltern selbst einmal davon geträumt hatten, reisen zu können, aber dann geglaubt hatten, es sich aufgrund ihrer Lebensumstände nicht leisten zu können.

Wenn sie an meiner Stelle wären, würden sie auch reisen, dachte Lotta.

Ihre Pläne waren nicht besonders heldenmutig. Lotta reiste nicht wegen irgendeiner großen Aufgabe, sie wollte auch keine Rekorde aufstellen oder ein Abenteuerbuch schreiben. Der Schiffsverkehr zwischen Europa und Indien war eingestellt. An Fliegen war nicht zu denken, das kostete ein Vermögen. Es fuhren Züge bis nach Maschhad im Osten des Iran, doch in den Berggegenden von Afghanistan bis zur Ostgrenze nach Pakistan gab es keine Gleise. Zugfahren erschien also ziemlich umständlich. Aber es gab regelmäßige Busverbindungen über die ganze Strecke von London nach Neu-Delhi und Katmandu. Ein Busunternehmen, das Magic Bus hieß, bediente die Linie, die mit ihren bunt bemalten Bussen und den niedrigen Preisen schon zu einer Hippie-Ikone geworden war.

Lotta erwog die verschiedenen Alternativen, doch ihr Entschluss stand eigentlich schon fest. Mit dem eigenen Fahrzeug den Landweg zu nehmen schien die einzige vernünftige und realistische Möglichkeit. Schließlich hatte sie einen Führerschein.

Mit von der Partie waren auch Leif, der einmal mit ihrer großen Schwester zusammen gewesen war, und ihre beste Freundin mit ihrem indischen Mann und deren Baby. Sie mussten nur nach Göteborg fahren, die Fähre nach Kiel nehmen, dann die Autobahn bis zu den Alpen, weiter über den Balkan und dann nach Istanbul, dem Tor zum Osten.

Alle Einzelheiten würden sich während der Fahrt ergeben, dachte sie.

Sie hatten Landkarten, aber keine Reiseführer, da es keine Reiseführer gab, die ihre Route beschrieben. Warum sollte man eine Reise planen, die dann doch anders verlaufen würde? Die Reise war ebenso wie das Leben voller unvorhersehbarer Ereignisse. Das war eine Erkenntnis, an der sich niemand stieß, am allerwenigsten Lotta.

Mit finanzieller Unterstützung von Lottas Vater kauften sie einen grünen VW-Bulli: Baujahr 1971. Der Bus war bereits einmal in den Iran und zurück gefahren, und danach hatte der Motor seinen Geist aufgegeben. Nun war er ausgetauscht, und der Bus durchgecheckt.

Der einzige, aber grundlegende Rat ihrer Mutter vor der Reise war:

»Handle so, dass du hinterher für deine Taten geradestehen kannst und dich nicht dafür schämen musst. Und tue niemals einem Menschen etwas Böses.«

Im Oktober 1975 setzte sich Lotta hinters Lenkrad und fuhr in die Welt hinaus. Niemand winkte ihnen, niemand machte viel Aufhebens wegen der Abreise, keine Fanfaren erklangen entlang der Straßen von Borås, doch das Abenteuer hatte begonnen, und

Indien als Ziel der Reise stand genauso fest wie die Tatsache, dass sie den ganzen Winter fortbleiben würden.

*Es war ein* kalter Dezemberabend. Die bunten Lampen, die das Wasserspiel im Springbrunnen beleuchteten, waren eingeschaltet. Ausnahmsweise gab es mal keine Schlange mit wartenden Kunden und keine Ansammlung von neugierigen Parkbesuchern, die zusahen, wenn er malte. Pikay hatte für heute auch keine Lust mehr und begann, die fertigen Bilder von den Pappendeckeln einzusammeln.

In diesem Moment trat aus dem Dunkel hinter dem Springbrunnen eine junge europäische Frau und fragte ihn, ob er am nächsten Tag auch wieder hier sei. Sie trug ein gelbes T-Shirt und eng sitzende Jeans mit ausgestelltem Bein. Ihm fiel auf, dass sie nicht geschminkt war. Irgendwie war sie anders als die europäischen Frauen, mit denen er schon im Indian Coffee House gesprochen hatte. Sie wirkte ernster und nachdenklicher. Aber sie schien es eilig zu haben. Als er ihr geantwortet hatte, sagte sie »Danke«, machte auf dem Absatz kehrt und verschwand wieder im Dunkel.

Ob sie Angst vor mir hatte?, fragte er sich und war voller Erwartung. Ob sie wohl wirklich morgen wiederkäme?

Am nächsten Nachmittag war er früher als sonst an seinem Platz am Springbrunnen. Er hoffte, die ernste weiße Frau wiederzusehen und hatte deshalb seine neuen Jeans mit den geschwungenen gelben Nähten auf den Gesäßtaschen und das kurzärmelige grünkarierte Hemd angezogen, das die Nachbarsfrau Didi freundlicherweise für ihn gebügelt hatte. Dann hatte er seinen Schnurrbart gestutzt, sodass man die Oberlippe sehen konnte, und sich die Haare mit Kokosöl gekämmt, um die widerspenstigen Locken glatt zu kriegen. Auf dem Platz standen bereits viele Touristen, die darauf warteten, dass er mit seiner Arbeit begann. Als er und sein Gehilfe die Bilder auspackten und anfingen, die Staffelei aufzubauen, bildete sich schnell eine Schlange. Er hielt Ausschau nach der ungeschminkten Frau mit dem ernsten Gesicht, doch sie war nirgends zu sehen.

Um neun Uhr abends packte er enttäuscht ein und wanderte heim zur Lodi Colony.

Sie hatte doch gefragt, ob er heute Abend wieder an derselben Stelle sein würde. Wo war sie nur? Obwohl er sie nur weniger als eine Minute lang gesehen hatte, begann er, Träume um sie herum zu weben. Zu Hause setzte er sich aufs Bett, las Gebete und zählte die Namen aller Götter auf, nicht nur der hinduistischen, sondern auch Allah, Buddha, Mahavira, Dalai Lama, den Gott der Christen und Maharishi Mahesh Yogi. Er betete zu allen Göttern, Gurus und Propheten, die ihm einfielen.

Wie immer um diese Jahreszeit umschloss dichter Winternebel die Stadt, als er sich zum Shiva-Tempel begab, um zu beten, dass die Frau wiederkommen möge. Eine ganze Stunde lang betete er. Das war noch nie vorgekommen, denn eigentlich betete er nie. Aber hier handelte es sich um eine besondere Situation.

Zu Hause im Dorf hatte er nicht einmal den Tempel besuchen dürfen. Hier jedoch mischten sich die Menschen aus den unterschiedlichen Kasten, Klassen und ethnischen Gruppen. Niemand kontrollierte das oder scherte sich auch nur darum. In der Anonymität und der Vielfalt der Großstadt hatte er zumindest einen Teil der ersehnten Freiheit erlangt.

Dann ging er zum Connaught Place, wo sich die Arkaden und Pfeiler der klassizistischen halbrunden Häuser im dichten Nebel wie mystische Figuren in einem Traum abzeichneten. Als der

Morgen dämmerte, drang die bleiche Wintersonne durch. Heute waren hier mehr Leute als sonst. Einige saßen kerzengerade auf dem Rasen und ließen sich von Männern mit schmutzigen Wattestäbchen die Ohren reinigen. Andere bekamen eine Rückenmassage von Männern, die ihre Füße benutzten, um die Rückenmuskeln der Kunden zu kneten. Doch die allermeisten saßen oder lagen einfach nur in Gruppen herum und begnügten sich damit zu reden, Erdnüsse zu schälen, zu rauchen, Paan-Blätter zu kauen und dann rot auszuspucken.

*Lottas Mutter hatte* sich mit Bleistift gezeichnete Porträts ihrer Töchter gewünscht. Diesen Wunsch hatte Lotta im Hinterkopf, als sie das Schild »Ten rupies, ten minutes« am Connaught Place gesehen hatte.

Normalerweise war hier eine lange Schlange, doch eines Abends sah sie den Straßenkünstler allein und ohne Kunden dasitzen und die Wasserkaskaden des Springbrunnens betrachten. Sie trat aus dem Schatten, damit er sie sehen konnte. Nachdem sie ein paar Worte gewechselt hatten, sagte sie plötzlich auf Wiedersehen und ging – warum, das weiß sie heute nicht mehr. Irgendetwas an seiner Erscheinung muss sie gelockt und gleichzeitig erschreckt haben. Die Zeichnung konnte man ebenso gut noch am nächsten Tag machen lassen.

Zwei Abende später war sie wieder am Springbrunnen, stellte sich in die Schlange und wartete geduldig. Als sie an der Reihe war, bat sie den Künstler, ein Porträt von ihr zu zeichnen. Er sah sie lange forschend an, als wäre sie die erstaunlichste Kundin des Tages. Während er ein neues Blatt Papier hervorholte und seine Stifte sortierte, betrachtete sie seinen Schnurrbart und die Haartolle, die aussah, als habe er versucht, sie mit einem Kamm und Kokosöl zu bändigen. Das Haar glänzte. Sie fand, er sah aus wie eine dunkle Version von Jimi Hendrix oder wie ein Inder, der wie ein westlicher Reisender aussehen wollte. Als Kind hatte sie in ihrem Bilderbuch von einem lockigen Waldjungen gelesen, der, umgeben von Seerosenblättern in einem dunklen Teich sitzt. Und seither war sie fasziniert von Menschen, die aussahen wie der Straßenkünstler am Connaught Place.

Es war kurz nach sieben Uhr am Abend des siebzehnten Dezember 1975, und der vom Smog schwere Himmel über Delhi schimmerte pfirsichfarben im Schein der Straßenlaternen.

*Am Springbrunnen herrschte* wie immer großer Andrang. Doch plötzlich löste sich eine Figur mit langem, glattem, hellem Haar aus dem Gedränge. Endlich!, dachte Pikay. Sie stellte sich in die Schlange. Als sie an der Reihe war, bat er sie, sich auf den Hocker zu setzen. Seine Hand zitterte, als er die ersten Striche zog. Ringsumher stand wie gewöhnlich viel Publikum, doch das war es nicht, was ihn nervös machte.

Seine Hand zitterte so sehr, dass er aufgeben musste.

»Es tut mir leid«, sagte er, »aber ich kann nicht. Können Sie sich vorstellen, vielleicht morgen zur Kunstschule zu kommen?«

»Wir kommen«, sagte sie.

Er sah auf. Hinter ihr stand ein weißer Mann.

Das ist doch hoffentlich nicht ihr Mann!, dachte er.

»Ja, natürlich, kommen Sie beide«, sagte er fröhlich.

»Ich heiße Lotta, das hier ist Leif, er ist Fotograf.«

Sie hat weder »mein Freund«, noch »mein Mann« gesagt, dachte er hoffnungsfroh.


Er duschte, zog sich saubere Kleider an, betrachtete sich lange im Spiegel und dachte an ihren Namen. Erst hatte er gedacht, sie hätte »Lata« gesagt, so wie die Sängerin, deren Lieder er in so vielen Filmen gehört hatte.

Nein, nicht Lata. Sie hatte »Lotta« gesagt.

Die Nachbarsfrau Didi trat auf die Veranda.

»Na, gehst du zu einem Vorstellungsgespräch?«, fragte sie neugierig.

»In gewisser Weise schon«, antwortete er.

Als er zur Schule kam, holte er drei Stühle, stellte sie auf die Wiese vor dem Café in die Sonne und setzte sich hin, um zu warten. Sie kamen wie verabredet um Punkt zehn Uhr und nahmen gerne Kaffee.

Er fand es sehr angenehm, da in der klaren Dezemberluft mit der dampfenden Kaffeetasse in der Hand zwei Menschen gegenüberzusitzen, die er nicht kannte. Er hatte noch nicht einmal gefragt, woher sie kamen.

»Schweden«, sagte sie plötzlich, als hätte sie seine Gedanken gelesen.

»Weit weg«, sagte er.

Sie nickten.

»In Europa«, fügte er hinzu, was allerdings nur geraten war.

Sie lächelten.

»Kommt, ich zeige euch die Schule«, sagte er, als sie ihren Kaffee ausgetrunken hatten.

Leif blieb zurück und sprach mit ein paar Studenten auf dem Flur im Erdgeschoss, während Pikay Lotta durch die Schule führte. Er stellte sie den Lehrern vor und zeigte ihr die Klassenräume und Ateliers, die über die sieben Stockwerke des Gebäudes verteilt waren. Und obwohl sie einander doch erst eine halbe Stunde kannten, war es ihm, als würde er eine Bekannte herumführen.

Als sie in jede Ecke geschaut hatten, fragte er sie, was sie am liebsten im Leben tue.

»Spielen«, antwortete sie. »Ich spiele Flöte.«

Er fragte, in welchem Sternzeichen sie geboren sei.

»Stier«, erwiderte sie.

Sie wird im Sternzeichen Stier geboren und musikalisch sein …

Er fasste sich ein Herz und fragte höflich:

»Ist Leif dein Mann?«

»Wie bitte?«

Er hatte undeutlich und schnell gesprochen, weil er fürchtete, seine Frage würde lächerlich klingen. Ob sie ihn nicht verstanden hatte? Oder fand sie, das sei das Unverschämteste, was man eine Frau fragen konnte? Er wiederholte die Frage. Diesmal antwortete sie.

»Nein«, lachte sie. »Leif? Ha, ha! Ich bin nicht mit ihm verheiratet und ich bin auch nicht mit ihm zusammen.«

Sie setzten ihren Rundweg fort. Die anderen Studenten flüsterten und zeigten auf ihn, als er da neben der ausländischen Frau ging. Sogar Puni, die lange Zeit nicht einmal zu ihm hinübergesehen hatte, kam jetzt und begrüßte ihn. Er genoss Punis neugierigen Blick.

Er fragte, ob Lotta und Leif ihn in seinem Zimmer in Lodi Colony besuchen wollten. Da gab es eigentlich nicht viel zu zeigen, sagte er, aber dann könnten sie seine Grafiken und Ölmalereien sehen. Sie sagte zu, ohne jedoch größere Begeisterung zu zeigen.

Er hoffte jedoch, dass sie vielleicht einfach zu schüchtern war, um zu zeigen, was sie eigentlich fühlte.

Sein Zimmer war öde, düster und schmutzig wie lange nicht. Zumindest fand er das, als er mit Lotta und Leif hinter sich von der Veranda aus hineinsah. Was für ein trauriger Anblick. In einer Ecke lag ein kaputter Becher. Fast keine Möbel. Die Tischplatte war nicht abgewischt. Der Boden voller Kies. Hinter der Tür hatten sich Wollmäuse angesammelt, und die Wände waren voller Zeichnungen und Texte, die er mit einem Stück Kohle dorthin gekritzelt hatte, als er betrunken gewesen war. Dort stand: »Ich bin kastenlos geboren. Ich habe kein Recht auf gar nichts. Ich habe nicht das Recht, in Indien Liebe zu erfahren.« Aber am peinlichsten von allen: »Ich werde ein europäisches Mädchen heiraten, wie die Astrologen es vorhergesehen haben.« Er stellte sich in dem Versuch, das Geschriebene vor seinen Gästen zu verbergen, vor die Wand, doch das half nichts. Schließlich waren sie gekommen, um zu sehen, wie er wohnte. Er sah ein, dass er sie hereinlassen musste.

Er suchte ein paar Grafiken aus, die er Lotta schenkte. Sie war still.

Ob sie schon gelesen hatte, was er auf die Wände geschrieben hatte?

Sie lächelte ihn freundlich an und bedankte sich für die Geschenke.

Sie hatte ihn gern wiedersehen wollen, und so trafen sie sich am nächsten Tag am Connaught Place, um eine Rundtour mit der Mopedrikscha zu unternehmen.

Sie besuchten die große Jama Moschee und hörten dem Gebetsruf zu.

»Von dem mächtigen Shah Jahan erbaut, dessen Name ›König der Welt‹ bedeutet«, erzählte er und wiederholte den Ruf vom Minarett langsam für sie:

»La Allah illah Allah, Mohammad Resul-allah«, sagte er und betonte jeden Buchstaben, um dann zu übersetzen:

»Es gibt keinen Gott außer Gott, und Mohammed ist sein Prophet.«

Sie erklommen eines der hohen Minarette der Moschee und schauten auf das Gewimmel von Alt-Delhi und das Rote Fort. »Von dort aus«, erklärte er ihr, »haben Moguls, Perser und Briten geherrscht.« Dann sahen sie in die andere Richtung zum Gate of India, auf die Prachtstraße der Republik und den Präsidentenpalast.

»Wie seltsam«, sagte er.

»Was denn?«, fragte Lotta.

»Siehst du dort? Die rote Brücke, die Minto Brücke. Unter der habe ich geschlafen, gefroren und gehungert. Und da«, er erhob die Hand ein wenig und zeigte auf den einige Kilometer entfernten Präsidentenpalast, »da war ich zum Tee bei Indiens Präsidenten.«

Sie suchte mit dem Blick die verwirrende Stadtlandschaft ab und fand schließlich die große Kuppel.

»Das ist wie in einem Märchen.«

Sie betrachtete ihn mit skeptischem Blick. Vielleicht meinte sie, er würde sich das alles ausdenken.

Sie sprangen in eine Rikscha und fuhren nach Süden zum Humayun-Mausoleum, einer weiteren Touristenattraktion der Stadt. Die ganze Zeit über redeten sie. Es war so leicht, mit ihr zu kommunizieren. Da musste er wieder an die Prophezeiung denken. In der hatte schließlich gestanden, dass seine zukünftige Frau musikalisch und im Sternzeichen Stier geboren sein würde. Und sie würde einen Dschungel besitzen, hatten die Astrologen noch hinzugefügt.

Aber wie konnte Lotta einen Dschungel besitzen?

Dann reiste Lotta weiter. Schon am nächsten Tag nahmen sie und ihre Freunde den VW-Bulli und begaben sich auf eine Reise. Sie würden die Tempel in Khajuraho besichtigen und die Stimmung unter den Pilgern beobachten, die in Varanasi im heiligen Ganges badeten. Pikay vermisste sie, doch hatte er auch schon angefangen zu zweifeln. Sie ist Touristin, nur für kurze Zeit hier und dann reist sie weiter. Es warteten so viele Dinge im Leben auf sie, da würde sie nicht hierbleiben. Warum sollte sie auch? Ein Augenblick, eine Ewigkeit. Die Zweifel vermischten sich mit den Erinnerungen an ihre sanfte Stimme.

An Heiligabend, was sein Geburtstag war, bekam er einen Brief, auf dessen Kuvert aus handgeschöpftem Papier sein Name und seine Adresse sauber und ordentlich buchstabiert waren. Er öffnete den Brief mit klopfendem Herzen. Es war eine bunte Glückwunschkarte darin mit der Zeichnung von einem fröhlichen Fisch, der in grob gezeichnete Wellen hüpfte. Vulgär, hätte sein Lehrer auf der Kunstschule gesagt. Kommerziell, infantil.

Doch er hatte noch nie in seinem Leben eine Glückwunschkarte zum Geburtstag bekommen und hielt nun strahlend die Karte in die Sonne, sodass der glänzende rote Fisch glitzerte.

Er las:

»Dass wir so weit reisen mussten, um einen so guten Freund zu finden wie dich. Herzlichen Glückwunsch zum Geburtstag, Lotta.«

Die Tage bis zu ihrer Rückkehr waren die reinste Qual.

In der rostroten Dämmerung am Silvesterabend entdeckte er plötzlich Leif mit einem großen Rucksack auf dem Rücken in der Menschenmenge beim Springbrunnen. Pikay lief zu ihm. Er war allein und erzählte, dass sie in Khajuraho gewesen waren und die tausend Jahre alten Tempel mit den erotischen Skulpturen gesehen hätten. Dann fragte er, ob Pikay ein gutes und billiges Hotel empfehlen könnte.

»Vergiss das Hotel, du kannst bei mir wohnen.«

Er gab ihm den Schlüssel zum Zimmer in der Lodi Colony.

»Aber wo ist denn Lotta?«

»Sie mietet ein Zimmer von einer Familie in einem Palast. Wir haben die Leute im Zug kennengelernt.«

»Lotta kann auch gern in meinem Zimmer übernachten«, sagte er arglos.

Natürlich hegte er keine Hoffnungen, dass sie ein bequemes Bett in einem separaten Zimmer der stattlichen Villa einer reichen Familie gegen seine enge und heruntergekommene Bude tauschen würde.

Am Neujahrstag spähte er auf die Straße hinaus, die zu der Ansammlung von Häusern in Lodi Colony führte, und entdeckte im Schatten der Bäume einen gelb-roten Punkt. Der Punkt wurde immer größer. Dann verwandelte er sich in die Konturen einer Frau. Sie trug Jeans und ein gelbes T-Shirt und auf dem Rücken hatte sie einen roten Rucksack.

Das fühlte sich wie ein persönlicher Triumph an. Am liebsten hätte er sein Glück herausgeschrien: Sie hat meine Armut dem Luxus vorgezogen!

Doch stattdessen begrüßte er sie neutral und beherrscht:

»Willkommen, Lotta!«

Leif durfte auf seinem kaputten Charpai schlafen, einem Holzbett mit einem Rost aus geflochtenen Hanfseilen. Für Lotta rollte er eine dünne Bambusmatratze auf dem Boden aus. Er selbst schlief direkt auf dem Betonfußboden.

»Kein Problem. Ich bin es gewohnt, auf hartem Untergrund zu schlafen«, erklärte er Leif und Lotta.

Am meisten machte er sich Sorgen, weil er keine Bettwäsche anzubieten hatte. Doch sie sah ganz zufrieden aus, als sie auf der Bambusmatratze unter dem Fenster ihren Schlafsack ausrollte.


Pikay und Lotta nahmen die aus Masala-Omelett, geröstetem Brot und Tee bestehende Mahlzeit zu sich, die er auf dem Spirituskocher auf der Veranda zubereitet hatte, und bestiegen dann eine Mopedriksha zum Connaught Place, wo sie auf ein Pat-Pattie, ein dreirädriges Motorrad, wechselten, das mit viel zu vielen Passagieren in Richtung Alt-Delhi knatterte.

Pikay hatte das Gefühl, als sei die Stadt, vor der er sich drei Jahre zuvor selbst so gefürchtet hatte, nun ein Teil von ihm geworden. Sie musste einfach die lebendigen Basare erleben, dachte er, als könnten die ihr erklären, wer er war.

Sie schlenderten planlos durch die Gassen der Altstadt und gelangten durch eine schmale Öffnung in einer Wand in eine weitere Gasse, die in einen kleinen, von Leuchtstoffröhren beleuchteten Innenhof führte. Dort duftete es nach Holzkohle und gegrilltem Fleisch. Sie sahen, dass das Essen auf dem Hof zubereitet wurde, während die Gäste in vier verschiedenen Häusern ringsherum an Tischen saßen und aßen. Sie schauten in einen der Räume: Kacheln oder Steinplatten vom Fußboden bis zur Decke und Gäste, die Grillfleisch und hauchdünnes Brot vor sich hatten.

Im Zoo von Delhi, der in einem alten, verfallenen Fort untergebracht war, spazierten sie durch Wälder und an künstlichen Seen entlang, redeten ununterbrochen und lachten oft über dieselben Sachen. Schließlich ließen sie sich auf dem Rasen nieder. Er war glücklich, aber dennoch waren seine Gefühle gespalten. Eine Sorge wuchs in seinem Innern, und er merkte, wie er nur darauf wartete, dass das Glück ein Ende finden würde. So war das Leben bisher gewesen, und so würde es jetzt sein. Glück war eine Vorahnung von Unglück. Er war für ein solches Glück einfach nicht gemacht. Sie würde wieder nach Hause nach Europa reisen, und er würde in Indien zurückbleiben. Wie ein Blitz war sie in sein Leben eingeschlagen, und genauso schnell würde sie wieder verschwinden.

Er hatte noch ein Semester am Delhi College of Art vor sich und kein Geld für Reisen.

Das hier ist unmöglich, es wird nichts werden aus unserer Romanze, unser Zusammentreffen ist dazu verdammt, eine kurze, aber schöne Erinnerung zu werden, dachte er.

Doch zu Lotta sagte er nichts von seinen Zweifeln.

Sie gingen weiter zum Pharganj-Basar. Dicht nebeneinander wanderten sie zwischen Obstständen und Teeläden herum. Pikay war ganz erfüllt von ihr und lebte nur noch in der Gegenwart. Sie sprachen mit den Bäckerjungen, die mit den Händen in die roten Tandoori-Öfen griffen und darin die Teigklumpen platt machten. Sie sahen die Blicke aus blutunterlaufenen Augen von den alten Frauen und Männern, die in graue Tücher gewickelt auf ihren Liegen entlang der Hauswände ausruhten. Sie stolperten fast über einen Mann, der ein Getriebe auseinandergeschraubt und jetzt mitten auf der Gasse auf einer Pappscheibe Platten, Muttern und Kugellager in einem ordentlichen Muster ausgelegt hatte. Sie kreuzten durch eine Herde Ziegen. Sie streichelten die glatten Rücken der Kühe und verspürten den Geruch von warmer Feuchtigkeit und nassem Stoff, als sie an einer Frau vorbeigingen, die Hemden mit einem Dampfbügeleisen bügelte. Sie lachten still in sich hinein über den Mann, der mit einer umgebauten Bohrmaschine warme Milch aufschäumte. Und sie sahen mehrere Minuten lang einem alten Mann zu, der auf einer Holzplatte unter einer nackten Glühbirne Hunderte von Hühnereiern zu Pyramiden aufgetürmt hatte. Der Eiermann sagte auf Englisch: »Wenn eins fällt, fallen alle.« Sie lachten.

Sie sahen Hunde, die weggescheucht wurden, nähende Frauen, Silberketten, die repariert wurden, ein Mädchen, das vor der Tür fegte. Sie atmeten den nach verbranntem Laub duftenden Rauch ein und hörten eine Frau schnarchen. Menschen sangen, redeten, kneteten Teig, spielten Karten, lagen ausgestreckt auf dem Rücken.

Für ihn fühlte es sich an, als seien sie selbst ein Teil von allem um sie herum, von den Menschen, den Gassen, den Düften und dem Himmel.

Gegen sechs Uhr kamen sie zum Springbrunnen, und Pikay begann, die Bilder für die tägliche Ausstellung aufzuhängen. Lotta half ihm. Er sah ihr zu, wie sie summend die Bilder an den Haken auf den Pappen befestigte. Bitte, Gott, mache diese Frau zu meiner Ehefrau, dachte er und setzte sich auf seinen Hocker, um die Schlange von Leuten abzuarbeiten, die alle ein Porträt wollten. Sie setzte sich dicht zu ihm. Er machte vier Zeichnungen, dann beschlossen sie, zusammenzupacken und stattdessen ins Kino zu gehen.

Vor dem Plaza-Kino standen Hunderte von Menschen. Die Schlange zu den Kassen ging bis auf die Straße hinaus. »Sholay« hatte ein halbes Jahr zuvor Premiere gehabt, füllte aber immer noch die Häuser. Sie betrachteten lange das handgemalte Reklameplakat, auf dem Amitabh Bachchan gerade die Schurken mit einem Maschinengewehr beschoss. Vom Rang aus, wo sie jetzt mit Blick aufs Parkett saßen, konnten sie sehen, dass die allermeisten Kinobesucher Männer ohne Begleitung waren, die sich sehnsuchtsvoll nach ihnen umdrehten.

Als der Film losging, übersetzte er für sie von Hindi ins Englische, doch als das Singvögelchen Lata Mangeshka »Jab tak hai jaan« sang, verstummte er, lehnte sich zurück und genoss. Mitten in einem der farbensprühenden Tänze des Films rutschte sie näher an ihn heran, legte ihren Kopf auf seine Schulter und ihre Hand in seine. Die Sorge, die er, seitdem sie den Zoo verlassen hatten, hatte verdrängen können, kehrte zurück. Was hatte das hier für einen Sinn?, fragte er sich. Gibt es eine höhere Macht, die mir etwas sagen will? Beginnt so Liebe? Er hatte ja keine Ahnung und musste jetzt einsehen, wie schrecklich unerfahren er war. Plötzlich kam er sich wieder vor wie ein Zwölfjähriger.

Doch was geschehen sollte, würde geschehen. Und so versuchte er, seine Zweifel mithilfe eines Mantras zu überwinden: Wir sind bereits in eine neue Gemeinschaft übergegangen, unsere Seelen haben dieselbe Wellenlänge. Dieses Mantra wiederholte er mehrere Male, dann beugte er sich vor und küsste ihre Stirn, während er im Stillen wieder und wieder Ma Maheswari, Ma Maheswari sagte, den Namen der Dschungelgöttin, zu der seine Mutter zu beten pflegte.

*Es war Winter* in Delhi. Der Nachthimmel war sternenklar, der Nebel kam immer erst kurz vor der Dämmerung, und die Luft war eiskalt. Sie schlenderten still und in Dunkelheit gehüllt durch die menschenleere Stadt an dem Springbrunnen vorbei, der ausgeschaltet war. Dann nahmen sie den Boulevard nach Süden, an der Prachtstraße Raj Path und dem Triumphbogen India Gate vorbei nach Lodi Colony. Erst hielt er nur ihre Hand, doch weil sie in der nächtlichen Stadt allein waren, fasste er nach einer Weile Mut und legte den Arm um sie. Er spürte die Wärme ihres Körpers, hatte aber gleichzeitig das starke Gefühl, etwas Verbotenes zu tun, als hätten die Straßenlaternen Augen, die sie beobachteten. Einen Moment war es, als würde er seinen eigenen Körper verlassen und sich selbst aus einer Perspektive wie vom Hochhaus, zwanzig Meter über dem Boden, neben Lotta gehen sehen.

Es wurde ein langer Spaziergang. Aber was machte das schon? Um zwei Uhr in der Nacht waren sie zu Hause. Leif lag im Bett, schlief tief und fest und schnarchte laut. Sie nahmen eine Decke und gingen auf die Veranda hinaus, setzten sich auf die Betontreppe und wickelten sich ein. Kläffende Wildhunde zogen vorbei. Er hielt sie im Arm, sah zu den Sternen hinauf und dann hinunter zu ihr und dann wieder hoch zu den Sternen. Es war romantisch, aber gleichzeitig auch qualvoll, zu lange in ihre

Augen zu sehen. Da war es praktisch, ab und zu mit dem Blick in den Sternenhimmel fliehen zu können.

Seit ich geboren wurde, dachte er, hat die göttliche Kraft uns aufeinander zu gezogen, um in Gang zu bringen, was vorherbestimmt ist. Er wusste, dass die Leute aus dem Westen oft nicht so dachten. Doch er hatte gelernt, dass das Leben so funktionierte. Jetzt, dachte er, das hier ist unsere Nacht, unsere magische und vorherbestimmte Liebesnacht. Er küsste sie wieder auf die Stirn, dann auf die Wangen. Erst die Augen, dann die Vernunft und danach das Herz. So dachte er, wird die Liebe an ihr Ziel gebracht. Das gehörte seit Ewigkeiten zusammen, und es würde in Ewigkeit so sein.

Er flüsterte ihren Namen. Sie antwortete nicht. Lange saßen sie ganz still da.

»Ich liebe dich«, wagte er schließlich zu sagen, bereute es aber sofort.

Wieso ist mir dieser Satz nur aus dem Mund gehüpft?, dachte er. Wenn sie nun aufsteht und geht? Wenn sie nun lacht? Wenn sie nun sagt: »Ich mag dich schon, aber nicht so.«

»Und ich dich«, sagte sie entschieden, beugte sich vor und küsste ihn leicht auf die Stirn.

Nach einer Weile:

»Ich wäre der glücklichste Mann der Welt, wenn du mich heiraten würdest.«

Ihr Körper spannte sich an.

»Das habe ich mir nicht so vorgestellt. Noch nicht! Es gibt noch so viel, was ich tun will, ehe ich heirate.«

»Ich meine ja nicht jetzt«, beeilte er sich zu sagen. »Ich kann viele Jahre warten, wenn du willst.«

Das Gespräch erstarb. Er wollte lieber nicht weiter diskutieren.

Sie saßen still da und horchten auf Leifs Schnarchen, das bis auf die Veranda zu ihnen drang. Dann gingen sie ins Zimmer. Er legte sich auf den Fußboden und sie auf ihre Bambusmatratze beim Fenster. Er versuchte zu schlafen, lag auf dem Rücken und starrte in die Dunkelheit. Er legte sich auf die linke Seite, dann auf die rechte, dann wieder auf die linke – doch er konnte sich nicht entspannen. Er lauschte und hörte, dass sie sich auch herumwälzte, und erwog, etwas zu sagen. Da spürte er einen Luftzug und hörte ein leises Rascheln. Dann fühlte er eine sanfte Hand auf seiner Schulter. Fast geräuschlos kroch sie unter seine Decke und legte sich neben ihn auf den kalten Betonfußboden.

»Kannst du auch nicht schlafen?«, flüsterte sie.

»Nein«, antwortete er.

»Ich hab ein bisschen Angst da hinten am Fenster, darf ich hier liegen?«

»Na-natürlich«, stammelte er.

Ihre Arme um seinen Hals. Seine Lust erwachte, er wurde mutiger. Doch da erstarrte sie wieder.

»Wenn du dich nicht im Griff hast, dann gehe ich zurück auf meine Matratze«, flüsterte sie. »Ich bin nicht deswegen zu dir gekommen.«

»Ich will dich umarmen, mehr nicht«, fügte sie hinzu.

Er umarmte sie. Und spürte, dass das mehr als genügte. Was glaubte er denn, wer er war? Er schämte sich ob seines Übermuts.

*Sie lagen auf* der Bambusmatte auf dem Betonfußboden. Pikay betrachtete Lotta. Sie sah zufrieden aus, wie sie da schlief. Dann musste er an ihre Reaktion am Vorabend denken. Sie war instinktiv zurückgezuckt, als er vorgeschlagen hatte, dass sie heiraten sollten. Aber er kannte keine andere Art, seine Liebe zu erklären. Wenn sie nicht heirateten, würden sie unmöglich zusammenleben können. Wenn sie nicht heirateten, würde die Romantik verblassen. Liebe konnte ohne feierliche Gelübde nicht überleben und auch nicht, wenn man keine formellen Verbindungen schuf. Das war seine Ansicht. Aber Lotta hatte gesagt, dass sie warten wollte. Das war schwer zu verstehen. Was für Gründe könnte es dafür geben, wenn sie ihn doch mochte und ihr Vater einverstanden wäre? Es war ganz offensichtlich, dass Lotta aus einem anderen Land kam.

Doch er wollte nicht aufgeben und startete einen neuen Versuch.

»Komm mit mir nach Orissa«, sagte er beim Frühstück.

Sie sah ihn neugierig an.

»Dann kannst du meinen Vater, meine Schwester und meine Brüder kennenlernen.«

»Ja, warum nicht«, erwiderte sie.

Sie hatte kein Gegenargument, stellte keine Frage. Wollte sie wirklich? Sie hatte ihn doch wohl hoffentlich nicht missverstanden?

Alles ging so schnell. Es war, als müssten sie den Plan sofort durchführen, ehe sie von Zweifeln heimgesucht werden könnte. Sie stopften ihre Kleider in Lottas Rucksack und zogen sich schnell an. Er zog dieselben Hosen und dasselbe staubige Hemd an wie am Tag zuvor. Das fühlte sich nicht gut an, jetzt, da eine Frau im selben Zimmer war, aber er hatte keine andere Wahl – er besaß keine sauberen Kleider.

Wie ich wohl rieche?, fragte er sich im Stillen.

Er drehte sich um und sah Lotta an. Sie trug ihren neu gekauften Sari, ein Modell, das in Benares üblich war. Ihr blondes Haar und der rote Sari! Wie schön sie war.

Sie nahmen eine Rikscha zum Connaught Place, um ein Geschenk für Pikays Vater und ein paar symbolische Mitbringsel für seine Geschwister zu kaufen. Sie aßen in einem China-Restaurant, gingen in die Läden hinein und hinaus, schauten sich in die Augen, lachten. Das Leben fühlte sich so glücklich an, als würde es geradewegs auf einen seiner Höhepunkte zusteuern. Die Frage war nur, wie lange es noch dauerte, bis er wieder in der nächsten Talsohle erwachte. Doch wie gewöhnlich behielt er seine Zweifel für sich.

Sie bestiegen den Janata Express, und kurz vor Sonnenuntergang schlängelte sich der lange Zug aus dem Bahnhof und glitt im Schneckentempo gen Osten. Ein kühler Wind wehte durch das mit Gittern versehene Fenster hinein, und die untergehende Sonne färbte die Ebenen mangogelb. Er betrachtete Lottas Haare, die im Wind flatterten und manchmal so nach vorn geblasen wurden, dass sie ihr Gesicht verbargen. Er konnte nicht aufhören, fasziniert ihre Haare zu betrachten, die im Licht der Dämmerung aussahen, als wären sie vergoldet.

Pikay musste daran denken, wie er als Fünfjähriger im Dschungel auf dem Elefanten seines Großvaters geritten war. Und wie sein Lehrer mit Steinen nach ihm geworfen und ihn angebrüllt hatte, weil er in der falschen Kaste war. Er erinnerte sich an seinen Schulfreund, der zur höchsten Kaste gehörte und nicht mehr mit Pikay spielen durfte, als die Eltern erst einmal begriffen hatten, wer er war. Und nun war er hier, ein erwachsener Mann in einem Zugabteil mit einer ausländischen, schönen Frau.

Sie bestellten ein Abendessen, das ihnen in Pappschachteln an ihren Plätzen serviert wurde. Gemüse, Reis und Chapati. Schweigend saßen sie im Schneidersitz auf den grünen Kunststoffsitzen und aßen. Draußen war es dunkel, und der schwache Schein von der Beleuchtung des Waggons warf einen bläulichen Schimmer über sie. Der Zug rumpelte über die Bahnschwellen, die Lok pfiff und die Waggons schwankten vor und zurück wie ein Boot auf hoher See.

Sie kletterten hinauf und legten sich dicht beieinander in eines der schmalen Etagenbetten. Lotta versuchte, ihr Buch über religiöse Feste in Orissa zu lesen, schlief aber bald ein. Er lag noch lange da und betrachtete ihr Gesicht. Die Stille im Schlaf, die geschlossenen Augenlider, die helle Haut.

Er musste an ein Gespräch denken, das sie in den letzten Tagen geführt hatten.

»Du hast mich an Gott glauben gemacht«, hatte sie zu ihm gesagt.

»Aber ich bin arm und kann dich nicht versorgen und dir kein sicheres Leben bieten«, hatte er erwidert.

»Für mich bist du nicht arm«, hatte sie behauptet.

»Ich will Künstler werden, und ein richtiger Künstler zu sein, das bedeutet, dass ich ein Leben in Armut führen muss«, hatte er erwidert.

»Ich teile gern ein Leben in Armut mit dir«, hatte sie beharrt.

Ein paar Stunden vor der Morgendämmerung stiegen sie in der für ihre Stahlindustrie bekannten Stadt Bokaro, wo Pikays ältester Bruder arbeitete, aus dem Zug. Dicht aneinandergedrängt saßen sie in der Dunkelheit auf dem Bahnsteig und warteten auf den Sonnenaufgang. Es lagen noch andere Stoffbündel auf dem

Plafond, die schlafende Menschen zu enthalten schienen. Vielleicht warteten sie auf einen Zug oder wie sie selbst auf Verwandte, die nach Sonnenaufgang kommen und sie abholen würden. Sie konnten hören, wie ganze Rudel bellender Hunde auf der Straße gegenüber dem Bahnhof vorbeizogen, und ab und zu vernahmen sie einen einsamen Bus mit lauter Hupe.

Als es heller wurde, ging Lotta in den Bahnhof und zog sich einen neuen Sari an, der auch die Haare bedeckte. Aus der Entfernung war es jetzt unmöglich zu sehen, dass sie Ausländerin war. Pikay sah sie an und war überzeugt davon, dass sein Bruder ihren traditionsbewussten Stil sicherlich mochte.

Und dann stand er da, sein Bruder Pramod, den Pikay mehrere Jahre lang nicht gesehen hatte. Er hatte zugenommen und trug Anzug, weißes Hemd und Schlips im westlichen Stil. Er sah richtig bedeutend aus und näherte sich mit einem zurückhaltenden Lächeln. Pikay und Lotta legten sich vor ihm auf die Knie und begrüßten ihn mit gesenkten Köpfen und den Fingerspitzen auf seinen Füßen.

Pramod war Abteilungsleiter bei der Indischen Eisenbahn und sehr stolz auf seine Position. Es war zwar nicht einzigartig, dass ein unberührbarer Junge es so weit schaffte, doch es war alles andere als gewöhnlich. Die meisten Chefs waren Brahmanen oder entstammten einer anderen hohen Kaste, doch seit Indira Gandhi Premierministerin geworden war, hatten die staatlichen Unternehmen begonnen, das Gesetz gegen die Diskriminierung umzusetzen. Seine Beförderung hatte Pramod also indirekt Indira zu verdanken.

Er zeigte ihnen sein Büro, das mitsamt dazugehöriger Küche und Bediensteten in einem Eisenbahnwaggon untergebracht war. An den Wänden hingen Porträts von Indira Gandhi und dem Guru Sai Baba, Pramods Wohltäter, Schutzengel und Prophet.

Niemand wäre auf die Idee gekommen, dass sein Bruder der Sohn einer dunklen Stammesfrau und eines unberührbaren Vaters war. Pramods Haut war bedeutend heller als die von Pikay, und sie war in den letzten Jahren auf geheimnisvolle Weise immer noch heller geworden. Als er jünger war, hatte der Bruder oft gesagt, er würde davon träumen, weißhäutig, reich und mächtig wie ein Europäer zu sein. Und jetzt wirkte es so, als wären seine kühnsten Träume in Erfüllung gegangen. Pikay wusste, dass schwarzes Haar mit dem Alter grau und weiß wurde, doch hatte er noch nie davon gehört, dass Haut blasser werden konnte. Doch so war es. Pramod sah immer mehr aus wie die Europäer, die er vergötterte.

Viele in der von der Sowjetunion unterstützten Stahlindustriestadt glaubten, der hellhäutige, dicke Mann sei ein Arbeiter aus Russland und behandelten ihn deshalb mit besonderer Aufmerksamkeit.

Pikay machte sich Sorgen, was sein Bruder wohl von Lotta halten würde. Die Tradition, mit der er nicht brechen wollte, schrieb vor, dass zunächst sein ältester Bruder und dann sein Vater ihrer Heirat zustimmen müssten. Er selbst fand es nicht unbedingt notwendig, dieser Sitte zu entsprechen, aber er wollte auch nicht unnötig provozieren. Auf keinen Fall jedoch wollte er von seiner eigenen Familie ausgeschlossen werden.

Am ersten Abend in der Stahlstadt stellte er die unvermeidliche Frage:

»Lieber Bruder, mein ältester und klügster Bruder, kann ich mich mit Charlotta verheiraten?«

Pramod antwortete nicht.

»Charlotta ist schließlich derselbe Name wie Charulata«, erklärte er auf Oriya und wandte sich dann Lotta zu, der er auf Englisch zuflüsterte:

»Er ist dir gegenüber sicher wohlwollender eingestellt, wenn er hört, dass du so einen schönen Namen hast. Charulata bedeutet Schlingpflanze auf Oriya.«

Der Bruder stand lange schweigend da. Dann teilte er ihnen mit, dass er Bedenkzeit benötige, und erklärte, er würde eine

Stunde meditieren und mit sich selbst, Sai Baba und Gott die Sache erwägen.

Die folgende Stunde saß Pikays Bruder mucksmäuschenstill im Lotussitz auf dem Betonfußboden in seinem Wohnzimmer, wo Fotos von schneebedeckten Bergspitzen und hellhäutigen Babys an den Wänden hingen. Er hatte die Augen geschlossen und sah ernst aus. Unruhig beobachtete Pikay seine völlig ausdruckslose Miene.

Nachdem eine Stunde vorüber war, zeichnete sich ein Lächeln auf dem Gesicht des Bruders ab.

Da wusste Pikay, dass sie gewonnen hatten.

Madras Express nach Tata, umsteigen in den Utkal Express nach Cuttack und dann eine lange Busreise am Fluss entlang in den Wald hinein. Das Grün wurde immer dichter, der Himmel klarer und die Luft leichter zu atmen. Dann war er wieder zurück in der Gegend, in der er geboren und aufgewachsen war. Sein letzter Besuch hier schien unendlich lange her, so viel war in der Zwischenzeit geschehen.

Sein Vater hatte keine Einwände.

»Du sollst die heiraten, mit der du glücklich wirst«, meinte er. »Und außerdem passt sie in dein Horoskop.«

Obwohl er als Unberührbarer geboren war, vollzog der Vater wie ein Brahmane ein Ritual und sang Hymnen auf Sanskrit. Die Brahmanen des Dorfes hätten sicher ihre Einwände gehabt, wenn sie ihn dabei gesehen hätten, doch darum scherte sich Shridhar nicht.

»Warum sollen nur die Brahmanen das Recht haben, die heiligen Handlungen durchzuführen?«, pflegte er zu fragen, wenn seine Kollegen fanden, er sollte Zurückhaltung üben, um die Brahmanen nicht zu provozieren.

Pikay und Lotta sahen ihm zu. Hinter ihm an der Wand hing das Bild von Pikays Mutter. Pikay hatte das Gefühl, dass der Blick der Mutter ihn und Lotta so neugierig betrachtete, dass es aussah, als wäre sie von den Toten zurückgekehrt und wolle jetzt wissen, was er mit seinem Leben angefangen hatte.

Dann führte der Vater ihre Hände zusammen, nickte zustimmend und sammelte sich, um etwas zu sagen.

»Pradyumna Kumar«, begann er und sah Pikay an, »sorge dafür, dass sie niemals Grund hat zu weinen.«

»Das verspreche ich, solange sie mit mir zusammen ist«, antwortete Pikay.

»Wenn doch einmal Tränen über ihre Wangen laufen, dann lass nie zu, dass diese Tränen auf den Boden fallen«, fuhr sein Vater fort, was heißen sollte, dass er immer zugegen sein müsse, um seine Frau zu trösten.

Dann überreichte der Vater Lotta einen neuen Sari als Geschenk. Pikay fand, dass die Zeremonie jetzt eigentlich schon erledigt war und dass sie jetzt Mann und Frau waren, auch wenn sie nur einen Segen erhalten hatten. Formell betrachtet würden sie noch zum örtlichen Gericht gehen müssen, um die Ehe registrieren zu lassen, doch darauf verzichteten sie. Das würden sie später noch tun können, dachte Pikay.

Mit den Rucksäcken auf dem Kopf bahnten sie sich einen Weg durch die Menge von Dorfbewohnern, die sich eingefunden hatten, um Pikay und seine weißhäutige Frau, die indische Kleider trug, zu bestaunen. So etwas hatten sie noch nie gesehen. Sie starrten hemmungslos, doch niemand wagte, auf sie zuzugehen und sie zu begrüßen. Pikays Erfolge in Neu-Delhi erzeugten Respekt und Bewunderung. Nun behandelte man ihn nicht mehr als Paria.


Das Gerücht, dass der Junge aus dem Dorf, der eine Kosmonautin, eine Premierministerin und einen Präsidenten porträtiert hatte, wieder nach Hause gekommen sei, verbreitete sich wie ein Lauffeuer. In Bhubaneswar lud der Generalsekretär der Kunstakademie Pikay und Lotta zum Mittagessen ein, beteuerte seine Bewunderung, zog ehrerbietig die Stühle heraus, sodass sie sich setzen konnten, und verhielt sich unterwürfig. Nach dem Mittagessen überließ er ihnen seinen Chauffeur, der sie hinfahren sollte, wohin immer sie wollten, und er schickte einen Botenjungen zum Bahnhof, um ihre Zugfahrkarten zu kaufen. Lotta erhielt, als wäre sie eine Königin, von ihm ein silbernes Diadem. König Pradyumna Kumar und Königin Lotta. Es war, als würde alle Welt nur auf Befehle von ihnen warten.

Mit dem Gefühl, Ehrengäste des Bundesstaates Orissa zu sein, bestiegen sie den Bus nach Puri, wo sie neben anderen Liebespaaren am breiten Sandstrand entlangspazierten, um dann weiter zum Sonnentempel in Konark mit seinen erotischen Figuren aus dem Kamasutra zu reisen.

Noch ehe sie einen ersten Blick auf die »Schwarze Pagode«, wie die Seefahrer früherer Zeiten den Tempel genannt hatten, werfen konnten, blieb Pikay stehen und bat Lotta, den Blick geradeaus zu richten. Dann hielt er ihr die Augen zu.

»Jetzt wirst du etwas Schönes zu sehen bekommen.«

Er nahm die Hände weg.

»Sieh dort!«

Sie sah den Tempel mit dem steinernen Rad. Dasselbe Steinrad wie auf dem Bild, das sie in ihrem Zimmer in London an die Wand gehängt hatte. Das Bild hatte so viel Sehnsucht in ihr erzeugt und sie hatte immer gewusst, dass es bedeutend war – und jetzt stand sie hier. Sie brach in Tränen aus.

Mehrere Wochen waren vergangen, seit sie sich kennengelernt hatten, doch erst hier, vor dem Tempel, der in der Form eines Wagens für den Sonnengott Surya errichtet war, küssten sie sich zum ersten Mal.


Für Pikay vermischte sich das Glück wieder einmal mit Zweifeln. Es kam ihm alles so unwirklich vor, als wäre es nur ein Traum.

Vielleicht habe ich, ein unbedeutender Dschungeljunge aus Athmallik, nicht das Recht, hier neben der Frau zu gehen, die ich liebe, dachte er.

Die Zweifel verunsicherten ihn. Er verlor den Faden, wenn er einfache Dinge sagen wollte. Bei den einfachsten Bewegungen, etwa wenn er Lotta die Wange streicheln oder über einen Haufen Müll und Laub steigen wollte, wirkte er tollpatschig.

Im Bus zurück nach Bhubaneswar dachte er, dass er vielleicht alles aufgeben sollte. Die Karriere in Neu-Delhi und eine mögliche Zukunft mit Lotta in Europa. Er spielte mit dem Gedanken, hierher zurückzukehren, und merkte, dass er ihn nicht erschreckte. Vielmehr schien er ihm ganz plausibel. Warum hatte er überhaupt all das Schöne hier verlassen und war in die Hauptstadt gezogen? Hier war seine Familie und alles im Leben, was ihm vertraut war. Der Dschungel war so reich an Nuancen, so dicht, so mystisch, so spannend. Die Mangobäume und die Kokospalmen, die in den Morgennebel gehüllt standen, gehörten zu einer Landschaft, die ihn jetzt zweifeln ließ, ob es richtig war, das Alte und Gewohnte gegen das Neue und Veränderliche einzutauschen.

Als sie eine Woche später wieder in seinem Zimmer in Neu-Delhi waren, erzählte die Nachbarsfrau Didi, dass eine schick gekleidete Frau und ihre Tochter einige Male da gewesen seien und nach ihm gefragt hätten. Wie sich herausstellte, waren das Puni und ihre Mutter gewesen. Sie waren mehrere Male vorbeigekommen und hatten gefragt, wohin Pikay denn verschwunden sei. Am Ende hatte die Nachbarin gefragt, was sie von ihm wollten, und da hatte Punis Mutter erzählt, was geschehen war.

Der Ingenieursstudent, den Puni hatte heiraten sollen, war zwar angesehen gewesen, doch hatte sich dessen Vater quergestellt und eine Mitgift von fünfzigtausend Rupien gefordert – eine unfassbare Summe. Solch eine Mitgift hatten sonst nur Filmstars. Punis Vater wollte schrecklich gern, dass sie den aus einer hohen Kaste stammenden Ingenieursstudenten heiratete, doch am Ende musste er einsehen, dass er sich das nicht leisten konnte. Deshalb hatte die Familie versucht, Kontakt zu Pikay aufzunehmen und zu fragen, ob er sich vorstellen könnte, zurückzukommen und Puni zu heiraten.

Was für eine idiotische Familie! Wieso sollte er, nachdem der Vater ihn so übel behandelt hatte, jemals wieder etwas mit ihnen zu tun haben wollen?

Ich bin ein großzügiger Mensch, dachte Pikay, aber es gibt Grenzen.

Zu Didi und den Freunden sagte er, dass er bereits mit der Frau aus Schweden verheiratet sei, was nicht stimmte. Sein Vater hatte die Zeremonie für ihre heilige Vereinigung vollzogen, doch verheiratet waren sie noch nicht. Aber wer sollte das schon nachprüfen?

*In einer der* Nächte in Delhi, als sie nebeneinander auf dem Fußboden in Pikays Zimmer lagen und zu der rissigen Betondecke hochschauten, erzählte Lotta von ihren Ahnen.

»Früher hatten wir einen König, der Adolf Fredrik hieß, und eine Königin, die Lovisa Ulrika hieß, und Schweden hatte, genau wie Indien, vier Kasten«, begann sie.

»Meine Ahnen kamen aus einer niedrigen Kaste und stiegen dank ihres Mutes in eine hohe Kaste auf. Der König hatte inzwischen seine Macht verloren, und das Land wurde stattdessen von vier Parlamenten beherrscht, einem für jede Kastengruppe«, erzählte Lotta und erklärte:

»Wir nannten sie Adel, Klerus, Bürger und Bauern. Damals stritten zwei Parteien miteinander um die Macht. Die hatten lustige Namen: Die Hüte und die Mützen!«

»Wie anders alles ist. Man stelle sich das in Indien vor!«, flüsterte Pikay. »Die Leute würden sich totlachen.«

»Jetzt hör zu«, ermahnte ihn Lotta.

»Der König und die Königin waren sehr verärgert über die Adelsmänner, die so viel bestimmen wollten und sogar die Erziehung ihres Sohnes, der Gustav hieß, an sich zu reißen versuchten. Die Hüte-Partei, die von adligen Staatsdienern und Kriegern gelenkt wurde, hatte entschieden, dass sie und niemand sonst – und auf keinen Fall die Eltern – den Prinzen erziehen sollten. Auf diese Weise würde der Prinz zu einem ebenbürtigen und gerechten Herrscher heranwachsen.

Die Königin war außer sich. Sie war der Meinung, es sei wahnsinnig zu glauben, man könne die göttliche Ordnung ändern. Also rief sie ihre Ratgeber zu sich, um mit ihnen zu beraten, wie man dem Wahnsinn ein Ende bereiten könnte. Ihr Plan war, mit einem Staatsstreich die von Gott gegebene Macht des Königs wiederherzustellen.«

»Eines Sommerabends«, fuhr Lotta fort, »es war das Jahr 1756 …«

Die gleiche Zeit, in der auch Robert Clive darum kämpfte, Herrschaft über Indien zu erlangen. Welch ein Zufall, dachte Pikay.

»Habe ich dir schon von Robert Clive erzählt?«, unterbrach er sie. »Ich muss dir unbedingt seine Geschichte erzählen.«

»Später!«

»Morgen!«

»Eines Sommerabends im Jahre 1756 begann in Stockholm die Verschwörung. Doch die Zeit war noch nicht reif. Die Putschisten hatten nicht das Geld beisammen, das sie brauchten. Der richtige Zeitpunkt war noch nicht da. Dennoch hatte einer der engsten Berater der Königin im Suff entschieden, den Putsch zu starten. Er suchte seine Verbündeten auf und befahl ihnen loszuschlagen. Daraufhin torkelte er die Treppen im Palast hinauf und teilte der Königin mit, dass es sehr bald losgehen würde.

Der Putschbefehl erreichte die Leibwache des Königs und der Königin und dort einen zweiundzwanzigjährigen Unteroffizier namens Daniel Schedvin.

Und wenn der den Befehl befolgt hätte, würde die Geschichte meiner Familie anders aussehen. Dann würden wir keinen Wald besitzen«, sagte Lotta.

»Du besitzt einen Wald?«

»Ich nicht, aber meine Familie.«

Sie erzählte weiter: »Anstatt seine Soldaten antreten zu lassen,

Munition zu verteilen und zu den Räumen der Hüte-Partei zu marschieren, um dort alle zu verhaften, ging Daniel zu seinem Chef und erzählte ihm, was im Gange war. Damit warnte er den Vorsitzenden der Adelsmänner, Schwedens Kriegerkaste«, erklärte Lotta.

»In Indien nennt man sie Kshatriyas«, ergänzte Pikay.

»Der Adel mobilisierte eine Streitmacht, die den Putschversuch schnell im Keim erstickte. König und Königin erhielten eine Strafpredigt vom obersten Kirchenmann. Mehrere Putschisten wurden hingerichtet. Und Daniel, mein Ahne, der alle gewarnt hatte, wurde mit einer großen Summe Geld belohnt, für das er Wald und Boden kaufte. Außerdem zwangen die Adelsvertreter den König, Daniel zu adeln.«

»Jemanden zu adeln, das bedeutet, dass man die Kaste wechselt und nach oben aufsteigt«, erklärte Lotta einem immer erstaunteren Pikay.

»Daniel wurde der Besitzer eines großen schwedischen Dschungels, und seine Verwandten bekamen ein Wappenschild, das golden und blau geschmückt war und zwei gekreuzte Schwerter mit goldenen Griffen trug, dazu einen grünen Lorbeerkranz mit silbernem Band und den Spruch *Ob cives servatus*.«

»Was heißt das?«, fragte er.

»Das ist Latein, aber ich habe leider vergessen, was es heißt«, antwortete sie.

»Das heißt, du stammst aus einer hohen und vornehmen Kaste?«

»Ja, deshalb heiße ich von Schedvin, aber ich mag das nicht, ich bin doch nicht vornehmer als andere.«

»Lotta«, sagte Pikay, »du gehörst zu einer hohen Kaste, während ich aus dem Bodensatz der niedrigsten Kaste stamme.«

Er musste an Punis Vater denken, der ihn beschimpft hatte, und an all die unmöglichen Liebesgeschichten zwischen Angehörigen hoher und niedriger Kasten in Indien, die mit Ehrenmorden geendet hatten.

Wie soll unsere Geschichte enden?, dachte er und küsste sie auf die Stirn.

»Ja, aber das sind doch alles nur alte Vorurteile«, sagte Lotta. »Das bedeutet mir gar nichts.«

»Du hast einen Wald. Das ist mein Schicksal. Wäre das alles deiner Familie nicht geschehen, würdest du heute nicht in die Prophezeiung passen.«

»Das ist wahr.«

»Siehst du, Lotta, alles hat einen Sinn.«

*Dann nahm Lotta* eines Tages den Zug nach Amritsar, um wieder zu ihren Freunden und dem VW-Bulli zu kommen. Sie würden auf dem Weg nach Hause fahren, auf dem sie nach Indien gekommen waren. Über die Bergrücken des Hindukusch, durch die Wüsten des Iran und die Berge hoch am Schwarzen Meer. Sie musste an die Reise denken, die sie nur wenige Monate zuvor unternommen hatten. In den Alpen hatten sie einen Schutzengel gehabt, der verhindert hatte, dass der Bus als brennender Blechhaufen auf dem Grund einer Schlucht endete. In der Türkei hatte sich die Straße durch die Berge gewunden, und sie waren sich sicher gewesen, dass die Welt nirgends schöner wäre. Im Verkehrschaos in Teheran hatten sie fast einen Unfall gehabt. In Afghanistan waren sie stundenlang gefahren, ohne einen einzigen Menschen zu sehen, nur Buden am Straßenrand mit verstaubten Coca-Cola-Schildern, in denen es aber nichts zu kaufen gab.

Drei Wochen nach der Abreise aus Schweden waren sie über die Grenze zwischen Pakistan und Indien gefahren. Nach einem Umweg über das Taj Mahal rollten sie spät am Abend nach Delhi hinein, wo sie mit einer Mauer kollidierten und die Stoßstange demolierten. Aufgrund der Verhängung des Ausnahmezustands war es stockdunkel und viel leerer auf den Straßen als sonst, doch davon hatten sie nichts gewusst. Lotta hatte keine Angst vor der Heimreise, sie fühlte sich geläutert und erfahren. Jetzt würde sie den Weg zwischen Indien und Schweden ohne Karte finden. Die

Reise verlief zügig und ohne weitere Zwischenfälle, außer dass sie in den Bergen hinter Trabzon auf eisbedeckten Pfützen ins Schleudern gerieten und auf einen Abhang zurutschten. Doch wieder war ein Schutzengel zur Stelle, denn sie kamen gerade noch rechtzeitig zum Stehen, während jeder einzelne Muskel in ihren Körpern vor Adrenalin zitterte.

Alles hatte einen Sinn, und Lottas Schicksal war es, anzukommen.

Als sie im Frühjahr 1976 zu Hause in Borås ankam, erzählte sie ihrer Mutter und ihrem Vater, wie verliebt sie sei. Dass Pikay der Richtige sei und dass sie ihn heiraten wolle. Deshalb müsse sie schon im Herbst wieder zurück nach Asien reisen. Doch ihre Mutter riet ihr ab.

»Pikay hat seine Kunstschule noch nicht beendet, und du hast keine Ausbildung«, sagte sie nüchtern. »Bleib zu Hause und mach eine Ausbildung. Haltet den Kontakt, schreibt Briefe und lernt einander auf Entfernung kennen.«

Das klang trist, doch je mehr die Reiseerinnerungen verblassten und die Gerüche von Indien sich aus den Kleidern verflüchtigten, desto klarer wurde ihr, dass ihre Mutter vielleicht doch recht hatte. In ihrer Brust kämpften zwei Seelen. Wenn sie jetzt zurückkehrte, würde sie mit Sicherheit in Indien bleiben. Das war einfach so, und ganz gleich, wo in der Welt sie leben würde, musste sie doch einen Boden haben, auf dem sie stehen konnte.

Pikay hatte versprochen, sobald er könne nach Schweden zu kommen. Doch Wochen und Monate vergingen. Ihr gemeinsam bestimmter Wiedervereinigungsmonat, der August, verging, ohne dass Pikay aufgetaucht wäre. Stattdessen kam im September ein Brief aus Neu-Delhi. Er schrieb, dass er nach Schweden komme, dass es aber dauern würde und er nicht wisse, wann er losfahren und wie er reisen sollte.

Lotta erwog, trotzdem nach Indien zu reisen. Doch sie arbeitete mittlerweile in einer Kindertagesstätte, verdiente nur wenig und konnte nichts zurücklegen. Und sie wollte kein Geld von ihren Eltern leihen.

Im Nachhinein wurde ihr klar, dass ihre Mutter schreckliche Angst hatte, dass sie heiraten könnte, ehe sie einen Beruf erlernt hatte. Sie war der Meinung, dass Frauen nicht mehr so wie früher einfach nur Mütter und Hausfrauen sein konnten. Lottas Mutter hatte in ihrer Jugend nicht die Chance ergriffen, einen Beruf zu erlernen, und diesen Fehler sollten ihre Töchter nicht machen.

Neue Träume nahmen Gestalt an. Lotta hatte ihre ganze Kindheit und Jugend über Klavier gespielt und gesungen. Nun bewarb sie sich um ein Praktikum an der örtlichen Musikschule und gleichzeitig am musikpädagogischen Institut in Stockholm.

Sie bekam das Praktikum und die Zulassung in Stockholm.

Indien musste warten.

*Pikay kehrte zum* Alltag in der Schule zurück, er malte im Atelier und zeichnete, um seinen Lebensunterhalt zu verdienen, am Springbrunnen Porträts. Aber die Gesellschaft hatte sich verändert. Neu-Delhi war von den neuen, harten Ausnahmegesetzen wie paralysiert. Es gab Pressezensur, Slum-Sanierungen, Sterilisierungskampagnen, Demonstrationsverbote und politische Versammlungen.

Entlang der Boulevards von Neu-Delhi sah Pikay, wie Bulldozer die Slumhütten abrissen und Polizisten die Volksmassen auseinandertrieben. Die beschauliche, politisch verschlafene Stadt hatte ihr Antlitz verändert und kochte jetzt vor Polizeischikane und Aufruhr.

Dennoch war er niemals der Ansicht, dass Indira Gandhi zu weit gegangen wäre. Wenn man das korrupte, ungerechte Indien verändern wollte, dann musste man mit eiserner Faust regieren, fand er. Schließlich konnte man die Brahmanen nicht freundlich darum bitten, mit der Diskriminierung der Daliten aufzuhören, oder die Arbeitgeber mit netten Worten auffordern, ihnen Jobs zu geben. Man konnte nicht damit rechnen, dass Menschen ihre ererbten oder erworbenen Rechte freiwillig abgaben und plötzlich, völlig ohne Druck, anfingen, zu Wohltätern zu werden. Politik war ein Gegengift gegen den Egoismus, das hatte er dann doch gelernt.

Mr Haksar, Indiras Privatsekretär, hatte vor über einem Jahr versprochen, Pikay eine Wohnung zu besorgen. Im Frühjahr 1976, während Pikay ununterbrochen an Lotta dachte, die in ihrem VW-Bulli zurück nach Europa fuhr, nahm Haksar wieder Kontakt zu ihm auf.

»Jetzt ist es so weit«, sagte er. »Sie können einziehen.«

»Wo?«

»Auf der South Avenue.«

Mein Gott! South Avenue, die Straße der Parlamentarier. Das Bungalow-Viertel der politischen Elite.

»Da soll ich wohnen?«

»Natürlich«, erwiderte Haksar. »Eine der Wohnungen im Haus Nummer 78 gehört Ihnen.«

Pikay packte seine Habe zusammen. Da er die Staffelei und die Leinwände am Springbrunnen verwahrte, passte alles in eine Tasche. So spazierte er zu seinem neuen Zuhause.

Die Wohnung bestand aus einem großen Wohnraum mit teuren Möbeln, einem separaten Schlafzimmer, Balkon mit Blick auf einen Garten, Küche, Esszimmer und zwei Badezimmern. Wenn er Hunger hatte, konnte er den Telefonhörer abheben und Essen aus dem Restaurant nebenan bestellen. Wenn die Kleider schmutzig waren, musste er sie nicht selbst waschen, sondern konnte sie einfach dem Wäscher mitgeben, der jeden Tag kam und die Schmutzwäsche einsammelte.

Vor einem Jahr hatte er unter Brücken geschlafen und sich an Müllfeuern gewärmt. Jetzt wohnte er in einem Bungalow in derselben Straße wie die Premierministerin, und er hatte jeden Wohlstand, den man sich wünschen konnte. Seine Erfolge der letzten Zeit, so meinte er, waren eingetroffen, weil er sein schlechtes Karma verbraucht hatte. Er hatte lange Zeit so viel gelitten und gekämpft, dass er jetzt eine ausreichende Menge gutes Karma angesammelt hatte.

Von nun an, so hoffte er, würde das gute Karma überwiegen und sein Leben lenken.

Für ihn war Indira Gandhi wie eine Mutter für die Unberührbaren, ja, für alle Unterdrückten Indiens. Man durfte schließlich nicht vergessen, dass eine Mutter manchmal auch streng und zurechtweisend sein musste.

Sie ist unsere Wohltäterin, dachte er. Was wären Indiens Unberührbare ohne ihre Politik wert? Nichts! Was wäre er selbst ohne ihr Wohlwollen wert? So wenig wie ein Stück Dreck auf der Straße!

Allen, die es hören wollten, erzählte Pikay von seiner Liebe, und alle wurden von der Intensität seiner Sehnsucht mitgerissen. So erhielt Lotta nicht nur einen breiten Strom von Briefen von Pikay, sondern es schrieben auch viele andere Reisende, die ihn im Indian Coffee House getroffen hatten, an sie.

Es war, als würden inzwischen alle, die durch Asien reisten, ihre Liebesgeschichte kennen.

Kate aus Edinburgh schrieb:

»Ich bin gerade aus Indien zurückgekehrt. Dort habe ich deinen Freund P.K. getroffen. Er ist ein sehr netter und ehrlicher Junge, der viel an dich denkt. Er hat ganz viel von dir gesprochen und gesagt, dass er hofft, du würdest ihn nicht vergessen. Ich will mich ja nicht weiter einmischen, aber schreib doch an ihn und sag ihm, wie es um dich steht.«

Maria aus Bohus-Björkö schrieb:

»Ende Januar war ich auch in Delhi, während eines kurzen Indien-Trips, den ich zusammen mit einem Freund aus Lahore unternommen habe. Jemand hatte uns gesagt, wir sollten P.K. aufsuchen, und das taten wir. Wir haben uns ein paarmal getroffen, und es war supernett. P.K. hat uns ein Buch für dich mitgegeben. Es geht ihm gut, aber er hat große Sehnsucht nach dir.«

Beatrice aus Pontoise, die meinte, er hieße Pieket, schrieb:

»Ich bin vor drei Tagen aus Delhi zurückgekommen. Dort haben mein Mann und ich Pieket kennengelernt, der uns sehr geholfen hat. Pieket hat von dir erzählt, und wir haben das schöne Foto von euch beiden zusammen gesehen. Pieket hat mich gebeten, dir, sowie ich in Paris bin, einen Brief zu schreiben, und das tue ich gern, auch wenn mein Englisch schlecht ist. Ich hoffe, du verstehst trotzdem, was ich schreiben will. Pieket hat seit zwei Monaten nichts von dir gehört, und das macht ihm Sorgen. Er hofft, dass dir nichts zugestoßen ist, und das hoffen wir auch.«

Im Bungalow an der South Avenue 78 hatte Pikay alles, wovon er geträumt hatte, und doch war er nicht glücklich. Er wusste, warum. Er lag auf dem Bett und sah in den Garten hinaus und dachte daran, wie er und Lotta zusammen im Mughal Garden hinter dem Präsidentenpalast spazieren gegangen waren, und wie er ihr zwischen Rosen, Tulpen und Jasmin den Verlobungsring auf den Ringfinger gesteckt hatte.

*Mit seiner Kunst* wollte er das Leben für die Unberührbaren verändern. Seine Bilder sollten der politisch unbewussten Mittelklasse die Augen öffnen und ihr zeigen, wie viel Leid es gab. Vor der Parteizentrale der Kongresspartei in Neu-Delhi brachte Haksar ihn mit einem hochgewachsenen Mann zusammen, der seine Hand so fest drückte, dass er fast aufgeschrien hätte.

Der Mann war voller Wohlwollen und bot ihm an, mit ihm zusammen eine Zeitung »für die Unterdrückten« zu starten.

Pikay sagte sofort zu. Danach erst stellten sich die beiden einander vor.

»Ich bin Bhim Singh, und Sie sind also der berühmte Springbrunnenmaler?«

»Ja«, erwiderte Pikay kurz angebunden.

Er mochte es nicht, wie ein VIP behandelt zu werden.

»Und wer sind Sie, Mr Singh?«, fragte er zurück.

»Ich bin mit dem Motorrad durch hundertzwanzig Länder gereist, habe Europa, Amerika und Russland durchquert und die Wüste Sahara.«

»Das ist beeindruckend, Mr Singh! Aber warum sind Sie so weit gereist?«

»Ich habe es für den Weltfrieden getan und werde ein Buch über meine Erlebnisse schreiben.«

»Und jetzt?«

»Jetzt werde ich eine Zeitung gründen.«

Singh schien ein eigensinniger und hingebungsvoller Mensch zu sein, der sich nicht mit Bequemlichkeiten und der Jagd nach Reichtum zufriedengab. Pikay mochte ihn, und er mochte Pikay.

»Könnten Sie sich vorstellen, das Logo der Zeitschrift zu zeichnen?«, fragte Singh.

»Natürlich.«

»Und ein paar Artikel zu illustrieren?«

»Gern.«

Singh erzählte, dass er schon einen Namen für die Zeitschrift habe: *Voice of Millions* sollte sie heißen. Und dann ernannte er vom Fleck weg Pikay zum stellvertretenden Redakteur, während er selbst Chefredakteur sein würde. Das war die gesamte Redaktion, und die Arbeitsverteilung war schon klar: Singh würde schreiben, Pikay illustrieren.

Sie bekamen eine Ecke auf der Veranda der Parteizentrale zugeteilt. Eine kleine Schreibmaschine, ein kaputter Tisch und zwei wacklige Stühle waren ihre Ausrüstung.

Noch in derselben Woche begann die Zweimann-Redaktion mit der Arbeit. Jeden Tag saßen sie auf der Veranda und arbeiteten an Artikeln über Hunger und Unterdrückung.

»Wir sind die Stimme der Massen«, pflegte Singh zu sagen, um sich aufzuputschen, wenn ihn die Müdigkeit überfiel und die Arbeit nur schwerfällig vorwärtsging.

Pikay zeichnete ein Logo, in dem die Buchstaben in von vielen kleinen Gesichtern mit weit aufgerissenen Mündern ausgefüllt waren, die nach Essen schrien. So war deutlich zu sehen, dass dies die Zeitung der hungernden Massen war. Thema der Zeitung war der Kampf gegen Armut und das Kastensystem, und dann kämpfte Bhim Singh noch für eine weitere Sache, nämlich für die Selbstständigkeit Kaschmirs von Indien. Doch darüber wusste Pikay nicht viel, deshalb mischte er sich da gar nicht ein.

Als die erste Nummer gedruckt war, bekam Pikay ein Bündel Exemplare, die er auf den Straßen um den Connaught Place verkaufen sollte. Er empfand Stolz, als er mit dem Stapel Zeitungen unterwegs war, an deren Entstehung er beteiligt war.

Er drehte einige Runden um das Rondell, ging dann in die Seitenstraßen, durch den Park und zwischen den Tischen des Indian Coffee House hindurch. Er ging zum Bahnhof und in den Paharganj-Basar und dann wieder zurück zum Rondell.

»Kauft die *Voice of Millions*, die Zeitung für die Unterdrückten und Diskriminierten!«, rief er unzählige Male.

»Die Zeitung, die Indien verändern wird«, fügte er noch hinzu, wenn niemand anbiss.

Nach zwei Tagen gab er auf.

Es war ihm nicht gelungen, mehr als eine Handvoll Exemplare zu verkaufen. Die restlichen Zeitungen legte er in einem Stapel auf den Bürgersteig und sagte zu den Leuten, die vorübergingen:

»Nehmt ein Exemplar der Zeitung für die Armen! Nehmt nur! Sie ist kostenlos!«

Dann ging er zu Bhim Singh auf die Veranda und berichtete, dass er aufgeben würde.

»Indien ist nicht reif für die Veränderung«, sagte Pikay.

Singh bedauerte seinen Entschluss, sagte aber, er selbst werde weitermachen, bis zu dem Tag, an dem Kaschmir frei sei.

»Viel Glück mit Kaschmir und mit der Ausrottung des Hungers«, wünschte Pikay und verlegte seine Aufmerksamkeit wieder auf das Porträtzeichnen am Springbrunnen.

Das war wenigstens gefragt und geschätzt.

*Wenn Schweden zu* Pikay an den Springbrunnen kamen, sprach er immer besonders lange mit ihnen. Und wenn er im Indian Coffee House eine schwedische Stimme vernahm, dann stellte er sich vor und lud zu einem Tee ein, um einen Grund zu haben, sich dazuzusetzen. Sogar sein Reklameschild am Springbrunnen änderte er, da stand jetzt: ZEHN MINUTEN, ZEHN RUPIEN – FÜR SCHWEDEN GRATIS.

Er wollte so viel wie möglich mit Schweden sprechen. Ihre Stimmen und ihre Erzählungen erinnerten ihn an Lotta. Diese Erinnerungen und das damit einhergehende Gefühl wollte er lebendig erhalten, er weigerte sich, Lotta in seinem Innern verblassen zu lassen.

Und so lernte er Lars kennen.

Lars zeigte seinen schwedischen Pass, und Pikay zeichnete ihn schnell, ohne Geld dafür zu verlangen. Lars war Journalist und wie alle anderen auch auf dem Landweg von Europa nach Indien gekommen. Doch er besaß kein eigenes Auto, sondern war den ganzen Weg mit dem Bus und per Anhalter gefahren.

Stundenlang saßen sie zusammen im Café und betrachteten die Asienkarte, die Lars ausgebreitet hatte. Er ließ seinen Kugelschreiber entlang der Straßen wandern, die mit dünnen roten Strichen eingezeichnet waren, und sagte die Namen der Städte auf: Kabul, Kandahar, Herat, Maschad, Teheran, Täbris, Ankara, Istanbul.

»Diese Reise schaffst du locker in zwei Wochen. Dann bist du in Europa, und da kommst du in einer Woche per Anhalter durch. Maximal eine Woche.«

Ja, vielleicht könnte ich per Anhalter nach Schweden fahren, dachte Pikay.

Wenn Lars das geschafft hatte, würde er es doch auch schaffen. Der Gedanke, dass sie nur drei Wochen entfernt war, machte ihm die Sehnsucht erträglicher. Bisher war Schweden für ihn auf einem anderen Planeten gewesen und unerreichbar für einen armen Inder wie ihn. Ein Flugticket kostete ein Vermögen, und er wagte nicht, Lotta zu schreiben und sie um Geld zu bitten. Und ein Auto besaß er nicht. Dass man in nur drei Wochen den ganzen Weg von Indien nach Schweden reisen konnte!

Lars lauschte hingerissen seiner Geschichte von dem Horoskop, der Prophezeiung und von Lotta und bat ihn jedes Mal, noch mehr Details zu erzählen.

»An mehr erinnere ich mich nicht«, sagte Pikay.

»Versuch, dich zu erinnern!«, rief Lars.

»Nein, mehr gibt es nicht.«

Lars fand sein Lebensschicksal fantastisch.

»Wie im Märchen«, schwärmte er.

Eines Tages erzählte Lars, dass ein schwedischer Regisseur nach Neu-Delhi gekommen sei, um auf einem Filmfestival seine Filme zu zeigen.

»Der könnte einen Film über dein Leben drehen«, sagte Lars, »Sjöman heißt er. Vilgot Sjöman.«

»Und ist er berühmt?«

»Ja, in Schweden schon. Und in Amerika.«

»So wie Raj Kapoor?«

»Nein, mehr wie Satyajit Ray. Ein seriöser Regisseur. Keine Gesangs- und Tanzeinlagen.«

»Was für Filme hat er gemacht?«

»Filme mit politischen Botschaften und nackten Menschen, das gab einen ziemlichen Aufstand.«

Er sagte Pikay, in welchem Hotel der Regisseur wohnte, und meinte, er sollte ihn doch aufsuchen und ihm die Geschichte erzählen. Doch Pikay war skeptisch. Filme mit nackten Menschen! Wenn der Ruf des Regisseurs in Schweden schon zweifelhaft war, dann gälte das für Indien erst recht. Inder hatten noch niemals einen nackten Menschen auf der Leinwand gesehen und schon gar keine Sexszenen. In indischen Filmen durften sich die Liebespaare nicht einmal küssen.

Sein eigener Ruf war ihm nicht so wichtig, aber er dachte an seine Familie, für die es nicht leicht wäre, wenn bekannt würde, dass er in einem Film von einem Nacktfilmregisseur mitspielte. Nein, Lars' Vorschlag lockte Pikay nicht.

Dennoch gelang es Lars, ihn mit auf das Filmfestival im Kongresszentrum zu nehmen. Im Gewimmel im Foyer entdeckte Lars plötzlich den schwedischen Regisseur, eilte zu ihm und klopfte ihm auf die Schulter. Und dann stellte er Pikay Vilgot Sjöman vor.

Der Schwede hatte eine nette Art, fand Pikay. Sjöman fragte ihn, was er vom Ausnahmezustand und von Indira Gandhi halte, und hörte sich aufmerksam die Antwort an. Aber seine eigene Geschichte, wie Lars es vorgeschlagen hatte, wollte Pikay nicht erzählen. Er wollte nicht, dass ein Sexfilmregisseur einen Film über sein Leben drehte. So freisinnig war er nicht.

Also sagte er so höflich er konnte »Auf Wiedersehen« und setzte mit einem enttäuschten Lars im Schlepptau seinen Weg durch die Menschenmassen fort.

*Er war überzeugt* davon, dass Lotta bald zurückkommen würde. Das hatten sie schließlich ausgemacht. In einem halben Jahr, im August, werden wir wieder zusammen sein, hatte sie gesagt. Entweder würde sie nach Indien kommen oder er nach Schweden.

Im Juni 1976 schloss er das Delhi College of Art ab und begann, Lottas Rückkehr vorzubereiten. Sie kann mit mir auf der South Avenue wohnen, dachte er. Mit der Anschrift konnte nun wirklich keine Ehefrau unzufrieden sein. In einer derart stattlichen Wohnung würde keine Träne je den Boden berühren.

Aber er brauchte auch eine Arbeit. Schließlich konnte er nicht sein ganzes Leben lang am Springbrunnen sitzen und Leute porträtieren.

Auf Vermittlung der Kunstschule bewarb er sich bei der Postbehörde, die Illustratoren für die Briefmarkengestaltung suchte. Dort gefielen seine Arbeitsproben, und man bot ihm eine sechsmonatige interne Ausbildung in Pune an, einer Stadt, die ihm als kosmopolitisch und »der Traum aller karrierelustigen Inder« beschrieben worden war. Danach würde er anfangen können zu arbeiten.

Er hatte eine Wohnung. Er hatte im Grunde genommen schon eine feste Arbeit. Lotta würde stolz auf ihn sein. Außerdem arbeitete die Post mit der britischen Postbehörde zusammen, und der Mann, der das Bewerbungsgespräch mit ihm führte, deutete an, dass es, wenn er sich als tüchtig, loyal und fleißig erwiese, vielleicht irgendwann die Möglichkeit für ihn gäbe, in London zu arbeiten. Der Gedanke daran, in der Hauptstadt des ehemaligen Imperiums wohnen zu dürfen, machte ihn schwindelig vor Glück. Wenn er und Lotta zusammen in London wohnen könnten!

Doch Lotta kam nach dem Sommer nicht zurück, und er hatte weder Zeit noch Geld, um nach Europa zu reisen. Sein Erspartes war zu gering, und außerdem wartete er immer noch darauf, seine Ausbildung als Briefmarkenillustrator beginnen zu können.

Die Enttäuschung war groß, als die Postbehörde den ganzen Herbst über nichts von sich hören ließ. Gleichzeitig wuchs in ihm der Entschluss und die Überzeugung, dass Lotta und er wieder vereint sein müssten. Die Liebe musste blühen, und das nicht nur in schön formulierten Briefen, sonst würde er Lotta verlieren.

Also besorgte er sich einen neuen Pass und einen internationalen Jugendherbergsausweis. Und jeden Tag auf dem Weg zum Springbrunnen sah er sehnsüchtig zu der neuen, riesigen Reklame für British Airways, die am Connaught Place prangte. Die versprach ein anderes Leben an einem anderen Ort der Welt.

Die Wochen vergingen, und am Ende kam er vor lauter Sehnsucht nach Lotta völlig aus dem Tritt. Es fiel ihm schwer, sich zu konzentrieren, er zeichnete schlechter und ließ sich auch nicht mehr bei seinen Freunden blicken.

Als er eines Tages das Reisebüro betrat, sah ihn das Fräulein hinter dem Tresen misstrauisch an, wie er da stand in seinem verwaschenen T-Shirt und den abgenutzten Jeans. Er fragte, was ein Flugticket koste, und sie fragte, warum er das wissen wolle, denn er könne es sich ja wahrscheinlich sowieso nicht leisten.

»Sagen Sie doch einfach, was es kostet!«, forderte Pikay.

»Fast vierzigtausend Rupien. So viel Geld haben Sie ja wohl nicht, oder?«, antwortete die Frau.

Nein, so viel Geld hatte er nicht. Zwar hatte er nach den Porträtzeichnungen im Sommer einiges gespart und nun viertausend

Rupien auf der Bank. Aber was half das schon? Er würde mehrere Jahre sparen müssen, um ein einziges Flugticket kaufen zu
können.

Stimmte die Prophezeiung, dass er eine ausländische Frau heiraten würde, vielleicht doch nicht?

NEU-DELHI – PANIPAT –
KURUKSHETRA – LUDHIANA – AMRITSAR

Als Pikay am Nachmittag des ersten Tages seiner langen Reise
gen Westen nach Kurukshetra kommt, sitzt er seit Sonnenaufgang auf dem Fahrrad. Nun hat er das Gefühl, für heute genug
Staub eingeatmet zu haben, und steigt von seinem Damenfahrrad
der Marke Raleigh ab, das er gebraucht für sechzig Rupien in Delhi gekauft hat. Das Herrenmodell hätte doppelt so viel gekostet.

Sechzig Rupien sind ein angemessener Preis für ein Fortbewe-
gungsmittel für Leute wie mich, die sich keine teuren Flugtickets
leisten können, denkt er.

Trotz seiner Zweifel hat er sich doch aufgemacht, um zu erfüllen, was die Astrologen vorhergesehen haben. Sein Gepäck: ein
Schlafsack, eine hellblaue Windjacke, ein paar zusätzliche Hosen,
die er von einem belgischen Briefträger, den er in Neu-Delhi kennengelernt hat, geschenkt bekommen hat, und ein blaues Hemd,
das Lotta genäht und ihm geschickt hat. Auf der Hemdbrust hat
sie seine Initialen, PK, eingestickt und die Buchstaben so geformt,
dass sie aussehen wie eine Staffelei.

Er fährt sich mit den Fingern durch das staubige Haar, das so
struppig ist wie die Borsten eines Besens, hockt sich in den langen
Nachmittagsschatten der Akazien am Rande des kleinen Dorfes
und schaut über die Felder. Er weiß, dass die Sonne im Westen

untergeht, deshalb radelt er in diese Richtung, oder besser gesagt nach Nordwesten, doch hat er keine Ahnung, wie weit es bis zu seinem Ziel ist. Er weiß nichts über Entfernungen, hat keinerlei Wissen von Geografie. Zwar hat er schon viel über die Welt jenseits von Indien gehört, doch wenn ihn jemand bitten sollte, auf einer Weltkarte alle Orts- und Ländernamen zu zeigen, die er aufsagen kann, dann wäre das Ergebnis sehr verwirrend.

Umso besser kennt er sich mit dem Himmel und den Göttern aus. Die Geschichten von der Entstehung der Welt und ihrem Untergang und von den Ereignissen, die sich in der Morgendämmerung der Geschichte abspielten. Er muss an die Sagen aus dem Mahabharata denken, einem Buch, das alle indischen Kinder in der Schule lesen, und erinnert sich, dass genau in Kurukshetra, wo er jetzt gerade sein Fahrrad an einen Baum gelehnt hat und sich ausruht, vor Tausenden von Jahren die große Schlacht zwischen zwei verwandten Familien stattfand. Ein gewaltsamer und bitterer Verwandtschaftsstreit darum, wer das Königreich beherrschen sollte. Sein Lehrer in der Grundschule pflegte immer laut aus der Mahabharata vorzulesen. Pikay liebte die Erzählungen aus dem Buch, und sie sind seither ein Teil von ihm. In dem Punkt ist er nicht anders als andere Inder.

Er sieht über das Feld, auf dem Speere geschleudert, Schwerter geschwungen, Blut vergossen und die Götter um guten Rat angerufen wurden. Das Mahabharata handelt vom gerechten Krieg. Er muss an die Szene denken, als Prinz Arjuna, einer der Krieger, seinen Gott Krishna um Rat bittet. Der Gott erklärt mit vielen Worten, und zwar mit so vielen Worten, dass die Erklärung selbst als eigenständiges Epos gerechnet wird, dass Arjuna zurückkehren und weiterkämpfen soll, weil er schließlich ein Krieger sei, und ein Krieger müsse kämpfen.

Pikay findet, dass dieser Rat zu großem Elend auf der Welt geführt hat. Hätte Arjuna stattdessen auf Buddha oder den Jain-Propheten Mahavira gehört, dann würde die Welt anders aussehen.

Auf Hindi heißt die Straße »Uttarapatha«, was »Nördlicher Weg« bedeutet. Auf Urdu, einer anderen Sprache Indiens, heißt sie »Shah Rah-e-Azam«, »Großer Weg«. Könige, Bauern und Bettler, Griechen, Perser und Türken aus Zentralasien sind in den letzten tausend Jahren darauf zwischen Afghanistan im Westen und dem Delta des Ganges und des Brahmaputra im Osten gefahren.

Gewiss, die Straße ist alt und trägt beeindruckende und schicksalsträchtige Namen, doch davon merkt man nichts mehr. Wenn man ein Stückchen darauf fährt, merkt man schnell, dass sie ebenso schmal und holprig ist wie alle anderen indischen Straßen auch. Wenn zwei Lastwagen sich begegnen, dann müssen die Fahrer sich gut konzentrieren und mit den äußeren Rädern auf dem Asphaltrand fahren. Manchmal rutschen die schnaubenden Monster aus verbeultem Blech auch auf die Standspur und wirbeln dann Wolken aus Sand und Kies auf, die sich wie eine knisternde Haut auf alle legen, die auf der Straße unterwegs sind – zumindest auf alle, die laufen, Saatgut ausbringen, Ochsenkarren lenken und … Rad fahren.

Kurukshetra ist nur eines der vielen öden Dörfer entlang der Straße mit ein paar Kneipen am Straßenrand hinter parkenden Lastwagen, die so überladen sind, dass sie aussehen, als könnte man sie mit einem Finger umwerfen. In den rotsandigen Standspuren vor den Lokalen stehen wacklige Holzliegen mit Hanfgeflecht, auf denen die Lastwagenfahrer sitzen und von silbrigen Blechtellern ihr Abendessen einnehmen.

Er hält Ausschau nach etwas, das von den bekannten Geschichten zeugt. Doch nichts von dem, was er sieht, unterscheidet dieses Feld von anderen Feldern. Es sind dieselben einförmigen Reis- und Weizenäcker, die die Grand Trunk Road den ganzen Weg von Neu-Delhi bis hierher gesäumt haben.

Indien ist jetzt seit dreißig Jahren selbstständig, die Premierministerin will den indischen Sozialismus einführen und sagt, dass die Menschen nicht länger mit Aberglauben und Mythen hinters Licht geführt werden können. Da ist es doch klar, dass die Sagen keine Spuren hinterlassen haben, die man mit bloßem Auge erkennen kann. Wie konnte er nur so dumm sein, so etwas zu erwarten?

In den Hosensaum hat er achtzig amerikanische Dollar eingenäht und in der Tasche trägt er hundert indische Rupien. Er wird sparsam sein müssen, denn das soll bis Kabul reichen. Am besten noch weiter. Wer weiß, mit etwas Glück kommt er vielleicht damit aus, bis er in Europa ist. Schließlich gibt es viele Leute, die ihm während der Reise helfen können. Sein Adressbuch ist voller Namen von Abenteurern, Vagabunden und Hippies. Freunden. Aus all den Geschichten, die er gehört hat, hat er gelernt, dass es eine besondere Art von Gemeinschaft gibt, die die Reisenden auf der Straße, die auch »The Hippie Trail« genannt wird, zusammenschweißt. Jeder hilft jedem, sagt man. Jeder teilt mit dem anderen, was er besitzt. Der Gedanke, dass alle Reisenden eine große Familie sind, beruhigt ihn, auch wenn sein Magen nervös ist. Aber das muss er auch sein. Er will, dass die Reise ein Kampf ist und die Ankunft ein Sieg. Er will, dass sein Magen knurrt. Und alles wird sich für ihn fügen.

Er weiß, dass er Geduld braucht und auch mit seinen Kräften haushalten muss. Natürlich wäre er am liebsten schon morgen da. Aber es wird lange dauern, bis er sein Ziel erreicht. Wenn er es überhaupt dorthin schafft.

Als er da sitzt und über die Felder schaut, muss er an seinen Vater denken, der immer wollte, dass er Ingenieur würde. Pikay sollte dabei helfen, Indien in Nehrus Geist aufzubauen. Eine Erinnerung wirbelt hoch: Nehru und seine Tochter Indira landen mit dem Helikopter, um den Bau eines neuen Staudammes am Mahanadi-Fluss einzuweihen. Der Helikopter, der oben am Himmel nur ein kleiner Punkt war, sah plötzlich so riesig aus, als er am Boden neben den Wasserbüffeln und den buckligen Kühen stand. Er erinnert sich, dass es ihn erstaunte, wie etwas, was erst so klein aussah, so groß sein konnte.

Das musste 1964 gewesen, damals ging er in die siebte Klasse und fand das Leben sehr schwierig.

Tausende von Menschen hatten sich am Flussufer versammelt, um einen Blick auf den Premierminister zu erhaschen. Er erinnert sich, dass Nehru sich ans Herz griff und gequält aussah. Einige Wochen später las er in der Zeitung, dass der Premierminister gestorben war. Die Leute im Dorf sagten, das sei nicht verwunderlich, denn er habe schließlich den Fluch der Dorfgöttin Binkej Devi auf sich gezogen. Den Fluss aufzustauen war ein gravierender Eingriff in die heilige Natur und weckte den Zorn der Göttin. Nehru hatte seine Strafe erhalten.

Pikay glaubte nicht an das Gerede. Er war vierzehn Jahre alt und hatte aufgehört, alles zu glauben, was die Älteren behaupteten. Leute starben auch, weil sie Krankheiten bekamen, das konnte man in der Schule lernen.

Aber wenn die Welt auch nicht von Göttern und Dämonen beherrscht wurde, dann musste das nicht bedeuten, dass es an einem kosmischen Plan mangelte. Die Wirkung der Sterne auf unser Leben kann nicht überschätzt werden, dachte er.

Nehru hatte auch einen Plan gehabt, und zwar einen nationalen und keinen kosmischen. Nach diesem Plan sollte die Nation mit voller Kraft nach materiellem Wohlstand und technischem Fortschritt streben. Die Armut sollte ausgerottet werden, indem Aberglauben und Götter durch rationales Denken und Wissenschaft ersetzt wurden. Lieber Sozialismus und Wissenschaft als Religion und Aberglauben, lieber Marx und Einstein als Vishnu und Shiva. Die Moderne musste vor der Tradition stehen. Wenn man wählen musste, so meinte Nehru, sollte man das Alte wegwerfen und durch das Neue ersetzen.

Dies war auch die Meinung von Pikays Vater hinsichtlich der Ungerechtigkeiten in Indien. Auch er glaubte nicht an Aberglauben und Legenden. Er glaubte an die Vernunft. Da waren sie einer Meinung.

Dennoch war Pikay nicht der Sohn, den sein Vater sich gewünscht hätte. Pikay war zwar auch der Meinung, dass die alten Ungerechtigkeiten abgeschafft und durch etwas Neues und Gleichberechtigung ersetzt werden mussten. Und niemand hasste die von den Priestern geschaffene Tradition mehr als er, nur leider verstand er nichts von Mathematik und Naturwissenschaften. Er zeichnete lieber als Formeln zu berechnen.

In seinen letzten Schuljahren hatte er immer stärker empfunden, dass er nicht Papas folgsamer Junge sein konnte. Und jetzt war er auf dem Weg, all das sogar ganz zu verlassen.

In der ersten Nacht seiner großen Reise nach Westen schläft Pikay in seinem Schlafsack am Rand eines Reisfelds. Es ist Januar, und die nordindische Winternacht ist wie immer kühl und feucht. Er hört Hunde bellen und Lastwagen auf der schmalen, holperigen Straße mit dem großartigen Namen vorbeidonnern, er vernimmt den Geruch von Brackwasser und Dung und sieht in den Lichtkegeln der Straßenlaternen den dampfenden Atem vor den Gesichtern der Lastwagenfahrer. Er zittert, zieht den Reißverschluss des Schlafsacks bis zum Kinn hoch und schließt die Augen.

Er verdrängt das Zirpen der Grillen, die im Gras des Straßengrabens spielen, und denkt an Lotta. Sie weiß, dass er auf dem Weg ist. Er hat ihr geschrieben und von seinen Plänen berichtet. Sie hat geantwortet, dass sie besser als jeder andere wisse, was es bedeutet, auf dem Landweg von Indien nach Europa zu reisen.

»Es war schon ein Abenteuer, den ganzen Weg mit dem VW-Bus zu fahren, und es wird eine anstrengende Reise für dich werden«, hat sie geschrieben.

Er weint oft, wenn er auf Widerstände trifft, und wenn er sieht, wie andere, die so sind wie er, von denen, die Macht, Geld und Status besitzen, erniedrigt und unterdrückt werden. Es ist sein Charakter, dass er oft zwischen starken Gefühlen hin und her geworfen wird. In einem Moment empfindet er Glück und ein Lachen, das herauswill, nur um kurz darauf wieder von Tränen und Trauer erfüllt zu sein. Seine Freunde sind ausgeglichener und haben sich besser im Griff, und er beneidet sie darum. Er selbst kann seine Gefühle nicht so gut beherrschen.

Manchmal ist er auch wütend und zerstört in Gedanken diejenigen, die ihn erniedrigt haben. Doch diese Rachelust ist weniger geworden. Jetzt ist es hauptsächlich Trauer, die ihn überkommt.

Endlich ist er in Amritsar. In sein Tagebuch schreibt er: »Nun ist eine Woche vergangen, seit ich in Kurukshetra Rast gemacht habe, und nun haben mich mein Raleigh und die Grand Trunk Road in die heilige Stadt der Sikhs mit ihrem Goldenen Tempel gebracht. Doch leider habe ich den Eindruck, als sei das Abenteuer hier zu Ende. Ich werde mir die Goldkuppeln und den Nektarsee ansehen, ein kostenloses Abendessen im Speisesaal des Tempels für die Armen zu mir nehmen und dann zurück nach Neu-Delhi radeln. Aus der Traum.«

Wieder einmal hat sich das Glück in Unglück gewendet, und wieder einmal ist er verzweifelt. Pikay weint, weil alles so hoffnungslos ist. Er weiß nicht, wie er seine Reise fortsetzen soll. Gestern war er an der pakistanischen Grenze angekommen. Zunächst weigerten sich die pakistanischen Grenzpolizisten, ihn hereinzulassen. Hier sind Inder nicht willkommen, sagten sie, und zwar unter keinen Umständen. Sie schleuderten ihm seinen indischen Pass zurück und forderten ihn auf, umzukehren. Da holte er ein paar Zeichnungen heraus, die er gemacht hatte, und zeigte sie den Polizisten. Dann schlug er vor, sie zu porträtieren. Widerwillig gingen sie darauf ein, dass er Papier und ein Stück Kohle herausholte. Während er zeichnete, erzählte er von der Frau, die er liebt, und von dem Land, zu dem er unterwegs ist. Da wurden sie neugierig. Je mehr er zeichnete, desto entspannter wurden die Grenzbeamten.

Die Polizisten fanden seine Geschichte einfach fantastisch, das sah man ihnen an. Und als sie ihre grimmigen Gesichter in seinen Kohlestrichen auf dem Papier wiedererkannten, ja, da lächelten sie. Alle ihre Härte war wie weggeblasen – genau, wie er gehofft hatte. Das funktionierte meistens so. Porträtiert zu werden heißt, gesehen zu werden, im besten Fall wurde einem geschmeichelt, und das ließ die härtesten Menschen sanft werden.

»Okay, wir lassen dich mit dem Fahrrad durch unser Land fahren«, sagte einer der pakistanischen Polizisten.

»Dürfen wir das denn?«, fragte der andere Polizist auf Urdu, das Pikay leidlich verstand.

»Doch, doch, wieso denn nicht? Er ist doch eine friedliche Seele.«

Sie wandten sich Pikay zu, und derjenige, der wie der Chef aussah, sagte höflich:

»Sir, bitte sehr, fahren Sie weiter!«

Sie öffneten den Schlagbaum, und er radelte nach Pakistan hinein.

Eine halbe Stunde später lenkte er sein Fahrrad zu einem halb verfallenen Holzschuppen, vor dem einige geflochtene Sitzbänke und niedrige lackierte Holztische standen. Ein Mann mit kahlem Kopf und mürrischem Gesichtsausdruck saß neben einem Regal mit runden Süßigkeiten, die von einer Wolke von Fliegen und Wespen umschwärmt wurden.

Er bestellte Chicken Biryani, eine riesige Portion, die er gierig auf einem der Flechtsofas hockend in sich hineinschlang.

Nachdem er geräuschvoll gerülpst, die Hände gründlich gewaschen und seine Feldflasche gefüllt hatte, bestieg er das Rad, um weiterzufahren. Doch da bog ein Polizei-Jeep vor ihm ein.

»Passport, passport!«, rief einer der Polizisten, der, noch ehe der Wagen anhielt, aus dem Jeep gesprungen war.

Pikay nestelte seinen grünen indischen Pass heraus. Darauf prangte in Gold der Löwe von König Ashoka und in Devanagari-Buchstaben der Text »Bharat Ganarajya« und darunter »Republic of India« in lateinischen Buchstaben. Sie blätterten lange darin, drehten und wendeten ihn und schüttelten den Kopf.

Dann zeigten die Polizisten auf sein Fahrrad und auf ihren Jeep.

Pikay begriff, was sie meinten. Sie warfen das Fahrrad auf die Ladefläche, baten ihn, sich hinten ins Auto zu setzen, und brachten ihn zum Grenzübergang zurück.

In Indien musste er wieder die fünfunddreißig Kilometer zurück nach Amritsar radeln.

Wenn es einen schicksalsbestimmten Weg in die Zukunft gibt, dann ist er sehr erfindungsreich mit Fallgruben gesäumt, dachte Pikay. Es ist fast so, als hätte eine höhere Macht bestimmt, dass das Paradies nur durch sieben schwere irdische Plagen erreicht werden kann.

Er sitzt auf dem Bett in der Jugendherberge und sieht die Sonne über den Häuserdächern untergehen, hört, wie die Rufe vom Minarett das Krächzen der Krähen im Banyanbaum übertönen, und spürt, dass die Hoffnung wieder da ist. Ja, das Glück ist zurückgekehrt.

Am Morgen hatte er im Menschengewimmel des Guru-Basars ein bekanntes Gesicht entdeckt. Da war ja Mr Jain! Mr Jain arbeitete in Delhi beim Nachrichtendienst, und als sie sich vor ein paar Jahren kennenlernten, stellte sich heraus, dass Mr Jain mit seinem großen Bruder befreundet war. Man könnte fast sagen, dass er ein Freund der Familie ist, dachte Pikay. Und jetzt traf er ihn zufällig in Amritsar.

Während sich die wehmütigen Klänge vom Minarett ausbreiten und die Dunkelheit in den Schlafsaal der Jugendherberge dringt, fühlt er sich geehrt, weil er einen so gebildeten und hochstehenden Mann kennt.

Wenn er ihn einen Tag vorher getroffen hätte, hätte Mr Jain ihm einiges erklären können. Zum Beispiel, dass Pakistan unter den derzeitigen Umständen keine indischen Bürger ins Land lässt, dass langhaarige und Hasch rauchende Hippies aus Amerika und Europa in der islamischen Republik willkommen sind, dass aber für alle mit indischem Pass der Schlagbaum unten bleibt, ganz gleich, wie ordentlich man aussieht.

Pikay wusste zwar, dass man ein Visum für den Iran des Schahs braucht. Aber für Pakistan? Indien und Pakistan, das sind zwei Länder, die doch einst zusammengehörten und im Grunde die gleiche Kultur besitzen, das gleiche Essen, die gleiche Sprache, die gleichen Sitten. Warum gibt es da überhaupt eine Grenze? Doch er hätte das wissen müssen, und nun schämt er sich über seinen Mangel an Bildung. Die Zeitungen schreiben schließlich jeden Tag über die Meinungsverschiedenheiten zwischen Indien und Pakistan. Im Guru-Basar heute Morgen hatte Mr Jain plötzlich gesagt, dass er Pikay ein Flugticket kaufen wolle, mit dem er nach Kabul fliegen könne, ohne durch Pakistan radeln zu müssen.

»Ich lade dich ein«, hatte er gesagt und hinzugefügt, das sei schließlich das Mindeste, was er für ihn tun könne.

»Du bist ja nicht irgendwer. Ich habe von deinen Sachen in der Zeitung gelesen.«

Pikay verbeugte sich tief, drückte seine Hand, sank auf die Knie und berührte seine Füße. Seine glückliche Kobra, die Schlange, die ihn beschützte, seit er geboren war, hatte sich wieder zu erkennen gegeben.

In der Jugendherberge trifft er einen deutschen Hippie, dem er das Flugticket zeigt. Der Deutsche ist zusammen mit seiner Frau auf dem Rückweg nach Europa. Sie haben einen Mini-Bus, der mit Betten und einer kleinen Küche ausgestattet ist.

»Du, Picasso, wir nehmen dein Fahrrad auf dem Dach mit nach Kabul«, sagt er zu Pikay.

Sie geben ihm auch eine kleine Stofftasche, die er an einer Schnur um den Hals hängen kann.

»Da tust du deinen Pass rein«, erklärt der Deutsche.

Jetzt sieht Pikay fast so aus wie der Deutsche und die anderen Europäer, die er in den letzten Jahren getroffen hat. Wie ein Hippie-Reisender sieht er aus, einer im Club derer, die auf dem Hippie Trail unterwegs sind.

Die Motoren heulen, er wird in den Sitz gedrückt, es kitzelt im Bauch. In sein Tagebuch schreibt er: »Ich sehe vom Flugzeug auf die Erde hinunter und habe plötzlich das Gefühl, dass das, was ich sehe – die schneebedeckten Berge, die trockenen Ebenen, die grünen Felder – größer und wahrhaftiger ist als mein Leben. Wenn ich auf die Erde hinuntersehe, dann kommen mir die Alltagsprobleme lächerlich vor, die Möglichkeiten unendlich und das Leben groß wie das Firmament. Die Sorgen sind nur noch Punkte auf einer Karte.«

Durch das Fenster des Flugzeugs sieht er Städte, aber keine Menschen, Straßen, aber keine Autos.

»Die Höhe verwischt die Unterschied«, schreibt er. »Es ist das erste Mal, dass ich mit einer Flugmaschine reise. Ich reise weg, um nie zurückzukehren. Die Prophezeiung ist tatsächlich eingetroffen.«

AMRITSAR – KABUL (FAST) – AMRITSAR (WIEDER) – KABUL
(ENDLICH)

Als sie in Kabul zur Landung ansetzen, geht etwas schief. Das
Flugzeug gewinnt wieder an Höhe und kreist über dem Flugplatz. Pikay sieht nervös auf den braunen Boden und die schnurgeraden Straßen hinunter. Dann steigt das Flugzeug noch höher
und fliegt geradeaus. Die Vibrationen hören auf und werden
durch ein Brausen ersetzt, das ihm außerirdisch vorkommt. Es
gibt keine Lautsprecherdurchsage. Nach einer Stunde setzen sie
erneut zur Landung an.

Als er aufsieht, erkennt er, dass sie wieder zum Flughafen in
Amritsar zurückgekehrt sind. Keine Lautsprecherdurchsage erklärt, warum das so war, und er wagt nicht zu fragen. Vielleicht
war das Wetter in Kabul zu schlecht, oder vielleicht war da ein
Schlagloch in der Landebahn, das erst repariert werden muss.

Wie auch immer, das Ergebnis ist dasselbe wie nach seinem
Fahrradausflug nach Pakistan: Er ist wieder in Indien.

Sie werden auf Kosten der Fluggesellschaft in einem Luxushotel
einquartiert und bekommen mehrmals täglich Essen. Buffets.
Gutes Essen im Überfluss.

Pikay schreibt über alles, was geschehen ist, in seinem Tagebuch und erwägt, die Berichte nach und nach an die Zeitungen in

Orissa zu schicken. Bestimmt wollen die über meine Abenteuer berichten, denkt er zuversichtlich.

Diesmal scheint nicht alles hoffnungslos. Endlich versprechen die Angestellten von Air India, dass sie am nächsten Tag nach Kabul fliegen werden. Und sie halten Wort. Am nächsten Vormittag wird die abgebrochene Reise fortgesetzt, und schließlich landet Pikay einen Tag verspätet in Kabul.

Der Flughafenbus fährt ihn über menschenleere Boulevards, deren Bäume am Straßenrand keine Blätter haben, ins Zentrum. Hellgraue Berge gegen den Horizont, blauer Himmel. Er denkt: So wenig Verkehr, verglichen mit zu Hause in Indien. So wenig Gedränge. Und der Himmel so hoch und die Luft so klar und kühl.

Als er da sitzt und Kabul am Busfenster vorbeiziehen sieht, denkt er an Lotta. Vor einem Jahr standen sie zusammen auf dem Bahnhof in Delhi. Sie mussten sich trennen. Sie nahm den Zug nach Amritsar, um sich mit ihren Freunden zu der langen Rückreise mit dem VW-Bus nach Europa zu treffen. Er musste in Indien bleiben. Er erinnert sich an die Lautsprecherdurchsagen, die hallende Stimme, die rief: »Two nine zero four Golden Temple Mail bound for Amritsar is at platform number one«. Und er erinnert sich an den Bahnhofsvorsteher, der die Bahnsteigglocke läutete und in seine Trillerpfeife blies, und die Signale am Ende des Zuges, die von Rot auf Grün sprangen, und die Dampflok, die immer lauter prustete.

»Die Lok klingt wie ein Bombenangriff«, sagte Lotta, nachdem sie ihn ein letztes Mal geküsst hatte und in den Zug gestiegen war.

»Ja«, lachte Pikay noch, denn zu jenem Zeitpunkt hatte ihn die Trauer noch nicht völlig zu Boden gezogen.

Sie hing in der Türöffnung, als sich die Waggons in Bewegung setzten. Er flocht seine linke Hand in ihre rechte und drückte seine Wange an ihre und ging mit schnellen Schritten im

Takt des quietschend schneller werdenden Zuges. Wie sanft war doch ihre Hand, wie weich ihre Wange, dachte er und achtete nicht auf den Zaun, der das Ende des Bahnsteigs markierte. Die Abschiedsszene endete damit, dass er in den Zaun lief, die aus dem Gitter ragenden Metallstangen in die Brust bekam und hinfiel. Er sah auf. Der Zug war weg. Lotta war weg. Es fühlte sich an, als würde seine Zukunft mit ihr in die Ferne verschwinden.

Weinend ging er vom Bahnhof in die Basar-Straße Chandni Chowk, die tagsüber so voller Menschen war, aber jetzt kurz vor Mitternacht öde dalag. Er ging unter der Tilak Bridge hindurch, an Delhis altem, verfallenem Fort vorbei und an dem Tierpark entlang, durch den sie nur wenige Tage zuvor Hand in Hand spaziert waren. Er hatte ein paar Aquarelle von den Fort-Ruinen und den Tieren gemalt, während Lotta danebensaß und ihm zuschaute.

Ein Rudel Hunde, die nachts immer noch frecher waren, kam knurrend auf ihn zu. Sie bleckten die Zähne, begannen zu bellen und wurden immer lauter, je näher er kam. Doch Pikay hatte keine Angst, im Gegenteil: Er blieb stehen, baute sich breitbeinig vor den Hunden auf, holte tief Luft und bellte zurück.

»Fresst mich doch, ihr schäbigen Köter! Fresst mich nur auf! Es ist mir egal!«, brüllte er.

Die Hunde kamen näher, jetzt etwas zögerlicher und nur noch schwach knurrend, als würden sie über seine Worte nachdenken. Als sie an seinen Beinen waren, in die sie eben noch hatten beißen wollen, war ihr Knurren ganz verstummt, und sie wedelten mit den Schwänzen. Er machte seinen Proviantsack aus zusammengeknotetem Zeitungspapier auf und gab den Hunden etwas daraus. Während die Tiere gierig schlangen, setzte er sich auf den Boden. Er war mit seinen Kräften am Ende und schlief, vom Weinen und dem langen Marsch erschöpft, ein. Da ließen sich auch die Hunde nieder und legten ihre Köpfe auf seinen Körper.

In jener Nacht schlief Pikay zusammen mit fünf von Delhis

Straßenkötern auf dem Bürgersteig vor dem Zoo der Stadt. Er träumte von Wellen, die ihn überspülten, und von Sturmwinden, die Häuser aus dem Boden rissen.

Kurz vor Sonnenaufgang erwachte er, weil die Busse wieder fuhren und mit gellendem Lärm, quietschenden Stoßdämpfern und klappernden Karosserien dicht an ihm vorbeisausten. Er setzte sich auf und starrte mit leerem Blick in die Nacht. Ein kalter Wind hatte den letzten Rest der Wärme vom Vortag weggefegt. Frierend sah er sich um: Die Hunde, die ihn mit ihren Leibern gewärmt hatten, waren verschwunden.

Langsam ging er die letzten Kilometer nach Hause in das gemietete Zimmer in Lodi Colony, wo er damals noch wohnte, blieb dort lange in der Türöffnung stehen und betrachtete das Elend: ein durchgelegenes Bett, eine fleckige Kommode und ein Kalender mit Lakshmi, der Göttin des Glücks und des Wohlstands, der an einem Nagel an der von schwarzem Schimmel überzogenen Betonwand hing.

Während Lotta gen Westen reiste, wartete Pikay auf ein Lebenszeichen von ihr. Doch seine Briefe blieben unbeantwortet.

Verzweifelt schickte er ein Telegramm an ihre Heimatadresse.

»Dein langes Schweigen beunruhigt mich, bitte schreib mir, wenn du wieder zu Hause bist. PK.«

Aber Lotta war noch nicht zu Hause. Schließlich kam ein Brief an ihn aus Maku im Westen des Irans. Ja, der Brief war tatsächlich von Lotta und begann mit: »Mein geliebter Freund und Lebenskamerad«. Er las ihn schnell, ausgehungert nach ihren Worten. Der Brief handelte vom Zauber der Reise, der Schönheit der schneebedeckten Berge an der Grenze zwischen Iran und Türkei, der bleichen Sonne, der Stille in Maku, dem transparenten kalten Nebel und dem »Surren der Insekten, das wie ein Wiegenlied der Natur klingt«.

Am Ende des Briefes erklärte sie endlich, dass sie gern bei ihm wäre.

Aber warum ist sie dann weggefahren?, fragte er sich.

Lottas schöner, poetischer Brief hatte einen beunruhigenden Ton, der ihn noch trauriger machte. Ihre langen und begeisterten Beschreibungen von völlig fremden Orten schienen ihm Unglück zu verheißen.

Er geht von der Haltestelle des Flughafenbusses in Kabul an Männern in knöchellangen Hemden und Frauen mit Tüchern auf dem Kopf vorbei. Dann durch die Basare bis zu der Straße mit dem lustigen Namen Chicken Street, oder wie die Kabuler sagen, Kosheh Murgha, auf der er ein billiges Hotel zu finden hofft.

Alle, die auf der Durchreise sind, alle mit den langen Haaren und den Rucksäcken, die aussehen, als seien sie durch den Schmutz und den Staub aller Straßen der Erde gezogen worden, alle haben sich auf der Chicken Street versammelt. Neben dem Hotel, das er ausgesucht hat, liegt noch eines, und auch das hat ein Werbeschild auf Englisch und verspricht billige Unterkunft und guten Service. Und daneben liegt ein weiteres und daneben liegen Cafés und Esslokale mit Schildern auf Englisch. Und als er die Straße hinuntersieht, erkennt er nicht nur Afghanen in ihren traditionellen Kleidern, sondern ebenso viele weiße Menschen in engen Jeans und T-Shirts.

Pikay schreibt in sein Tagebuch, dass es ist, »als wären Zehntausende Hippies aus dem Westen auf dem Weg in die eine oder andere Richtung, entweder kommen sie aus Indien und sind auf dem Weg nach Europa, oder umgekehrt.« In den ersten Tagen in Kabul brummt es für ihn in den Lokalen an der Chicken Street nur so von den Empfehlungen zur Straße nach Kandahar, wo man am besten in Herat wohnen kann, welches Café in Maschid empfehlenswert ist, welche Schnäppchen man auf den Basaren in Istanbul machen kann und wie man das Verkehrschaos in Teheran bewältigt. Ein Franzose, mit dem er an einer Straßenecke Tee trinkt, erzählt ihm von seiner Reise.

»Der Hippie Trail«, sagt der Franzose entschieden, »ist kein einzelner Weg, sondern viele verschiedene, die ineinandergreifen.«

Er teilt das Zimmer mit vier Europäern. Es fühlt sich an, als würden sie zusammengehören. Alle helfen allen. Viele von ihnen kennt er schon aus Neu-Delhi.

»Hallo Pikay!«, rufen die Leute auf der Straße, in den Cafés, auf den Basaren.

Er umarmt sie, trinkt viele Tassen Tee mit ihnen, erzählt, was er erlebt hat und wohin er unterwegs ist, und hört sich ihre Geschichten an. Er fragt, ob sie auch Magenprobleme haben, und sie finden ihn mutig und wünschen ihm viel Glück auf seiner langen Fahrradreise.

Einige der europäischen Mädchen tragen Shorts. Die afghanischen Männer starren sie so an, dass sie nicht mehr sehen, wohin sie ihre Füße setzen und an den Straßenecken zusammenstoßen. Ein schwedisches Mädchen, das er mehrere Male bereits in Indien getroffen hat, läuft in einer dünnen Pluderhose und mit Glöckchen an den Fußgelenken herum. Die Männer auf der Straße geraten völlig aus dem Häuschen, wenn sie wie ein wandernder Tamburin vorbeigeht, sie lachen, verdrehen die Augen und murmeln Kommentare in ihrer unverständlichen Sprache.

Er will den Hosensaum nicht auftrennen und seine achtzig Dollar rausholen. Die will er als Reserve behalten. Deshalb geht er jetzt zum Blutspenden. Das wird gut bezahlt. Und dann setzt er sich ins Teehaus und zeichnet die Menschen. Das funktioniert immer. Die Leute werden neugierig, kommen zu ihm, stellen Fragen, sind begeistert, wenn sie sehen, was er zustande gebracht hat. Dann wollen sie, dass er sie auch zeichnet, und wenn er fertig ist, wollen sie das Ergebnis kaufen.

Ein Redakteur von der *Kabul Times* ist ganz begeistert und möchte auch die anderen Zeichnungen von Pikay sehen, die unter dem Café-Tisch an die Betonwand gelehnt stehen. Er zeigt ihm die Bilder, die afghanische Stammesfrauen mit schwerem Silberschmuck und Nasenringen zeigen und bärtige Beduinen, die auf

Kamelen reiten. Der Redakteur ist beeindruckt und sagt, er würde ihn gern interviewen.

»Sehr gern«, antwortet Pikay, der Journalisten gewohnt ist und weiß, dass Publizität für einen unbekannten und armen Künstler nur nützlich sein kann.

Ein paar Tage später wird das Interview in der *Kabul Times* veröffentlicht. Das Bild zeigt Pikay, der eine seiner Zeichnungen hochhält, auf der eine ausgemergelte schwarze Frau abgebildet ist, die ihr ebenso ausgemergeltes Kind neben der Jungfrau Maria mit dem weißen und wohlgenährten Jesuskind im Schoß stillt. Die Überschrift des Artikels lautet: »Gesichter faszinieren mich, sagt der indische Porträtkünstler«. Der Text ist höflich und gleichzeitig bewundernd:

»Pradyumna Kumar Mahanandia heißt der ungewöhnliche Gast, der uns vorige Woche in der Redaktion der *Kabul Times* besuchte. Auf seiner weltumspannenden Reise kam der junge indische Porträtmaler kürzlich für einen zweiwöchigen Besuch nach Kabul. ›Gesichter faszinieren mich mehr als alles andere. Sie locken mich, sie machen mich wütend, sie fordern mich heraus‹, sagt der höfliche und anspruchslose Mahanandia.

Sein wichtigstes Anliegen ist, das Leiden der Menschen darzustellen, um Ungerechtigkeiten und Unterschiede auszurotten. ›Es ist ganz gleich, ob man reich oder arm ist, alle hungern nach etwas‹, sagt er.

Er lebt von seinen Bleistiftzeichnungen. ›Ich möchte mich auf Porträts und Miniaturen spezialisieren. Die Bleistiftzeichnungen sind nur ein Nebengeschäft, damit ich über die Runden komme‹, fügt er hinzu.

›Geld zu verdienen, um zu überleben, ist für einen Künstler ebenso wichtig, wie gute Kunst zu schaffen‹, sagt Mahanandia und klingt dabei sehr überzeugend …«

Pikay muss über seine eigenen Äußerungen lachen. Hat er das wirklich so gesagt? Wahrscheinlich. Er liest weiter:

»Es ist der erste Besuch des jungen indischen Künstlers in Kabul, und er ist überwältigt von der Schönheit des Palastes. Er hat schon mehrere Künstler in Kabul getroffen und ist sehr beeindruckt von ihrem Talent und ihren Werken.

Mahanandia hat anfänglich Naturwissenschaften studiert, dann aber abgebrochen und Kunst studiert, womit er sich schon seit seinem dritten Lebensjahr befasst.

Mahanandia hat festgestellt, dass ›nur wenige Menschen bereit sind, Geld in Stillleben oder in moderne Kunst zu investieren, aber niemand hat etwas dagegen, etwas Kleingeld für ein Porträt auszugeben. Jeder besitzt einen narzisstischen Zug, der ihn dazu bringt, sich gezeichnet sehen zu wollen. Das ist eine perfekte Kombination für jemanden wie mich, der Geld verdienen muss.‹«

Der Artikel erregt Aufmerksamkeit. Die Leute auf der Straße drehen sich nach ihm um, zeigen auf ihn, und einige begrüßen ihn. Der Journalist kommt noch einmal in sein Hotel und erzählt, dass die Redaktionsleitung entschieden hat, dass er seine Zeichnungen in der Kantine der Zeitung ausstellen darf.

Pikay, der vielversprechende indische Porträtmaler, hängt seine Bilder auf und sieht zufrieden zu, wie die Journalisten seine Werke betrachten. Er findet, sie sehen interessiert aus. Der Chefredakteur kauft mehrere Zeichnungen von ihm. Er bezahlt gut. Sehr gut.

Jetzt wird es kein Problem sein, mit dem Geld den ganzen Weg bis Europa auszukommen.

In diesen Tagen hat er auch von dem Deutschen das Fahrrad zurückbekommen, das dieser in seinem Bus von Amritsar nach Kabul gebracht hat. Nun parkt es vor dem Hotel, doch Pikay findet, es sieht schwerfällig und klapprig aus, und beschließt, von dem verdienten Geld in einer der Fahrradwerkstätten auf der Chicken Street ein neues Rad zu kaufen.

Er gibt sein Raleigh in Zahlung und bezahlt die Differenz mit dem Geld, das er mit seinen Zeichnungen und seinem Blut verdient hat.

Das neue Fahrrad ist rot.

Pikay bleibt zwei Wochen in Kabul, trifft alte Freunde und lernt neue kennen. Obwohl er mit seiner dunklen Haut aus der Menge der Reisenden heraussticht, darf er doch dazugehören. Er denkt viel darüber nach, warum die anderen ihn akzeptieren. Abgesehen davon, dass er dieselben Kleider trägt und denselben Stil pflegt wie sie, zudem noch gut Englisch spricht, glaubt er, dass es sein Künstlertum ist: Der Skizzenblock und die Stifte sind seine Eintrittskarte in die weiße Welt der Reisenden. Er wird zu einem Maskottchen, einem exotischen und unkonventionellen Farbtupfer in einer revoltierenden, aber dennoch wohlsituierten westlichen Mittelklassewelt.

Mit dem Skizzenblock auf dem Tisch und den Stiften in der Hemdentasche sitzt er auf einem kleinen Hocker und wird zu Tee, Hühnchen, Reis und Joghurt eingeladen. Abend für Abend hockt er in seinem Stammlokal, spricht mit anderen Reisenden und zeichnet hin und wieder Afghanen auf der Straße draußen oder weiße Reisende drinnen im Café.

Unter den reisenden Menschen gibt es ein Freiheitsgefühl, findet er, ein Gefühl, dass alles möglich ist, alles diskutiert werden kann und dass alle das Recht auf eine eigene Meinung haben. Das ist so anders als zu Hause in Indien, wo die Leute ständig versuchen herauszubekommen, wo man herkommt und welchen Status man hat. Die Reisenden in den Lokalen auf der Chicken Street werden seine neue Familie. Es ist, als seien sie alle Brüder und Schwestern, Freunde, die miteinander durch dick und dünn gehen, frei von Traditionen und Vorurteilen.

Während der Abende mit Essen, Gesprächen und Porträtzeichnungen lernt er, dass viele der Leute aus dem Westen, die sich so kleiden wie er selbst, auf der Suche nach etwas sind, das sie trotz ihres Wohlstands nicht haben.

»Die Fabriken laufen auf Hochtouren, alle haben Arbeit, alle essen sich satt, und wir sind von Dingen umgeben, die wir eigentlich nicht brauchen«, erklärt ein Amerikaner, als sie einander im Teehaus gegenübersitzen.

Der Amerikaner heißt Chris und erzählt, dass er aus Kalifornien kommt und dass die Rastlosigkeit, die in den Villenvororten entstanden war, sich zur Wut über den ungerechtfertigten Krieg des eigenen Landes ausgewachsen hat. Jugendliche, die so aussahen wie seine Freunde hier in Kabul, hatten sich in einem Park in der Stadt versammelt und gegen die herrschende Ordnung protestiert.

»In diesem Park siegte die Liebe«, erklärt Chris.

»Und dann«, sagt er, »hat die Liebe die ganze Stadt erobert, dann das Land übernommen, den Krieg beendet und sich über den Rest der Welt ausgebreitet.«

»Und deshalb sind wir jetzt hier«, fährt Chris fort. »Sieh dich um, hier siehst du die verkörperte Liebe. Leute wie du und ich können den Hass in der Welt beenden. Wir sind eine Armee von Desertierten. Wir haben Blumen in den Gewehrläufen.

Gestern Amerika, heute Kabul, morgen Indien und dann der Rest der Welt«, sagt er siegesgewiss.

Pikay denkt an all den Hass und das Misstrauen, das es trotz Mahatma Gandhis Predigten von der Gewaltlosigkeit gibt. Sein Heimatland kann gut ein paar Pilger in Sachen Liebe gebrauchen. Die Inder, die Liebe predigen, wie die Brahmanen, sind falsche Propheten. Sie wissen nicht, was Liebe ist. Wenn die Brahmanen verstehen würden, was Mitmenschlichkeit ist, denkt Pikay, dann würden sie Leute wie mich nicht so schlecht behandeln. Die Hippies hingegen scheinen so zu leben, wie sie reden.

Er sitzt im Hotelzimmer auf dem Bett und schreibt einen Brief an Lotta, während draußen die Minarette zum Abendgebet rufen.

»Von meinem Fenster sehe ich die schneebedeckten Berge«,

schreibt er, »aber die Kälte hat nicht die Kraft, mein Herz erkalten zu lassen, denn deine Liebe macht es immer und allezeit warm. Deine warme Hingabe erhält mich am Leben, allezeit.«

Er zögert, seine Fahrradreise fortzusetzen. Erst will er sich ein wenig ausruhen, noch mehr Reisende treffen und weitere Tipps darüber sammeln, welche Straße er nehmen soll. Außerdem braucht er für den Iran ein Visum, und das kann lange dauern, heißt es, zumal er noch nicht bei der iranischen Botschaft war und einen Antrag ausgefüllt hat. Die iranische Botschaft in Neu-Delhi hatte ihm ein Visum verweigert, weshalb er befürchtet, dass er ein neuerliches Nein hören wird, wenn er zu ihrem Gesandten in Kabul geht. Was soll er machen, wenn seine Befürchtungen wahr werden? Mit dem Fahrrad durch die Sowjetunion fahren? Darf man das?

In Pikays Hotel wohnt auch Sara, die aus Australien kommt. Sie sitzen mehrere Nachmittage lang auf den Holzstühlen in der Lobby und reden über das Reisen, Indien und das Leben. Alle Minarette Kabuls rufen zum Gebet, und der Ruf hallt zwischen den Häusern in den schmalen Gassen wider. Die Dämmerung fällt, und die Geschäfte an der Chicken Street lassen für die Nacht ihre Stahljalousien herunter. Sie reden lange und vergessen, rauszugehen und zu essen, solange die Restaurants noch geöffnet sind. Als sie merken, dass sie hungrig sind, ist es schon zu spät, denn in Kabul geht man früh schlafen, und nun hat alles geschlossen. Aber was macht das schon, wenn es so viel zu bereden gibt.

»Der Westen ist zum Untergang verdammt, die Zukunft liegt in Asien«, sagt Sara.

»Für mich ist es umgekehrt, meine Zukunft liegt im Westen«, entgegnet Pikay.

Und trotzdem haben sie einander so viel zu sagen.

Sara nimmt ihn mit in die Disco. Für ihn ist es das erste Mal. Sie trägt ein gelbes Kleid mit einem spiralförmigen roten Batikmuster. Er die Hose, die er von dem Belgier bekommen hat, blau mit den ausgestellten Hosenbeinen, und das Hemd, in das Lotta die Initialen PK gestickt hat. Sie erregen Aufsehen. Ein dunkler Typ mit zerzaustem, lockigem Haar und ein hellhäutiges Mädchen. In den Augen der Afghanen sind sie ein exotisches Paar. Vielleicht hat ihre Gemeinschaft für die afghanischen Männer etwas Sündiges, denn sie starren, als hätten sie noch nie etwas Vergleichbares gesehen. Er verspürt die lüsternen und neidischen Blicke der anderen Männer. Als sie zu »Yes Sir, I Can Boogie« und »Rivers of Babylon« tanzen und zu »Dark Lady« und einem Marvin-Gaye-Song, kommt ein Mann in Anzug und ordentlich gebundenem Schlips auf sie zu und sieht Pikay in die Augen.

»Darf ich mit deinem Mädchen tanzen?«, fragt er.

Mein Mädchen?, denkt Pikay.

»Sie ist nicht mein Mädchen. Wir sind nur Freunde«, sagt er.

Der Mann ist sehr höflich. Sara sieht Pikay an und nickt. Dann geht er und setzt sich allein an einen Tisch am Rand der Tanzfläche, während Sara mit dem Mann tanzt.

Sie tanzen viele Runden, und Pikay sitzt da und schaut den Paaren auf der Tanzfläche zu. Als der Abend sich dem Ende neigt und die Disco schließen will, kommt Sara an seinen Tisch. Sie erzählt, ihr Tanzpartner sei Iraner und habe sie gefragt, ob sie mit ihm nach Hause gehen wolle. Er arbeitet an der iranischen Botschaft und hat eine schöne Wohnung in Kabul.

Was könnte Pikay dagegen haben? Sie kann doch tun und lassen, was sie will. Sie sind nicht verheiratet. Sie sind nicht einmal zusammen. Aber er macht sich Sorgen, dass ihr etwas zustoßen könnte, und ermahnt sie, vorsichtig zu sein und aufzupassen, dass ihr nichts passiert.

Pikay wandert allein durch die sternklare Nacht nach Hause in die Chicken Street.

Sara wird am nächsten Morgen schon ins Hotel zurückkommen, und sie werden ihre Gespräche fortsetzen können.

Morgens kommt Sara tatsächlich in die Hotel-Lobby gerannt, wo Pikay sitzt und die *Kabul Times* liest.

»Komm, beeil dich!«, sagt sie. »Der Iraner arbeitet in der Visa-Abteilung der Botschaft. Du kannst ein Visum kriegen, aber du musst sofort mitkommen.«

Kurz darauf sitzen Sara und Pikay in einem Wagen mit Diplomatenkennzeichen und Chauffeur und schwarz getönten Scheiben. Sie kommen sich seltsam vor. Eigentlich betrachten sie sich beide als Nomaden auf Wanderschaft, einfach und anspruchslos, aber mit einem Mal fühlen sie sich wie Potentaten auf Staatsbesuch, Very Important Persons.

Im Auto erzählt Sara Pikay, dass sie im Laufe der Nacht über ihn gesprochen haben und der Iraner sich bereit erklärt hat zu helfen. Sara ist einfach zu nett, denkt er.

Sie fahren in die Wohnung des Botschaftsangestellten am Rand von Kabul. Der Chauffeur parkt das Auto, bittet sie zu warten und geht mit Pikays Pass hinein. Schon bald ist er wieder zurück und lächelt, als er ihm den Pass überreicht. Pikay blättert und findet den ersehnten Stempel.

Aber er hat nur ein Transitvisum für fünfzehn Tage.

Ich muss schnell durch den Iran radeln, denkt er.

KABUL – SHEYKHABAD – GHAZNI – DAMAN – KANDAHAR

Er ist auf dem Weg in die Ferne, hat aber gleichzeitig das Gefühl, als wäre er unterwegs nach Hause. Das Schicksal hat gesprochen. Die Prophezeiung ist eingetreten.

Auf seinem neuen roten Fahrrad, das er in Kabul gekauft hat, tritt er in die Pedale Richtung Süden nach Kandahar. Am Horizont sieht man graue Berge mit Schneeflecken, die von der Abenddämmerung rostrot gefärbt werden. Um ihn herum ist Wüste, fast wie eine Mondlandschaft. Der Himmel ist hellblau, die Luft knisternd klar und die von den Russen gebaute Betonstraße hellgrau, gerade und glatt. Wenn er über die Lücke zwischen zwei Platten fährt, gibt es ein lautes Geräusch. Donk-donk. Das ist monoton und enervierend, und nach einer Weile ist ihm ganz schwindlig davon.

Er betrachtet seinen Schatten. Je höher die Sonne am Himmel steigt, desto kürzer wird der Schatten, doch ganz gleich, wie kurz er wird, bleibt er doch sein treuer Begleiter, Tag für Tag.

Ich bin nicht allein, der Schatten ist mein Kamerad, der verlässt mich nie, denkt er.

Als der Schatten am Nachmittag immer länger wird, fühlt er sich angespornt. Er erinnert ihn daran, dass er nicht stillsteht, auch wenn die Landschaft tagelang gleich aussieht. Die kurzen Schatten mitten am Tag, die sich zu langen Schatten kurz vor der

231

Abenddämmerung auswachsen, bestätigen ihm, dass er unterwegs ist.

Wenn er stehen bleibt, um sich auszuruhen, wird alles seltsam still. Keine Vögel sind zu hören, keine Insekten, keine Lastwagen, kein Rauschen von Bäumen, denn diese Landschaft hat keine Bäume. In den Stein- und Kieswüsten Afghanistans ist alles öde. Es ist eine mucksmäuschenstille Welt, in der man nur manchmal den Wind hört. Doch heute schweigt auch der Wind. Die Hitze flimmert in der stillstehenden Luft über den Betonplatten. Hier ist alles anders. Ist er auf einem anderen Planeten gelandet? Er fühlt sich einsam, doch das Gefühl erschreckt ihn nicht, eigentlich spendet es eher Ruhe. Fühlt es sich so an, sein Heimatland zu verlassen?

Am Rande eines Dorfes stehen einige Afghanen mitten auf der Straße. Sie unterhalten sich laut und aufgeregt. Dann sieht er, worüber sie sich aufregen. Am Straßenrand und halb im Graben stehen zwei Autos mit zerschlagenen Windschutzscheiben und verbeulten Motorhauben. Er geht näher, nimmt den Geruch von Benzin wahr und sieht ein blutendes Mädchen im Kies auf einer Wolldecke liegen. Sie ist nicht bewusstlos, sieht aber sehr mitgenommen aus. Sie hat Blut im Mund und eine Wunde auf der Stirn. Er beugt sich vor und sieht sie an. Er fragt, wie sie heißt und woher sie kommt. Aber sie kann nicht sprechen. Ihre Zähne sind ausgeschlagen und die Lippen kaputt. Er sieht ihre Kleider an und erkennt, dass auch sie eine Reisende ist. Außerdem hat sie weiße Haut. Eine Europäerin, vielleicht auf dem Weg nach Westen. Er wird von dem starken Gefühl ergriffen, ihr helfen zu müssen. Er muss etwas zurückgeben. Sie ist ein Mitglied der internationalen Gemeinschaft der Reisenden, seiner neuen Familie, und man kann ein Familienmitglied nicht im Stich lassen.

Ein Lastwagen nimmt sie mit ins Krankenhaus nach Kabul. Das Fahrrad und die Koffer und den Rucksack des Mädchens und ein paar Baumwolltaschen werfen sie auf den Anhänger. Der

Fahrer summt ein afghanisches Lied, dessen Text Pikay nicht versteht.

Obwohl sie in die falsche Richtung fahren und alle Mühsal der letzten beiden Tage gerade zunichtegemacht wird, ist er guter Dinge. Die untergehende Sonne hat die steinharte braungraue Wüste pfirsichwarm und seidenweich gemacht. Der brummende Motor des Lastwagens singt »vorwärts, vorwärts«, obwohl es eigentlich rückwärts, rückwärts geht, doch das Lied des Fahrers hat eine Melodie, die ihm auf seltsame Weise Veränderung verheißt. Er schließt die Augen und stellt sich vor, dass der Text bedeutet: »Du kannst werden, was du willst, wenn du nur etwas willst« und »Du kannst werden, was das Schicksal für dich bestimmt hat, wenn du nur daran arbeitest«.

Im Krankenhaus in Kabul zeigt sich, dass dem Mädchen, dem er geholfen hat, bei dem Unfall nicht nur fast alle Zähne ausgeschlagen wurden, sondern dass es sich auch eine heftige Gehirnerschütterung zugezogen hat. Es fällt ihr immer noch schwer zu sprechen, denn alle Mundbewegungen schmerzen. Sie schreibt einen Zettel. »Ich heiße Linnea«, schreibt sie. Außerdem schreibt sie: »Bitte bleib bei mir!«

»Ich verspreche es dir«, antwortet Pikay und fragt:

»Wohin bist du unterwegs?«

»Nach Hause«, schreibt sie.

»Wo ist das?«

»Wien.«

»Die Heimreise muss wohl noch warten, so grün und blau geschlagen kannst du nicht reisen«, sagt er.

Aber Linnea ist zäh. Nach zwei Tagen ist sie wieder auf den Beinen und verlässt das Krankenhaus. Er begleitet sie zur österreichischen Botschaft, die ein Flugticket nach Wien besorgt. Sie war in ihrem eigenen Auto auf dem Weg nach Hause, als der Unfall geschah. Jetzt hat das Auto einen Totalschaden, und sie kann in ihrem Zustand nicht selbst fahren.

Er fährt mit Linnea zum Flughafen und sieht sie lange an, ehe es Zeit ist, sich zu trennen. Sie lächelt ihr zahnloses Lächeln und schreibt einen letzten Zettel: »Bis bald!« Und dann bekommt er eine Umarmung.

Im Bus auf dem Weg zurück zur Chicken Street und zu demselben Billighotel, in dem er schon wochenlang gelebt hat, fühlt er sich nicht sonderlich edel und gut und erwartet auch keine Lobtiraden. Eigentlich fühlt er sich so wie immer. Es war selbstverständlich für ihn, Linnea zu helfen. Wenn er anderen nicht hilft, wie soll er dann darauf bauen, selbst auf seiner langen Reise Hilfe zu erfahren. Gefühle können manchmal auch rational sein. Ursache und Wirkung – alles hängt zusammen.

Und er wird Hilfe benötigen, dessen ist er sich sicher. Er weiß ja noch nicht einmal, ob er in Kandahar nach rechts oder nach links oder geradeaus weiterfahren muss.

Drei Tage später ist Pikay zum zweiten Mal auf der breiten Betonstraße zwischen Kabul und Kandahar nach Süden unterwegs. Diesmal hofft er, die Chicken Street und die Cafés in Kabul endgültig verlassen zu haben. Jetzt ist er wieder mit sich selbst allein. Mit sich selbst und seinem Fahrrad Marke Hero. Das neue Rad rollt gut, aber schon nach dem ersten Tag hat er Kopfschmerzen vom Holpern über die Betonplatten. Wie soll er das bis Kandahar aushalten? Seine Gedanken schweifen in Tagträume ab, während der müde Körper wie ferngesteuert arbeitet. Dann denkt er an die Briefe von Lotta, die mit »Mein Liebster« beginnen, und spürt, wie die Kräfte zurückkehren.

KANDAHAR

In einem Wandererhotel lernt er einen Belgier kennen, dem er erzählt, dass er aus Kabul kommt und auf dem Weg nach Borås ist. Mit dem Fahrrad.

»Bist du den ganzen Weg von Kabul hierher mit dem Fahrrad gefahren?«, fragt der Belgier.

Pikay antwortet mit einer Gegenfrage:

»Findest du, dass das weit ist?«

»Ja, das sind fünfhundert Kilometer, mit dem Fahrrad ist das weit. Und jetzt willst du noch viele Tausend Kilometer weiterfahren? An einen Ort, der ... Borås heißt? Und in ... der Schweiz liegt?«

»Ja.«

»Bist du sicher?«

»Ja, Borås liegt in der Schweiz«, fährt Pikay fort.

Der Belgier sieht ihn fragend an.

»Bist du ganz sicher?«

»Hundertprozent.«

Aber der Belgier glaubt das nicht. Pikay zeigt ihm Lottas Brief. Er liest. Dann holt er eine Karte raus und sucht mit dem Finger.

»Hier!«, sagt er nach einer Weile. »Hier liegt Borås.«

»Ja, ist das denn nicht die Schweiz?«, fragt Pikay.

»Nein, das ist Schweden«, sagt der Belgier und lacht.

»Das hört sich sehr ähnlich an, wo ist denn da der Unterschied?«

»Es sind zwei verschiedene Länder«, sagt der Belgier entschieden.

Jetzt zweifelt Pikay.

»Bist du sicher?«

Der Belgier erklärt es ihm mithilfe der Karte. Und da geht ihm die Wahrheit auf. Wie blöd er war! Sie hat doch gesagt, dass sie schwedisch sei. Aber er hatte gedacht, das Land der Schweden sei die Schweiz. Und nun erinnert er sich auch, dass sie ihn immer verbessert hat.

»Nein, in unserem Land machen wir keine Uhren, in meiner Stadt webt man Stoffe«, hat sie immer gesagt.

Trotzdem hat er weiterhin Schweden und die Schweiz miteinander verwechselt. Vor dem Belgier schiebt er es darauf, dass er noch nie zuvor eine derart detaillierte Karte gesehen habe. Hier ist anscheinend jede kleine Straße eingezeichnet, und die ganze Karte ist mit einem Netz aus Vierecken mit den exakten Längen- und Breitengraden versehen. Bisher hatte er nur die skizzenhaften Weltkarten gesehen, die man in den Basaren in Indien kaufen konnte, und die völlig wertlos für einen Radfahrer sind, der den Weg von Neu-Delhi nach Borås finden will. Deshalb hat er sich bisher immer durchgefragt. Und Kandahar liegt auf jeden Fall in der richtigen Richtung.

»Oder etwa nicht?«

»Doch, doch«, beruhigt ihn der Belgier.

Doch Pikay kann die Schuld nicht nur auf schlechte Karten schieben, das muss er einsehen. Er hatte gedacht, es verhielte sich so: Die Einwohner der Schweiz werden Schweden genannt, und etwas, das aus der Schweiz kommt, ist schwedisch. Erst jetzt begreift er, wie es sich wirklich verhält. Aber warum, denkt er, warum gibt man denn zwei Ländern zwei so ähnliche Namen? Das muss doch zu Missverständnissen führen.

Er denkt, dass sein Abenteuer vielleicht ebenso blöd ist, wie seine Verwirrung darüber, was Schweden ist und wo es liegt, und dass das ganze Unternehmen doch hoffnungsloser ist, als er zunächst dachte. Die Einsicht, dass Schweden und die Schweiz zwei völlig verschiedene Länder sind, bedeutet außerdem, dass er noch weitere … ja, wie viele Kilometer mehr fahren muss? Er fragt den Belgier.

»Fast tausend Kilometer mehr«, antwortet der.

Er geht zur Post, bittet, den Pappkarton mit *poste restante*-Briefen durchsehen zu dürfen und findet einen hellblauen Luftpostbrief von Lotta. Sein Herz jubelt, und er öffnet den Brief. My dearest PK … er liest den Luftpostbrief so gierig wie ein durstiges Kamel Wasser säuft.

»Gleich wird es neun Uhr abends sein, und ich bin sechs Stunden ununterbrochen auf meinem Pferd geritten«, schreibt Lotta und fährt fort: »PK, um ehrlich zu sein mache ich mir Sorgen, weil du vorhast, allein auf dem Landweg den ganzen Weg von Indien hierherzureisen. Ich weiß aus eigener Erfahrung, dass dies nicht die leichteste Art zu reisen ist. Wir waren vier Erwachsene und ein Kind, die zusammen gereist sind. Wenn uns oder unserem Auto etwas zugestoßen wäre, hätten wir einander helfen können. Aber du reist allein, wer soll dir helfen, wenn du in Schwierigkeiten gerätst?«

Er denkt über ihre Warnung nach. Sie meint, er solle sich mit jemandem zusammenschließen. Für einen Alleinreisenden ist die lange Fahrt von Indien nach Europa kein Pappenstiel, da hat sie recht, aber er hat doch niemanden, mit dem er zusammen reisen könnte. Er hat seinen Schlafsack und sein Fahrrad. Es wird schon gut gehen. Und er hat seine Staffelei, sein Lächeln und seine Fähigkeit, sich auch mit den schärfsten Kritikern gut zu stellen.

Außerdem möchte er, dass die Reise hart wird. Die Erschöpfung auf dem Fahrradsattel, die Müdigkeit, die ihn jeden Nachmittag heimsucht, und die Freude darüber, in der Abenddämmerung etwas Essen und Wasser und ein Flechtbett zu haben, auf dem er seine schmerzenden Beine ausstrecken kann, lenken ihn ab und halten Zweifel und Heimweh fern.

Den ganzen Weg zu fliegen würde nicht nur zu viel kosten, viel mehr, als er überhaupt hat, sondern es wäre auch zu einfach. So reisen die reichen Leute, aber nicht er, nicht ein richtiger Reisender. Bisher hat er die Widerstände überwunden. Er denkt an Alexander den Großen, der mit dem Schwert in der Hand den gleichen Weg gegangen ist, wenn auch in die andere Richtung.

»Ich höre, dass du auf dem Weg schon viele hilfsbereite Menschen getroffen hast. Du hast die Fähigkeit, den Menschen mit deinem Block und deinem Stift nahezukommen. Wenn ich daran denke, mache ich mir nicht mehr so viel Sorgen«, schreibt Lotta.

Pikay denkt an sein Ziel. Bald werden wir wieder vereint sein.

KANDAHAR

Afghanistan kommt ihm modern und gleichzeitig altertümlich vor. Solche geraden und guten Straßen wie die, auf denen er in den letzten Tagen gefahren ist, gibt es in Indien nicht. Die indische Straße mit dem protzigen Namen »Grand Trunk Road« ist verglichen mit der hier nur ein Schotterweg, denkt er. Aber Afghanistan ist eine seltsame Gesellschaft, denn es sind fast nur Männer auf den Straßen. Die Frauen, die er sieht, verstecken sich unter dicken Stofftüchern.

Wie immer findet er neue Freunde. Er weiß, wie er das machen muss, da braucht er nicht lange nachzudenken. Es gehört zu seinen Stärken, schnell Kontakt zu Fremden zu bekommen. Er scherzt mit den Menschen, die er trifft, weil ein gutes Lachen immer das Eis bricht und Sprachverwirrung und Kulturunterschiede überbrückt. Außerdem zeichnet er die Menschen, die er sieht. Erst skizziert er sie nur schnell, um seinen Modellen etwas zeigen zu können, und das verfehlt die Wirkung nie. Sogar Polizisten und Soldaten lächeln, wenn sie seine Zeichnungen sehen.

Der Chefarzt des Krankenhauses in Kandahar sieht seine Zeichnungen und lädt ihn zu sich nach Hause ein, damit er eine seiner vier Frauen porträtiert.

»Natürlich, gern!«, antwortet Pikay und radelt am nächsten Tag dorthin.

Nach dem palastähnlichen Haus zu schließen, in dem er wohnt, muss der Arzt unermesslich reich sein. Pikay wird vom Butler skeptisch beäugt und dann eingelassen. Der Arzt führt ihn selbst herum und berichtet, dass die Möbel aus Paris importiert sind und es ihm und seinen Frauen an keinem Luxus mangelt.

Mitten im Palast gibt es einen kreisrunden Raum, in dem ein halbkreisförmiges Sofa steht. Auf diesem sitzen seine erste, seine zweite und seine dritte Frau. Sie sind unverschleiert, was in Afghanistan ein ungewöhnlicher Anblick ist. Vielleicht bedecken sie ihre Gesichter nur mit dem Schleier, wenn sie auf die Straße hinausgehen, überlegt Pikay. Er begrüßt jede von ihnen, führt die Hände zusammen, verneigt sich und sagt, wie man es in Indien tut:

»Namaste.«

Der Arzt und die drei Frauen sehen ihn neugierig an und murmeln ein gemeinsames »Hello«.

Dann kommt die vierte Frau ins Zimmer – zumindest vermutet er, dass sie es ist. Die Gestalt, die sich auf ihn zubewegt, sieht aus wie ein wanderndes Zelt, doch irgendwo unter der dunklen Burka scheint es doch einen Menschen zu geben. Der Arzt zeigt auf das Zelt, und er begreift: Das ist die Frau, die er zeichnen soll.

Pikay wird mit der vierten Frau in einem Nebenraum allein gelassen. Lange sitzt er wie versteinert vor ihr, denn er kann es nicht über sich bringen, ein Stück Stoff zu malen. Doch dann beginnt sie zu sprechen, und er ist völlig baff. Das Mädchen, das man von da drinnen hört, spricht perfekt englisch mit amerikanischem Akzent. Wenn man die Augen schließt und zuhört, könnte man meinen, sie sei eine amerikanische Touristin.

Dann legt sie die Burka ab, und er ist noch einmal erstaunt. Sie trägt ein enges T-Shirt, Jeans und hochhackige Schuhe, ist stark geschminkt und duftet von süßem Parfüm. Aber sie sieht aus, als sei sie höchstens fünfzehn Jahre alt. Natürlich ist sie schön, sogar sehr schön, denkt er. Der Kontrast zu dem tristen, schweren Stück Stoff ist ungeheuerlich. Doch als er merkt, wie jung sie ist, wird er traurig. Er muss an ihren Mann denken, den Chefarzt, der ist vierundsechzig Jahre alt, faltig, glatzköpfig und hat einen dicken Bauch. Das arme Mädchen!, denkt Pikay. Was für eine finstere Zukunft!

Das anfängliche Erstaunen geht in Trauer und dann in Wut über. In Zukunft muss einfach Schluss sein mit solch veralteten Traditionen wie Viel- und Zwangsehe, denkt er. Die Liebe kann nicht geplant und gezügelt werden. Liebe muss frei sein. In Zukunft müssen alle liebeshungrigen Menschen Afghanistans und Indiens die Freiheit haben, ihren Partner selbst zu wählen.

Er redet sich selbst ein, der glücklichste Inder der Welt zu sein. Im Gegensatz zu dem Mädchen, das ihm jetzt gegenübersitzt, hat er die Chance ergriffen, mit der Tradition zu brechen. Doch dann muss er daran denken, wie ungewiss sein Schicksal immer noch ist. Die Trennung von Lotta, die unerträgliche Sehnsucht, die lange Fahrradreise. Ist er denn wirklich so glücklich? Die junge Frau des Arztes weiß wenigstens, was sie hat. Er begreift, wie unsicher seine Zukunft ist. Wohin wird seine Reise führen? Wird er jemals die weit entfernte Stadt Borås erreichen und mit Lotta wieder vereint sein? Und wird er jemals in diesem Leben seinen Vater und seine Geschwister wiedersehen?

Er ist frei, er fühlt sich leicht und lebt ein anspruchsloses Leben, abgesehen davon, dass er genötigt ist, sich jeden Tag auf seinem Fahrrad todmüde zu strampeln. Aber er ist auch der einsamste Inder der Welt. Die Sorge ist ein ständiges Pochen unter dem linken Rippenbogen. Je mehr er an seine Einsamkeit denkt, desto weniger bleibt vom Freiheits- und Glücksgefühl übrig. Vielleicht hat Lotta recht, es ist viel zu gefährlich, allein zwischen Indien und Europa mit dem Rad unterwegs zu sein.

Der Mann des Mädchens war schon mehrere Male im Zimmer und hat gefragt, ob sie nicht bald mit der Zeichnung fertig sind. Er sollte sie jetzt wirklich mal porträtieren, aber er kann nicht, es geht einfach nicht, die Gedanken mahlen, und er ist wie gelähmt. Stattdessen fragt er die junge vierte Frau:

»Sind Sie glücklich?«

»Ja, ich bin glücklich«, antwortet sie schnell.

»Aber Ihr Mann, lieben Sie ihn wirklich?«

»Ja.«

»Mit ganzem Herzen?«

»Ich liebe ihn.«

»Glauben Sie denn, dass er Sie liebt?«

»Ja.«

»Aber er hat doch noch drei Frauen.«

»Mich liebt er am meisten.«

»Wie kommen Sie darauf?«

»Ich bekomme alles, worauf ich zeige. Will ich ein neues Parfüm aus Paris, dann führt er ein Telefongespräch, und eine Woche später kommt das Parfüm mit der Post aus Paris.«

»Aber wäre es nicht besser, einen gleichaltrigen Jungen zu heiraten?«

»Ich traue den jungen Typen nicht, sie versprechen alles Mögliche und sagen, sie würden einen lieben, aber sie halten ihre Versprechen nie.«

Er denkt, dass sie eine Gehirnwäsche hinter sich hat, aber er sagt nichts.

»Außerdem«, fährt sie fort, »schläft er immer nur bei mir und nie bei den anderen drei.«

Da fängt er endlich mit seiner Arbeit an, und während er zeichnet, grübelt er über ihre Lebensentscheidung. Vielleicht sieht sie etwas, das er nicht sehen kann. Er muss an die Geschichte denken, die seine Mutter ihm immer erzählt hat. Da ging es um sechs blinde Männer, die auf einen Elefanten treffen. Einer der Männer betastet das Bein des Elefanten.

»Ah, der Elefant sieht aus wie ein Baumstamm«, sagt er.

Der zweite befühlt den Schwanz.

»Du Blödmann, der Elefant sieht aus wie ein Seil.«

Der dritte Mann streckt die Hände aus und befühlt den Rüssel.

»Ihr täuscht euch beide. Der Elefant ähnelt einer Schlange.«

Der vierte Mann berührt die Stoßzähne.

»Was redet ihr denn, der Elefant ist wie ein Speer.«

Der fünfte Mann fasst das Ohr des Elefanten an.

»Ganz und gar nicht, er ist wie etwas, womit man sich Luft zufächeln kann.«

Und dann ist der sechste und letzte Blinde an der Reihe. Er betastet den Bauch des Elefanten.

»Keiner von euch hat recht. Der Elefant ist wie eine Mauer.«

Die sechs Männer wenden sich dem Elefantenpfleger zu.

»Wer von uns hat recht?«, fragen die blinden Männer.

»Alle haben recht, und alle haben unrecht«, antwortet der Elefantenpfleger.

Die Frau des Arztes und ich, wir sind beide wie die blinden Männer, denkt Pikay. Wir können nur das fühlen und verstehen, was direkt vor uns ist.

Am nächsten Morgen tritt er wieder in die Pedale. In der Tasche hat er die Adresse eines Kollegen des reichen Arztes in Dilaram, was auf dem halben Weg nach Herat liegt.

Der Kollege empfängt ihn mit offenen Armen an der Stadtgrenze und lädt ihn zu sich nach Hause zum Tee ein. Als sie an dem süßen Tee nippen, zieht der Mann einen Stapel Zeitschriften unter seinem Sofa hervor.

»Möchten Sie mal reinschauen?«, fragt der Arzt, der noch Junggeselle ist, und schiebt ihm ein Bündel amerikanischer *Playboy*-Hefte zu.

Pikay blättert kurz darin und legt sie dann wieder zurück. Natürlich müssen afghanische Männer in solchen Zeitschriften lesen, wenn alle Frauen im Land ihren Blicken verborgen sind. Die Bilder von Frauen mit nackten Brüsten sind auch ein bisschen wie der Körper des Elefanten, denkt er. Aber wie viel glücklicher wäre doch der Arzt, wenn er eine richtige Frau hätte.

Er spürt die Müdigkeit, einen nagenden Kopfschmerz und Muskelkater in den Oberschenkeln. Er trinkt vom Tee, schaut abwesend ins Leere und denkt an sein Heimatdorf an dem breiten Fluss am Rand des Dschungels. Die Erinnerungsbilder sind immer noch lebendig.

Am nächsten Tag auf dem Fahrrad, unterwegs zu den Bergen und unter dem weiten Himmel mit einem kühlen Wind im Gesicht, ist sein Kopf von Gedanken leer.

DILARAM – HERAT – ISLAM QALA

Nach Dilaram biegt die von Ost nach West verlaufende A1 nach Norden in Richtung Herat ab. Das ist der Weg, den alle nehmen, und so auch Pikay. Es gibt keine wirkliche Alternative. Dies ist die Hauptstraße der Hippies und Vagabunden.

Pikay radelt von Sonnenaufgang bis zur Abenddämmerung mit nur einer Stunde Mittagspause. Immer noch hellgrauer Beton und immer noch enervierende Spalten zwischen den Betonplatten. Das Fahrrad hüpft, sodass er bei jeder Spalte beinahe in den Straßengraben rutscht. Haben die Russen denn gar nicht nachgedacht, als sie diese Straße gebaut haben? Was ist denn gegen Asphalt einzuwenden?

Er macht sich keine Sorgen, wo er übernachten wird, denn das wird sich wie immer ergeben. Unter den Hunderten von Adressen in seinem Notizbuch liegt natürlich keine an dieser Straße. Die meisten gehören zu Freunden in Europa. Aber er stellt fest, dass die Menschen in den ländlichen Gegenden von Afghanistan extrem gastfreundlich sind. Sie laden ihn zu Tee, Essen und einem Bett für die Nacht ein. Für sie ist eine Selbstverständlichkeit, eine Herberge anzubieten, und sie heißen ihn ohne Vorbehalte willkommen. Er muss sie nicht einmal als Gegenleistung zeichnen.

Er tritt unermüdlich in die Pedale und starrt auf den eintönigen

Horizont. Lastwagen mit Heu, Matratzen und Ziegen überholen ihn auf dem Weg nach Westen, und ein paarmal am Tag begegnen ihm fantasievoll bemalte Busse mit europäischen Reisenden auf dem Weg nach Osten. Er weiß, dass die meisten der Europäer in ungefähr einer Woche in den Cafés an der Chicken Street in Kabul sitzen werden und noch ein paar Wochen später ihren Wagen vor dem Indian Coffee House in Neu-Delhi parken werden, um dann dort zu sitzen und Erfahrungen und Tipps von der langen Reise auszutauschen.

Ohne die Cafés würden wir Reisenden ganz schön schlecht dastehen, denkt er, sie sind unsere Informationszentralen.

In Herat übernachtet er in einem der schlimmsten und dreckigsten Billighotels, in denen er je abgestiegen ist. Er liegt auf einem Bett mit geflochtenem Boden, aber ohne Matratze und schläft unruhig und hat schreckliche Albträume. Im Traum kommen Bettler zu ihm, zehn, zwanzig, dreißig Bettler. Sie strecken ihm die Hände entgegen. Er schaut in ihre aufgesprungenen Handflächen, dann sieht er hoch und erkennt, dass sie keine Köpfe haben. Eine Armee kopfloser Bettler. Sie kommen immer näher, flüstern heiser ihre Forderungen und drohen ihn zu zertrampeln.

Am nächsten Morgen wacht er davon auf, dass die Sonne durch eine kleine Ritze hereinscheint. Er ist verschwitzt und schmutzig, hat sich mehrere Tage lang nicht gewaschen. Der ganze Körper klebt. Der Mund ist trocken. Der Fußboden in der Unterkunft ist sandig, und die Farbe, mit der man den Beton überstrichen hat, blättert. Auf die Betonwand neben seinem Bett hat jemand auf Englisch gekritzelt: »Rudolf ist in diesem Bett ermordet worden.« Wer war Rudolf, wie ist er ermordet worden und wer hat ihn ermordet? Er muss an seinen Traum denken, der den Bildern von Hungerkatastrophen und dem Leiden der Massen glich, die er gemalt hat, als er noch unter den Brücken in Neu-Delhi schlief.

Der Tag graut, und er geht auf die Straßen von Herat hinaus, um Menschen zu zeichnen und etwas Geld zu verdienen. Die

Reserven im Brustbeutel und im Hosensaum zu erweitern, sich satt zu essen und weiter gen Westen zu radeln – das sind die drei Gedanken, die zuerst kommen. Dann erst denkt er an Lotta.

Er ist grade mal hundert Meter von der Absteige entfernt, als ein Auto anhält und ein Mann herausspringt. Er stellt sich vor und sagt, er sei der Berater des Gouverneurs des Bezirks.

»Schnell, steigen Sie ins Auto«, sagt der Berater.

»Okay«, erwidert Pikay.

»Der Gouverneur ist ein promovierter Staatswissenschaftler, er ist ein sehr wichtiger und intelligenter Mann«, erklärt der Berater, der neben Pikay auf dem Rücksitz des Wagens sitzt. Der Wagen saust durch die schmalen Straßen von Herat.

»Wir haben beobachtet, dass Sie Ihre Dienste als Künstler anbieten. Der Gouverneur möchte auch ein Porträt.«

Der Gouverneur wohnt in einem stattlichen, von einem Zaun umgebenen Haus, vor dessen Eingang Wachmänner postiert sind. Der Hausherr wartet schon, und Pikay begrüßt ihn höflich und stellt dabei fest, dass der Gouverneur schielt. Er weiß, was das bedeutet. Sie lassen sich im Innenhof nieder, und Pikay arbeitet schnell und konzentriert mit seinem Stift und seinen Kohlestücken und zeigt dann das Porträt, auf dem er das Schielen weggezaubert hat. Der Gouverneur ist begeistert.

»Das ist das beste Porträt, das ich je gesehen habe«, sagt er fröhlich und fragt, was er für Pikay tun könne.

Pikay erzählt ihm, dass sein afghanisches Visum vor zwei Wochen abgelaufen ist und dass er Schwierigkeiten bekommen wird, wenn er das Land verlassen und in den Iran einreisen will.

»Die Grenzpolizei wird Ihnen keine Probleme bereiten«, versichert der Gouverneur.

»Nicht?«

»Nicht, nachdem ich das geregelt habe.«

Als er ein paar Tage später sein abgelaufenes Visum an der Grenzstation in Islam Qala vorzeigt, winken die Polizisten ihn freundlich durch.

ISLAM QALA – TAYBAD – FARHADGERD – MASCHAD –
BOYNURD – AZADSHAHR – SARI

Im Iran beginnen die Schwierigkeiten. Er hat zwei Nächte am
Straßenrand übernachtet und seit dem frühen Morgen nicht
mehr als ein paar Stücke Obst gegessen. Zwar hat er noch Geld
im Brustbeutel, doch die Strecken zwischen den Dörfern sind
lang. Nach der Grenze konnte er auf einem Lastwagen mitfah-
ren, war aber nach einer Stunde wieder abgesetzt worden. Jetzt
muss er weiter mit dem Fahrrad fahren. Die Etappen sind länger,
als er eigentlich bewältigen kann, und nun tun ihm die Beine weh
und der Hintern schmerzt, sodass er sich nur ungern auf einen
Stuhl setzt. Der Bart ist gewachsen und sieht verfilzt und schmutzig aus. Er hat Hunger, doch gibt es nur wenige Plätze, wo man
Essen kaufen kann. Wenn er seine Rippen befühlt, merkt er, dass
er abgemagert ist. Er spiegelt sich in einem Fenster – er sieht aus
wie ein Hippie.

In dem kleinen Urlaubsort Sari am Kaspischen Meer legt er sich
in einen Strandpavillon mit weiß gestrichenen Holzwänden.
Tagsüber wird hier wahrscheinlich Eis verkauft, denkt er. Jetzt ist
es Abend, der Strand ist menschenleer und der Kiosk abgeräumt.
Er rollt den Schlafsack auf dem Boden aus und legt sich vorsichtig hin, wobei er vermeidet, mit dem Po auf die Erde zu kommen. Der Magen schmerzt vor Hunger. So fällt er erschöpft in

einen Zustand zwischen Wachen und Schlafen. Der Strand ist so hell, das Meer so still, der Himmel so klar. Dies ist ein schöner Ort, um wegzudämmern.

Wenn er an einem Tiefpunkt ist und fast auf dem Grund angekommen, dann geschieht oft etwas Unvorhersehbares, das die Situation mit einem Mal verändert. Das ist ihm im Leben schon mehrere Male passiert. Und so ist es auch jetzt. Als am nächsten Morgen die Sonne über dem Eispavillon am schönen Kaspischen Meer aufgeht, gleitet er vom Dämmerschlaf ins Bewusstsein hinüber. Doch er hat das Gefühl, niemals wieder die Augen öffnen zu wollen. Er möchte noch ein wenig im Grenzland verbleiben und dann in einen traumlosen Schlaf versinken.

Da hört er Lachen und wird ruckartig aus seinem Dämmerschlaf gerissen. Er schlägt die Augen auf und sieht, dass er von zehn Mädchen umringt ist, die ihre Schleier anheben und ihn lächelnd ansehen. Welch ein begeisterter Ausdruck in ihren süßen iranischen Gesichtern, denkt er. Sie sehen ihn an, als würden sie ihn am liebsten auffressen. Er setzt sich auf und holt reflexartig seinen Skizzenblock heraus und zeigt seine Zeichnungen. Das ist die beste Methode zu kommunizieren. Und es zeigt sich, dass eines der Mädchen englisch spricht.

»Schaut mal, ich bin Künstler«, sagt Pikay.

Wie sich herausstellt, handelt es sich bei den Mädchen weder um Allahs Jungfrauen noch um die Mitglieder eines Harems. Das Mädchen, das englisch spricht, erzählt ihm, dass sie Studentinnen aus Teheran sind, die zum Strand gekommen sind, um zu baden und zu picknicken. Er blättert in seinem Skizzenblock, zeigt Bilder und erzählt von seiner Fahrradreise von Indien bis hierher. Die Studentinnen lachen begeistert und stopfen ihn mit Essen voll. Brot, Joghurt, Datteln und Oliven. Ein herrliches Gefühl im Magen.

Er erzählt, dass er mit dem Fahrrad zu der Frau fährt, die er liebt. Ein entzücktes Murmeln geht durch die Schar.

»Wie wunderbar!«, ruft das Mädchen, das englisch spricht, aus.

Sie geben ihm noch Essen mit.

Wenn er eins im Leben gelernt hat, dann, dass es nicht schadet, manchmal in die Unterwelt abzusteigen und sich auf den Boden sinken zu lassen.

Nach Sari geht das Fahrradfahren wieder leichter. Die Dörfer liegen dichter, er trifft mehr Menschen und wird öfter zu Essen und Übernachtung eingeladen. Als einige Iraner sich abfällig über die mangelhafte Qualität seines Fahrrads, das er in Afghanistan gekauft hat, geäußert haben, ersteht er in einem der Marktstädtchen, durch die er kommt, ein neues.

Satt, fröhlich, mit gefüllter Wasserflasche und frisch geschmierter Kette radelt er weiter auf dem Highway 79 in Richtung Teheran, wo hoffentlich ein Brief von Lotta auf ihn wartet.

Die Frühlingssonne wärmt ihm nachmittags die Oberschenkel, doch wenn die Dämmerung gefallen ist, beißt ihm die Abendkälte in die Wangen. Dann steigt er ab, geht in ein Teehaus, trinkt Tee, zeichnet die anderen Gäste und wird danach von den Leuten nach Hause eingeladen. Seit Herat in Afghanistan hat er nicht eine einzige Nacht im Hotel geschlafen.

Bevor er einschläft, denkt er an Lotta. Noch zweifelt er nicht daran, dass sie ihn mit offenen Armen empfangen wird. Noch kommt ihm nicht der Gedanke, dass sie ihre Meinung geändert oder einen anderen kennengelernt haben könnte. Heute ist er so überzeugt von der Tragkraft ihrer Liebe, dass der Zweifel keine Chance hat.

Seit dem Tod seiner Mutter ist es, als habe er nichts, wohin er zurückkehren könne. Natürlich hat er seinen Vater und die Geschwister in Orissa und all die Freunde von der Kunsthochschule und der Kongresspartei in Neu-Delhi, doch nur seine Mutter und Lotta liebt er wirklich. Und die Mutter ist tot. Zu ihr kann er nicht reisen. Doch Lotta ist irgendwo dort hinter dem Horizont.

Sein wichtigster Gedanke: entweder mit Lotta wieder vereint werden oder sterben, eine dritte Alternative gibt es nicht. Auf diese Weise verspürt er nur selten Angst. Es kommt, wie es kommen wird, und am besten ist es, wenn ich nicht so viel nachdenke, philosophiert er, während er an Dörfern und Städten mit Namen wie Qaem-Schahr, Shirgah und Pol Sefid vorbeistrampelt.

Er weiß, dass er von Gefühlen gesteuert und irrational ist. Er hört auf sein Herz und sein Gefühl. Die Fahrradreise ist viel zu lang, die Gefahren zahlreich. Das Risiko eines Rückschlags ist sehr groß. Eigentlich ist sein Vorhaben unmöglich. Nur indem er sich weigert, logisch zu denken, kann er seine Fahrt nach Westen auf dem Fahrrad fortsetzen.

Bisher hat er auch noch niemanden getroffen, der ihm sagte, dass seine Fahrradreise nach Schweden ein unmögliches Projekt sei. Auf seiner Reiseroute wimmelt es von Leuten wie ihm: unermüdliche Reisende. Kulturflüchtlinge. Suchende. Neben all den Hippies trifft er auch Migranten auf Arbeitssuche – arme Asiaten auf dem Weg ins reiche Europa. Mit seinen Mitreisenden teilt er das Gefühl, dass alles möglich ist.

Wenn Pikay erzählt, dass er mit dem Fahrrad auf dem Weg nach Nordeuropa ist, dann finden die Leute, denen er begegnet, das anscheinend vollkommen normal. Zu Hause in Indien, vor der Abreise, klang das noch anders. Seine Freunde warnten ihn davor, sich mit dem Fahrrad auf die Reise zu machen. Das kann man nicht tun, haben sie gesagt. Radfahren ist etwas für Arme. Radfahren ist gefährlich. Fahrräder sind langsam. Das geht nicht. Das ist unmöglich. Du wirst dabei ums Leben kommen. Wie sie sich alle getäuscht haben!

Bisher ist er nicht einem einzigen unfreundlichen Menschen begegnet. Er wiegt sich in dem Gefühl, dass alle Menschen auf dem Hippie Trail neugierig, positiv, großzügig und nett sind. Man müsste sein ganzes Leben in Bewegung leben, denkt er, das ganze Leben lang ständig neue Begegnungen mit spannenden Menschen haben.

Inzwischen hat auch die Reise durch den Iran einen anderen Charakter angenommen. Er schläft immer seltener draußen, und seit er die Küste des Kaspischen Meeres verlassen hat, ist er fast nie einsam oder hungrig. Unterwegs bekommt er Wasser, getrockneten Fisch, Äpfel, Apfelsinen und Datteln und schläft jede Nacht in Betten, ohne dafür einen einzigen Rial bezahlen zu müssen. Seine Eintrittskarte zur Großzügigkeit des gelobten Landes ist die Tatsache, dass er Inder ist. Indien hatte nämlich die letzten drei Jahre einen muslimischen Staatspräsidenten mit Namen Fakhruddin Ali Ahmed. Als der Präsident kurz vor Pikays Abreise starb, schrieben die iranischen Zeitungen spaltenweise über den muslimischen Inder, der eine so hohe Position in dem hinduistischen Land errungen hatte. Wenn die Iraner hören, dass Pikay Inder ist, fühlen sie sich geehrt, weil Indien einen Staatsführer aus der muslimischen Minorität gewählt hat.

Indien steht hoch im Kurs, die Iraner haben eine kleine Liebesgeschichte mit den Indern begonnen, was ihn ausgeschlafen und wohlgenährt immer weiter Richtung Europa trägt.

Sein großer Bruder, Pratap, hat ein Buch geschrieben, in dem der Held ein Indo-Arier ist, der vor dreitausendfünfhundert Jahren in der Steppe nördlich des Kaspischen Meeres lebt – der Urheimat der Inder auf der Erde. Eines Tages begibt sich der Held des Buches nach Persien und Baktrien und schließlich in die Königtümer Harappa und Mohenjo-Daro am Ufer des Indus, wo heute ungefähr die Grenze zwischen Indien und Pakistan verläuft. Das Buch handelt davon, wie sich die großen indischen Zivilisationen bildeten und sich der Hinduismus entwickelte, doch vor allem handelt es vom Kastensystem und davon, warum manche Inder hellhäutiger sind und andere dunkler.

Das Buch wurde nie veröffentlicht, aber der Bruder hatte das Manuskript in einer Druckerei in Athmallik fünfmal kopieren lassen und ein Exemplar Pikay gegeben, der es fasziniert von dem Abenteuer und der Reise verschlungen hatte.

Als er vom Kaspischen Meer nach Süden fährt, hat er das Gefühl, in den Fußspuren des Helden zu reisen. Die Hauptperson des Buches war hellhäutig und auf dem Weg nach Osten, um die

Dunkelhäutigen zu unterwerfen. Ich habe dunkle Haut und bin auf dem Weg nach Westen, um von den Hellhäutigen akzeptiert zu werden, denkt er.

SARI – AMOL – TEHERAN

Er radelt nach Westen auf den frisch asphaltierten Straßen im Iran und findet dort alles so reich und wohlgeordnet. Das fängt schon nach der Grenze an. Die afghanischen Grenzer trugen abgenutzte und zerrissene Uniformen, und ihre Grenzstation war heruntergekommen. Auf der iranischen Seite ist alles neu und sauber, die Iraner sind besser gekleidet und sehen gesünder aus, ihre Autos sind moderner, in den Straßenrestaurants gibt es luxuriöse Sofas, in die man versinken kann, und Automaten mit kostenlosem, kaltem und sauberem Wasser. Dass eine Grenze solch einen Unterschied machen kann.

Er ist nach Westen entlang der Küste des Kaspischen Meers gefahren und dann nach Süden in Richtung Teheran abgebogen. Es gibt noch eine südlichere Strecke, die eigentlich näher ist, aber die Hippie-Busse nehmen alle die Nordroute, und er wagt nicht, von der Route abzuweichen. Solange er sich auf dem Hippie Trail befindet, wird er auf andere Reisende treffen, die er zeichnen kann, um etwas Geld zu verdienen. Außerdem können ihm die Reisenden Tipps geben und ihm helfen, falls er in Schwierigkeiten gerät.

Wenn er den Iranern erzählt, dass er aus Indien kommt, fallen sie ihm fast um den Hals.

»Oh, Indien!«, rufen sie. »Ein sehr gutes Land.«

»Finden Sie?«

Dann erzählen sie die Geschichte, die er schon so oft gehört hat, seit er die Grenze überquert hat. Die Geschichte von Indiens Staatspräsident und wie großzügig es von den Hindus in Indien sei, einen Muslim zum Präsidenten zu machen. Pikay seinerseits glaubt nicht, dass dabei viel Großzügigkeit im Spiel war, denn das Verteilen von ehrenhaften Ämtern ist doch nur eine Methode, die Minoritäten Indiens ruhig zu halten. Zudem ist der Staatspräsident in Indien machtlos, die Premierministerin ist es, die regiert. Einer religiösen Minderheit einen repräsentativen, aber machtlosen Posten zu geben, ist eine geniale Art, etwas Schönes zu vergeben, ohne etwas Wichtiges dafür opfern zu müssen.

Doch die Iraner sind beeindruckt. Sie sagen, in Pikays Land hätten die Muslime dieselben Rechte wie alle anderen. Und ja, zumindest auf dem Papier ist es so. Ein alter Mann erzählt ihm die Geschichte des Historikers al-Biruni, der vor tausend Jahren von Persien nach Indien reiste. Er berichtete, die Hindus hätten ihm gesagt, dass kein Land so vollendet wie Indien sei, keine Könige so mächtig wie die indischen, keine Religion so schön wie der Hinduismus, keine Wissenschaft so weit fortgeschritten wie die indische. Das Problem ist nur, dass Indien nicht mehr dieses Himmelreich auf Erden ist, wenn es das überhaupt jemals war. Doch der alte Iraner behauptet, Indien würde von Gold und Silber glänzen.

Wenn etwas für sein Land typisch ist, dann nicht das schimmernde Gold, sondern Slums und Dreck. Aber das sagt er nicht. Er macht keinerlei Einwände, denn so ist es am einfachsten. Er will die Iraner nicht enttäuschen, Illusionen sind ein gutes Schmieröl für Freundschaft.

Er muss sich ausruhen. Er ist erschöpft und schmutzig und fühlt sich immer mehr wie einer dieser umherwandernden heiligen Männer mit verfilztem Haar und mit Lehm beschmiertem Körper. Also mietet er vor Maschhad ein Zelt auf einem Campingplatz und packt alles aus, was er besitzt, zwingt sich aus den stinkenden, staubigen und fleckigen Kleidern und schrubbt sie im Waschraum fest mit Seife. Er rasiert sich, trimmt die Nasenhaare, seift den ganzen Körper ein und duscht heiß. Danach fühlt er sich endlich mal wieder richtig sauber.

In der Mitte des Campingplatzes liegt ein Teich, neben dem sich das Grab eines bekannten iranischen Dichters befindet. Auf einer Insel in dem Teich ist eine kleine Moschee, die nach Einbruch der Dunkelheit mit bunten Lichtern beleuchtet wird. Die Menschen aus Maschhad unternehmen abendliche Ausflüge, um die Ruhe zu genießen und das Grab und die Moschee zu besuchen. Sie haben ein Picknick dabei und Decken und bleiben den ganzen Abend.

Das ist eine Goldgrube für Pikay. Er stellt seine Staffelei auf und sorgt dafür, dass sein Angebot, Porträts zu zeichnen, ins Persische übersetzt wird. Dann setzt er sich hin und wartet.

Schon am ersten Abend gibt es eine Schlange. Er zeichnet den ganzen Abend und am nächsten auch und am übernächsten und verdient viel Geld. Die Iraner sind reich. Pikay sieht, wie sie aus der Stadt in großen, glänzenden, neuen Autos kommen, die sehr teuer aussehen.

Auf sein Werbeschild schreibt er nicht, was eine Zeichnung kostet. Wenn die Leute fragen, sagt er nur:

»So viel Sie wollen.«

Die Iraner bezahlen gern fünf-, ja manchmal zehnmal mehr für ein Porträt, als er gewohnt ist. Außerdem laden sie ihn zu Essen, Obst, Tee und Rosenwasser ein.

Das Einzige, was ihm jetzt noch Sorgen macht, ist die Ankunft in Europa. Er hat so viele Warnungen gehört und fängt an zu glauben, dass die Reise in dem neuen exotischen Teil der Welt nicht so glattgehen wird wie bisher.

TEHERAN – QASVIN

Teheran ist chaotisch. Autos, überall Autos, die sich den Platz in den allzu engen Gassen mit Lastwagen, Bussen, voll beladenen Karren und Fahrrädern teilen müssen. Die Radfahrer kämpfen, um sich auf der Straße zu halten und nicht niedergemäht zu werden, und haben ein Tuch vor den Mund gebunden, damit sie nicht zu viel Staub und Sand schlucken.

Pikay rückt den Po auf dem Sattel zurecht, strampelt und strampelt und tutet mehrere Male mit seiner extragroßen Hupe, die er auf dem Lenkrad montiert hat, um im Verkehr auf sich aufmerksam zu machen. Die Hupe gibt einen lauten, durchdringenden Ton von sich. Die Mopedfahrer drehen den Kopf, um zu sehen, woher dieser Laut kommt. Wenn man klein, langsam und schwach ist, muss man ein bisschen mehr Geräusch machen, um nicht überfahren zu werden.

Trotz der Kakofonie um sich herum muss er daran denken, wer er geworden ist, wer er war, und wer er vielleicht in dem Land, zu dem er unterwegs ist, werden wird. Er tritt in die Pedale und verschließt sich gegen die Welt um ihn herum.

Er ist ein armer Dorfjunge und ein erfolgreicher Großstadtmensch. Er besitzt nichts, aber hat alles. Er kennt die Kunstgeschichte und weiß alles über die Bildsprache der Romantik und die Farbskalen in Turners englischen Landschaften, doch weiß er

257

kaum, wo Schweden liegt und hat keine Ahnung von Technik. Sein bisheriges Leben ist ereignisreicher verlaufen, als er sich je hätte träumen lassen, und dennoch kommt er sich immer noch unerfahren vor, glaubt jedes Wort von dem, was die Leute ihm erzählen, und ist begierig, Neues zu lernen. Dreimal hat er versucht, sich umzubringen, er ist fast verhungert, und dennoch ist er ein unbekümmerter, ja, glücklicher Mensch. Er glaubt an das Schicksal und an die Tradition, doch wird er sich nur frei machen können, wenn er das Alte hinter sich lässt.

Er denkt: Ich bin ein Chamäleon. Ganz gleich, wo ich mich befinde, fällt es mir leicht, mit meiner Umgebung zu verschmelzen. Wenn ich mit anderen armen Leuten oder Ausgestoßenen zusammen bin, dann bin ich einer von ihnen. Wenn ich berühmte Menschen treffe, werde auch ich in eine besondere Person verwandelt.

Doch er kennt seine Grenzen. Eine Sache hat er nicht gelernt, und das ist, sich breitzumachen, unbequem zu sein und Forderungen zu stellen, die die Umgebung verärgern.

In Teheran besorgt er sich ein weißes Pappschild, das er an einem Holzstock festmacht und dann mit Draht zwischen Sattel und Gepäckträger befestigt. Auf das Schild schreibt er: »I'm an Indian artist on tour to Sweden«. Sein Portfolio ist ebenfalls auf dem Fahrrad festgemacht und enthält alle Zeichnungen, die er angefertigt hat, seit er Kabul verlassen hat. So ist er jetzt ein rollendes Werbeplakat für sich selbst.

In Teheran hängen an allen Laternenpfählen und Hausfassaden die Porträts eines jungen Mannes.

»Wer ist das?«, fragt er.

»Das ist der Sohn des Königs der Könige«, rufen die Leute ihm zu. »Der Prinz der Prinzen.«

Der König der Könige? Der Prinz der Prinzen?

»Ja, weißt du das denn nicht?«, sagt ein Mann, bei dem er Obst kauft.

»Das ist der Schah, der Schah des Iran. Und das hier ist sein Sohn, der ihm eines Tages nachfolgen wird«, sagt der Mann und zeigt auf das Porträt.

Pikay mag das Porträt. Der junge Mann sieht nett aus. Er zeichnet den Prinzen der Prinzen ab und befestigt das Bild auch an dem Plakat, das wie ein Segel von seinem Fahrrad aufragt.

Das Bild des Prinzen erregt Aufmerksamkeit. Auf einem Platz in Teheran bildet sich eine Schlange von Leuten, die das Porträt ansehen und selbst gezeichnet werden wollen.

Er radelt aus der iranischen Hauptstadt hinaus und auf dem westlichen Highway 2 nach Täbris. Jemand sagt ihm, dass er seit seinem Start in Neu-Delhi schon über dreitausend Kilometer zurückgelegt habe. Er hat über die Entfernung noch nie in Kilometern nachgedacht, denn was sagt die Anzahl Kilometer schon über den Charakter der Reise aus? Je nachdem, ob man fliegt, mit dem Bus oder mit dem Fahrrad fährt oder gar zu Fuß geht, bedeutet Entfernung schließlich etwas völlig anderes. Pikay denkt stattdessen: Jetzt bin ich bald zwei Monate unterwegs, und wahrscheinlich brauche ich noch mal so lange.

Die Sonne wärmt, ohne zu brennen, der Wind kühlt, ohne die Fahrt zu bremsen – es ist ein guter Fahrradtag. Wie immer bleibt die Frage, wo er heute Nacht schlafen wird, doch das ist nichts, was ihn beunruhigt. Das gehört zu den Ungewissheiten, mit denen er zu leben gelernt hat und die er inzwischen sogar mag. Er hat schon in Zelten, Gartenhäusern und zwischen dem Vieh im Stall geschlafen. Irgendetwas hat sich stets ergeben.

Er wird entweder sterben oder sein Ziel erreichen. Ankommen oder sterben. Wenn seine Mutter noch leben würde, dann wäre das anders, denn dann gäbe es noch einen liebenswerten Gegenpol. Doch jetzt entflieht er einer Menge Sinnlosigkeiten in ein Leben, das in seinen Träumen voller Sinn ist. Er radelt, um das Gefühl zurückzubekommen, das Lotta ihm gegeben hat, das Gefühl, dass das Leben einen Sinn hat.

Doch was, wenn sie es sich anders überlegt hat, bis er ankommt? Was, wenn sie ihn nicht mehr haben will?

QASVIN – ZANJAN – TÄBRIS

Während Pikay Richtung Westen durch den Iran in die Pedale tritt, verbreitet sich zu Hause in Orissa die Kunde von seiner großen Reise. Er schickt regelmäßig Auszüge aus seinem Reisetagebuch an die Lokalzeitung, und dort publiziert man jede Zeile, die er schreibt. Sein älterer Bruder schickt ihm Briefe mit den Zeitungsausschnitten. Der Bruder erzählt, dass alle, die er kennt, seine Reiseberichte lesen und über ihn reden. Er ist derzeit das Gesprächsthema in Orissa.

Obwohl er noch nie so weit entfernt war, fühlt er sich jetzt mehr denn je mit dem Heimatort verbunden. Nun, da er so weit von den Brahmanen entfernt ist, hat sein Status der Unberührbarkeit plötzlich keine Bedeutung mehr. Alle lieben den Erfolgreichen. Er denkt: Solange du noch in deinem Heimatdorf lebst, einen einfachen Job verrichtest, kein Geld verdienst und keine wichtigen Menschen kennst, behandeln die Brahmanen dich schlecht. Da reden sie nur von ritueller Reinheit. Aber wenn du Karriere machst und bekannt wirst, dann ist es, als wäre deine niedrige Kaste nicht mehr von Bedeutung. Da fangen dann auch die hohen Kasten an, vor dir herumzuscharwenzeln. Oh, diese Falschheit, diese Scheinheiligkeit!

Vor allem einer der Berichte, die er aus dem Iran nach Hause schickt, ist in Orissa erfolgreich. Sein Bruder schreibt ihm, dass dieser Artikel viel Beifall bekommen hat und dass alle in seinem Bekanntenkreis davon sprechen. Vielleicht, so denkt er, mögen die Leute in Orissa diese Erzählung, weil er darin der Natur menschliche Eigenschaften verliehen hat, denn unter dem Waldvolk gibt es eine lange Tradition, die Natur mit Seelen zu bevölkern.

Er hockt in der iranischen Wüste neben einem Büschel trockenen Grases und verrichtet seine Notdurft. Das Fahrrad mit seinem Plakat und seinem Portfolio steht am Straßenrand geparkt und sieht auf die Entfernung aus wie ein gestrandetes Segelboot. Die Sonne brennt, und die Grashalme wiegen sich in einem schwachen Wind. Als er da hockt und die Gedanken schweifen lässt, muss er an ein Ereignis aus der Zeit, als er vielleicht sechs oder sieben Jahre alt war, denken. Da war er am Rande der Felder direkt vor dem Dorf auf einen Baum und auf einen Ast hinaufgeklettert, um in Ruhe kacken zu können. Das war im Grunde nichts Besonderes. In Pikays Heimatdorf ist es, wie in Tausenden indischer Dörfer, eher üblich, sich irgendwo in der Natur hinzuhocken, als eine Latrine aufzusuchen. Pikay fand sich besonders schlau, sich oben im Baum zu erleichtern, denn so ersparte er sich den Geruch und die Fliegen. Doch vergaß er, vorher nach unten zu schauen.

Plötzlich hörte er jemanden erstaunt und gleichzeitig wütend brüllen. Er bekam es mit der Angst zu tun und sah nach unten. Unter ihm saß ein Mann, der das auf den Kopf bekommen hatte, was er abgesondert hatte. Und es war nicht irgendein Mann, sondern ein Brahmane, der normalerweise nicht einmal ertragen würde, wenn Pikays Schatten auf ihn gefallen wäre. Also sprang Pikay schnell vom Baum und nahm die Beine in die Hand. Der Brahmane versuchte, ihn einzuholen, aber Pikay war jung und flink, und der Brahmane alt, langsam und zudem in ein hinderliches, fußlanges Gewand gekleidet.

Danach setzte er sich nie wieder zum Kacken in einen Baum.

Nun sieht er sich in der iranischen Wüste um. Kein Mensch

weit und breit. Keine Gefahr, heilige Männer zu kontaminieren. Er betrachtet die Spitzen der hohen Grashalme, die auf derselben Höhe wie sein Gesicht stehen. Es ist, als wären sie Freunde, er und die Grashalme.

»Liebes Gras«, sagt er laut, nachdem er sich sicherheitshalber noch einmal umgeschaut hat, ob auch niemand in der Nähe ist.

»Hier stehst du nun und kämpfst um dein Leben«, sagt er zum Gras, »während viele deiner Freunde sich schon der Trockenheit der Wüste ergeben haben.«

Die Grashalme beantworten seine höflichen Worte, indem sie zusätzlich ein wenig im Wind erzittern.

»Ihr seid eine große Familie, aber hier seid nur ihr übrig geblieben.«

»…«

»Ihr werdet gebraucht. Ohne euch könnte man nicht in der Wüste sein. Hier, wo der kleinste Windhauch sich zu einem Sturm auswachsen und der Sand sich wie tausend Nadeln im Gesicht anfühlen kann. Ihr wenigen noch übrig gebliebenen Halme haltet zusammen und sorgt dafür, dass der Sand nicht davonweht.«

»…«

»Zu Hause, wo ich herkomme, in Athmallik in Orissa in Indien, da haben wir andere Grashalme. Das Gras ist unser Glück. Der Reis, unsere tägliche Nahrung, stammt auch von einem Gras, einem Cousin von euch, wusstet ihr das?«

Eine Windbö zerrt kurz an dem Gras, das sich biegt, als würde es sich vor seinen klugen Worten verneigen.

»Ich liebe Gras. Gras ist der Friedensstifter des Menschen und der Beschützer der Erde. Ohne Gras gibt es Chaos.«

Die Grashalme schweigen.

»Wir Menschen reißen euch mit den Wurzeln aus, um nach Schätzen in der Erde zu graben und Häuser zu bauen. Aber man soll nicht mit euch streiten. Der Mensch hat seinen Platz, der

Wind und der Sand haben den ihren, und ihr, Grashalme, habt euren Platz.«

Er schüttet ein paar Wassertropfen aus seiner Feldflasche auf die Grashalme, um seine Verehrung zu zeigen. Das Gras erschaudert vor Dankbarkeit – jedenfalls scheint es ihm so.

Schon als er auf das Fahrrad gehüpft ist, um weiter auf dem einsamen Weg zu radeln, beschließt er, am selben Abend noch sein tiefschürfendes Gespräch mit den Grashalmen aufzuschreiben und die Erzählung nach Hause an seinen Bruder zu schicken.

Und schon ist sie in der Zeitung veröffentlicht. Dass der Artikel einen solchen Erfolg hat! Das muss daran liegen, dass viele in Orissa sich darin wiederfinden. Alle haben irgendwann in der freien Natur gehockt und sind dabei philosophisch geworden. Alle haben irgendwann gedacht, dass die Bäume, die Büsche und das Gras eine Seele haben und dass es das eigene Karma verschlechtern könnte, wenn man ihnen nicht mit Respekt begegnet.

Schneller als sonst radelt er nach Täbris. Er hofft, dass dort auf der Post ein paar Briefe für ihn warten.

TÄBRIS – MARAND – DOGUBAYAZIT – ERZERUM –
ANKARA – ISTANBUL

Sehnsüchtig radelt er oder fährt per Anhalter. Mit müden Beinen
strampelt er auf seinem neuen iranischen Fahrrad, dem dritten
Rad, seit er Neu-Delhi verlassen hat, gen Westen Richtung Täbris.

Dort, in der Geburtsstadt des Propheten Zarathustra, wartet
ein Brief von Lotta, der mit den Worten »Mein Liebster« beginnt,
und ein Brief von Linnea, der Österreicherin, die er ins Krankenhaus nach Kabul begleitet hat. Sie ist jetzt wieder in Wien, und
auch ihr Brief beginnt mit den Worten »Mein liebster«. Viel später erst wird ihm klar, dass Linnea vielleicht in ihn verliebt gewesen sein könnte, doch damals hat er das nicht bedacht. Wenn
seine Landsleute Briefe schreiben, bedienen sie sich immer einer
sehr blumigen Sprache. Die Briefe, die man einander in Indien
schreibt, sind oft zuckersüß und gewollt hingebungsvoll. Deshalb
findet er es nicht sonderlich komisch, wenn Linnea schreibt:

»Mein liebster PK. Ich hoffe, es geht dir gut. PK, my baby, bald
kommst du zu mir nach Wien! Ich hatte schon vorige Woche mit
dir gerechnet und habe gewartet und gewartet. Ich hoffe, du
kommst so bald wie möglich. Ich denke oft an dich, und das
macht mich froh. Wir werden eine wunderbare Zeit zusammen
haben, und ich werde dir so viel zeigen. Jetzt höre ich mal auf zu
schreiben, werde aber weiter geduldig auf dich warten.«

In Indien würde man so an jeden Freund schreiben.

Er springt wieder aufs Fahrrad und fährt weiter in Richtung Türkei.

Der Iran ist groß. Die Türkei ist groß. Die Welt ist so groß. Langsam ist er das Radfahren leid. Wo fängt nur Europa an? Bin ich nicht endlich mal in Borås?

Immer öfter fährt er jetzt per Anhalter auf Lastwagen mit. In der Türkei ist es leicht, mitgenommen zu werden.

Pikay hat niemandem versprochen, dass er den ganzen Weg mit dem Fahrrad zurücklegen wird. Die Reise nach Europa ist kein Projekt, das beweisen soll, dass er stark und zäh ist. Er will einfach nur ankommen, nichts sonst. Wenn er genug Geld gehabt hätte, dann hätte er sich vielleicht ein Flugticket gekauft. Doch er hat das Fahrrad gewählt, weil das für ihn die einzige mögliche Alternative war. Mehr konnte er sich nicht leisten, also hat er aus der Not eine Tugend gemacht und sich eingeredet, dass die Reise schwer und anstrengend sein müsse.

Nun sitzt er neben dem Lastwagenfahrer und dessem Kollegen, döst ein wenig, während sich die Landschaft um ihn herum allmählich verändert, und denkt an alles, was im vergangenen Jahr geschehen ist. Alles ist jetzt so anders, nicht nur die Landschaft.

Ja, ich habe mich auch verändert, denkt er.

Ihm ist, als sei er aus einem langen Schlaf erwacht. Erst nachdem er Lotta kennengelernt hat, wurde ihm bewusst, was um ihn herum geschah. Vorher war es ihm schwergefallen, zwischen seinen Gefühlen und denen von anderen zu unterscheiden, geradeso, als wüsste er nicht, wo die Grenze verlief. Durch Lotta ist er sich seiner selbst bewusst geworden, sie hat ihm die Augen für die Welt geöffnet.

Die Erinnerungen an die Zeit nach ihrer Begegnung sind detaillierter als die früheren. Es kommt ihm so vor, als hätte er vor Lotta nur wenige eigene Entscheidungen getroffen. Er ist mit dem Strom geschwommen und hat den Menschen um ihn herum immer Raum gewährt. Selbst hatte er viel zu viel Angst, dass er zu deutlich und zu laut in Erscheinung treten könnte, und deshalb nur selten gesagt, was er wirklich dachte. Er hatte zugehört und die anderen nachgeahmt, als wäre er nur ein Besucher in ihrer Welt. Neugierig, unsicher, unterwürfig.

Er hatte immer versucht, es den anderen recht zu machen. Lotta hat immer gesagt, er sei so naiv, fast wie ein Kind. Aber sie hat auch betont, dass sie das mag. Es ist großartig, dass du nicht überheblich bist, hat sie gesagt.

Wenn er nicht per Anhalter fährt, nimmt er manchmal den Bus. Im Iran konnten die Leute ein wenig Englisch, doch hier in der Türkei ist es völlig unmöglich, sich verständlich zu machen. Da es ihm an Worten mangelt, zeichnet er die Szenen von seiner Reise. Bilder verstehen alle, da ist keine Sprache notwendig. Das Fahrrad oben auf dem Bus und Pikay ganz vorn im Bus, der qualmend über die schnurgeraden, aber holperigen Straßen zwischen Van und Ankara schaukelt. Er fertigt auch Karikaturen von den Männern und Frauen um sich herum an. Der ganze Bus lacht fröhlich, wenn er die Bilder zeigt, und dann laden ihn schnurrbärtige Männer und Frauen mit Kopftüchern zu Brot, Käse und Obst ein. Er sitzt im Schneidersitz in der vordersten Reihe, isst süße Oliven und sieht aus dem Fenster. Es fühlt sich an, als würden er und die Türken sich verstehen.

Diese Geschichte wiederholt sich in mehreren Bussen und in Cafés, in Restaurants und Herbergen. Die Türken lachen gern, das merkt er gleich. Die Leute, die er gezeichnet hat, laden ihn zu sich nach Hause ein, und wie üblich erhält er Kost und Logis umsonst. Ihr Türken habt das Herz auf dem rechten Fleck, sagt er zu den Menschen, denen er begegnet. Das schmeichelt ihnen, und sie laden ihn zu noch mehr Essen ein.

Eines frühen Morgens kommt er mit dem Bus in Istanbul an. Während die Minarette zum Gebet rufen, eilt er zur Hauptpost, um zu sehen, ob dort Briefe auf ihn warten. Volltreffer. Lotta hat geschrieben. Enge Zeilen mit schnörkeligen Buchstaben voller Sehnsucht. Sein Vater hat einen Brief geschickt. Und Linnea aus

Wien. Ihr Brief ist dick und per Einschreiben, und es purzelt eine Zugfahrkarte für den Trans-Balkan-Express von Istanbul nach Wien heraus.

Er geht am Goldenen Horn entlang und sieht über das blaue Wasser auf die Galatabrücke mit ihren Geschäften und Restaurants. Istanbul duftet nach Asien, aber doch ganz anders. Er kann nicht genau ausmachen, was es ist, aber der Geruch ist irgendwie fremd. Er schlendert durch die Gassen zum Topkapipalast der Sultane und atmet bewusst die kühle Morgenluft ein, die nach Holzrauch, Pinien und Meer riecht. Bei den Straßenlokalen der Teehäuser verspürt er den Geruch von starkem Tabak. Auf dem Weg die Hügel hinauf hört er die Dampfschiffe tuten, die Pferdewagen klappern und die dumpfen Motorengeräusche all der amerikanischen Fünfzigerjahre-Modelle von Chevrolet und Buick, die über Istanbuls Straßen rollen. Die Autos sind, falls das überhaupt möglich ist, noch älteren Modells als in Indien. Aber die Frauen sind modern gekleidet, ganz anders als in Afghanistan, im Iran oder im Irak. Blusen, Röcke, Jeans, offene Haare. Nirgends sieht man Frauen mit Schleier, Burka oder einer anderen Form von Kopftuch.

Er spürt, dass Istanbul eine Vorahnung auf Europa ist und dass er hier seine eigene Zukunft betrachtet.

So viele Kuppeln und Brücken. Und alles wirkt so stabil gebaut. In der Schule hat Pikay von Timur Lenk gelesen, dem Kriegsherren, der Delhi niedergebrannt und große Teile der männlichen Bevölkerung hat hinrichten lassen. War er nicht Türke? Jedenfalls hatte er nur ein Auge, das weiß Pikay noch, der jetzt auf einem Hocker in der Nähe der Blauen Moschee sitzt und ein Glas kalten und salzigen Ayran trinkt.

Er wohnt in einem kleinen Billighotel in der Nähe des Sirceci, dem Bahnhof auf der europäischen Seite. Dort fühlt er sich einsam und traurig, und deshalb sitzt er auf dem schmalen Bett in dem Achtbettzimmer und liest wieder und wieder die Briefe, um sich zu versichern, dass es Menschen auf dieser Welt gibt, die ihn kennen. Allein und gleichzeitig von Millionen Unbekannten in einer großen Stadt umgeben zu sein, kann zur Folge haben, dass man sich sehr klein fühlt. Da kommt es einem leicht so vor, als seien alle auf dem Weg irgendwohin, nur man selbst irrt herum.

Er geht zur Bank, um einen Scheck einzulösen, den er als Bezahlung für eine Zeichnung bekommen hat. Während er auf einem Stuhl hinter einem Schreibtisch darauf wartet, dass er sein Geld bekommt, holt er ganz aus Gewohnheit Skizzenblock und Bleistift heraus und beginnt, einen der Bankangestellten zu zeichnen. Schon bald versammelt sich eine Gruppe Menschen um ihn. Die Bankangestellten lassen ihre Arbeit ruhen, umringen ihn und sehen zu, wie das Porträt entsteht. Der Angestellte, den Pikay gezeichnet hat, lacht zufrieden, als er sein Bild zu sehen bekommt.

»Das ist sehr ähnlich, Sie sind sehr tüchtig, Herr Inder!«, sagt er und zeigt das Bild seinen Kollegen.

Eine Kollegin in Faltenrock und blauer Seidenbluse möchte auch porträtiert werden. Sie ist schön, und er würde sie nur zu gern in einem Bild einfangen, doch das wagt er nicht. Männer kann er zeichnen, doch wenn eine Frau nicht zufrieden ist, wird sie das Porträt vielleicht als Verunglimpfung auffassen. Das Risiko kann er nicht eingehen, denn dann wird er vielleicht rausgeworfen, lächerlich gemacht oder ausgelacht.

Nein, er wagt es nicht. Nicht bei einer derart schönen Frau. Das könnte schiefgehen.

»Leider habe ich keine Zeit«, sagt er und verbeugt sich höflich vor der Frau.

Um schnell wegzukommen, schreibt Pikay »Best wishes!« in eine Ecke der Zeichnung des Bankangestellten, reißt das Blatt heraus und reicht es ihm. Der will ihn bezahlen.

»Wie viel?«, fragt er.

»Wie Sie wollen, und wenn Sie wollen«, antwortet Pikay.

Der Bankangestellte bezahlt gut. Genug, dass Pikay mindestens eine Woche lang jeden Tag ins Restaurant gehen kann.

Wenn er heute an die Tage zurückdenkt, die er in Istanbul verbracht hat, dann ist ihm, als habe er damals nicht selbst über sein Leben bestimmt. Das Leben bestimmte über ihn, genau wie damals, ehe er Lotta kennenlernte.

Fröhlich und neureich nimmt er ein Taxi zur Istiklal, der Einkaufsstraße auf der anderen Seite der Bucht, um ein Geschenk für Lotta zu kaufen. Natürlich holt er auch im Taxi den Block heraus und zeichnet den Fahrer. Während sich das Auto im niedrigsten Gang die steilen Hügel hinaufquält, fertig er eine schnelle Skizze an, die nur wenige Minuten erfordert. Sowie sie stehen, reicht er die Zeichnung nach vorn. Die finstre Miene des Fahrers verwandelt sich in ein Lächeln, und einen Moment lang scheint es, als würde er sich auf ihn werfen und ihn umarmen. Er besinnt sich rechtzeitig, doch dann weigert er sich, Geld für die Fahrt anzunehmen. Stattdessen lädt er Pikay zu sich nach Hause ein. Pikay nimmt an, und so muss er auch an diesem Tag nicht ins Restaurant gehen und seine immer umfänglichere Reisekasse strapazieren.

Dann verirrt er sich auf dem überdachten Grand Bazar, der ihn an die Gassen in Alt-Delhi erinnert. Ein Durcheinander von Tausenden kleiner Läden und Regalen voller Kräuter, Leder, Schmuck und Meerschaumpfeifen. Die Formel für einen Bazar, so denkt er, ist seit aller Zeiten Anfang dieselbe: Handel und Theater zu gleichen Teilen. Die Verkäufer zerren an ihm genau wie zu Hause.

Hier fühlt er sich geborgen. Die Aufdringlichkeit ist ihm vertraut.

In Kabul hat er Schuhe und eine Handtasche in Naturleder für Lotta gekauft. Jetzt kauft er eine Kette mit Türkisen an einem Lederband. Dann geht er zum »Pudding Shop«, was kein Laden ist, in dem Puddinge verkauft werden, sondern ein Café, wo es türkisches Essen gibt, das aber vor allem als Sammelplatz für die Hippies Europas fungiert, eine Austauschzentrale für Reisende auf dem Weg zwischen Ost und West oder umgekehrt. Er setzt sich nach ganz hinten in dem lang gestreckten Lokal und liest noch einmal die Briefe von Lotta und Linnea. Dann starrt er auf die Zugfahrkarte.

Zwischenzeitlich hat es sich so angefühlt, als würde er bis in alle Ewigkeit Rad fahren. Rad fahren, per Anhalter mit Lastwagen fahren, Bus fahren und wieder Rad fahren. So manches Mal glich das Radfahren einem Nahtoderlebnis. Die Hitze um die Mittagszeit war drückend und die Sonne hartnäckig. Die aufgescheuerten Stellen schmerzten, der Rücken war wie taub und der Magen knurrte vor Hunger, während der Schädel sich wie ein dampfender, wabbelnder, frisch gebackener Zuckerkuchen anfühlte. Da kommt ihm die Zugfahrkarte wie ein Geschenk des Himmels vor. Zwar sind nicht die Engel selbst gekommen, um ihm die Fahrkarte zu überreichen, aber sie haben Linnea als Vertretung geschickt, die wiederum die Post das Geschenk ausliefern ließ.

Er kann fast nicht glauben, dass es wahr ist. Er wird mit dem Zug nach Wien fahren. Das letzte Stück bis Europa wird er mit dem Zug zurücklegen.

Europa, denkt er, ob ich das jemals verstehen werde?

Er sieht sich um. Hier sieht es genauso aus wie im Indian Coffee House in Delhi: Reisende, wie er selbst, und ein Schwarzes Brett voller Zettel, auf denen Menschen Reisegesellschaft suchen.

VW-BUS NACH INDIEN, WIR STARTEN AM FREITAG, EIN PLATZ FREI.

MAGIC BUS LONDON-KATMANDU FÜNF FREIE PLÄTZE.

HAT JEMAND MEINE VERLORENE PENTAX SPOTMATIC GEFUNDEN?

Was soll er mit dem Fahrrad machen? Mit in den Zug nehmen? Er schiebt die Zugfahrkarte in den Hosenbund und beschließt, das Fahrrad zu verkaufen und in Wien ein neues zu erstehen. Also schreibt er in sein Notizbuch: »Robustes modernes Herrenfahrrad, gekauft in Teheran, zu verkaufen. Achtung! Nur 20 Dollar.« Dann reißt er die Seite heraus und befestigt sie mit einer Heftzwecke am Schwarzen Brett.

ISTANBUL – WIEN

Am Westbahnhof in Wien steigt er aus dem Zug. Sieht so Europa
aus? Massive Häuser, saubere Straßen und ordentlich gekleidete
Menschen. Beherrschte Ruhe. Aber auch gedrückte Stimmung.
Doch es ist eine schöne Welt. Eine Traumwelt. Er hat das Gefühl,
ein Puppentheater zu betreten. Wien sieht aus wie in einem Mär-
chenbuch.

Linneas Schwester Silvia holt ihn am Bahnhof ab. Linnea selbst,
die sich so nach Pikay gesehnt hat und so liebevolle Briefe geschrieben hat, ist vor nur zwei Tagen nach Indien aufgebrochen.
Silvia erzählt, dass sie so lange gewartet, aber am Ende doch aufgegeben habe. Schließlich sei Pikay nicht gekommen, und da
dachte sie, dass er wahrscheinlich zurückgefahren sei. Und dann
habe ihr Verlangen, wieder nach Osten zu reisen, überhandgenom-
men.

Silvia nimmt ihn mit zur Galerie 10, die im Zentrum Wiens
liegt und ihrer Familie gehört. Silvias Mutter begrüßt ihn, rümpft
aber auch die Nase und führt ihn zum Badezimmer hinter den
Ausstellungsräumen. Dort steht eine hohe, altmodische Bade-
wanne mit Löwenpranken. Sie füllt die Wanne mit dampfendem
Wasser und Badeschaum und bittet ihn reinzuspringen. Nervös
und mit einem unterwürfigen Gefühl gegenüber der entschieden
wirkenden alten Dame zieht er sich nackt aus. Als die Kleider

neben ihm auf dem Fußboden liegen, wird ihm klar, wie schlecht er riecht, wie verdreckt seine Kleider sind und wie wild Bart und Haare gewachsen sind.

Er badet und denkt an Europa, das nach Seife riecht. Weit entfernt vom Gewühl, Schmutz und dem kaleidoskopischen Alltag Asiens fühlt er sich so verunsichert wie lange nicht. Wieder steigt in ihm die verdammte Nervosität auf, und er fühlt sich unerwünscht und einsam.

Er wohnt bei Silvia und ihrem Freund. Dort wohnen außer ihnen noch ein Künstler und dessen Frau, die im Rollstuhl sitzt.

Silvia erklärt Pikay Europa. Sie erzählt ihm Wahrheiten über ihre eigene Kultur. Sie möchte, dass er sich eine dicke Haut zulegt und nicht so gutgläubig ist.

»Die Menschen hier sind nicht so gut wie in Asien. Die Europäer sind Individualisten und sich selbst am nächsten«, mahnt sie und fügt hinzu, dass es guten und gutgläubigen Menschen in Europa übel ergehen könne.

»Sieh dich vor, die Europäer sind Rassisten. Wir sind nicht freundlich, es kann dich jemand niederschlagen, nur weil du dunkle Haut hast«, warnt sie ihn und erklärt ihm detailliert, wie er grüßen soll, wie man ein Gespräch einleitet und wie man sich zu benehmen hat.

Pikay ist dankbar für ihre guten Ratschläge.

Sie sorgt sich um mich, denkt er, während Silvia ihn mit Ermahnungen überschüttet.

In nur einer Woche lernt er viel über die neue exotische und fremde Kultur in Europa.

Der Künstler in Silvias Wohnung raucht ununterbrochen. Er ist nett, aber ständig betrunken und unberechenbar. Ganz plötzlich kann er missmutig und verbiestert sein, dann wieder lacht er unvermittelt oder wird emotional. Eines Abends steht er auf, umarmt Pikay und sagt, er dürfe auch gern seine Frau in den Arm nehmen und küssen.

»Bitte sehr, nur zu«, sagt er.

Aber Pikay rührt sie nicht an. Das wagt er nicht. Und er will auch nicht. Schließlich kennt er sie gar nicht, sie haben einander bisher nur begrüßt. Warum sollte er eine unbekannte Frau küssen? Stattdessen verbeugt er sich vor der Frau des Künstlers in ihrem Rollstuhl und führt die Handflächen in einer demütigen Geste zusammen. Dann geht er in den kühlen Frühlingsregen hinaus.

Er spaziert durch die leeren und vom Regen glänzenden Straßen, entlang der träge fließenden Donau und durch das frische Grün im Rathauspark und im Stadtpark und muss an die Hitze, den Staub, den Schmutz und die Menschenmassen in Delhi und an das freie Auftreten in Europa denken. Es wird dauern, bis er sich daran gewöhnt hat.


In Wien besucht er Reisende, die er auf dem Hippie Trail kennengelernt hat. Sein Notizbuch ist voller Adressen von Leuten, die ihn eingeladen haben. Er trinkt Tee mit ihnen, geht mit ihnen in Kneipen und zeichnet sie. Sie kaufen seine Zeichnungen, und seine Reisekasse wächst.

Jetzt, so denkt er, werde ich mir ein teures, gutes Fahrrad mit vielen Gängen kaufen und das letzte Stück zu meinem Ziel radeln.

»Du kannst nicht mit dem Fahrrad nach Schweden fahren«, sagt Silvia.

»Doch, das kann ich«, erwidert er stur.

Silvia nimmt ihn mit zum Prater, wo sie unter den Kastanien auf der Hauptallee schlendern und eine Fahrt im Riesenrad unternehmen. Danach fahren sie mit der U-Bahn, gehen in alte, dunkle Cafés und trinken Kaffee mit Schlagrahm, fahren Straßenbahn und besuchen finstre, in dicken Tabakrauch gehüllte Kellerlokale. Pikay findet seine Freunde sehr freundlich, aber warum warnen sie ihn die ganze Zeit vor allen anderen, die in Europa wohnen? Das Gefühl, von Wohlwollen umfangen zu sein, ein

Mitbringsel von der Reise, wird gegen Stress, Ärger und Kälte ausgetauscht. In Europa kommt es auf die Regeln an und nicht auf die Gefühle, lernt er und versucht zu glauben, dass die Europäer weniger menschlich sind als der Rest der Erdbevölkerung. Wieder und wieder versucht er, sich einzureden, was seine Freunde ihn glauben machen wollen.

»Pikay«, sagen sie, »du bist ein guter Mensch, du machst Menschen gut. Aber du kennst Europa nicht. In Europa ist die Mitmenschlichkeit ein aussterbendes Gut. In Europa werden die Taten der Menschen von Angst und nicht von Liebe gesteuert.«

Liebe? Wenn sie doch nur Regeln und Bestimmungen folgen, wie können sie dann an Liebe glauben? Kann Lotta ihn überhaupt lieben, wenn die Menschen in Europa nur leben, um sich an Regeln zu halten?

Er begreift, dass Europa hart ist. Gleichzeitig spürt er, dass seine Gedanken angeregt werden. Er reflektiert, problematisiert, dreht und wendet jede Selbstverständlichkeit und verdreht schließlich alles. Bisher ist er in einer Flut von Gefühlen vorangeflossen, doch jetzt merkt er, wie der Strom an Fahrt verliert und zu einem immer schmaleren und trägen Bach wird. Er kommt auf dem Grund auf, der uneben ist, ihn festhält und bremst. Dann wieder versucht er den Kopf über der Wasseroberfläche zu halten und sauerstoffreiche und rationale Gedanken zu denken.

Womöglich will Lotta ihn gar nicht mehr, wenn er ankommt?

Aber wenn er im Gästezimmer in Silvias Wohnung in dem Bett mit der allzu weichen Matratze und der viel zu dicken Decke liegt und von Zweifeln heimgesucht wird, dann kann er auch eine Gegenkraft mobilisieren. In der Dunkelheit denkt er an seine Mutter. Sie sitzt auf dem Fußboden neben dem Bett und wacht über ihn. Sie ist das Gegengewicht. Im Fluss dunkler Erinnerungen ist sie ein kleiner, aber starker Lichtpunkt. Im Schein dieses Lichtpunktes schläft er ein.

Noch ehe er ein neues Fahrrad kaufen kann, kommt der Besitzer der Galerie, stellt sich als Herr Manfred Scheer vor und sagt, dass er Pikays Zielstrebigkeit bewundert.

»Sich für jemanden aufzuopfern, den man liebt, ist schön und sehr beneidenswert. Wenn sich doch nur mehr Menschen von der Liebe leiten ließen«, meint der Galerist und fährt fort: »Dann würden wir in einer viel schöneren Welt leben.« Und er erzählt, dass er ein Geschenk für Pikay habe.

Sie gehen in sein Arbeitszimmer, und er gibt ihm einen rechteckigen Umschlag. Pikay öffnet ihn und nimmt eine Fahrkarte heraus, nein, zwei Fahrkarten. Zwei Zugfahrkarten.

»Das ist zu viel«, sagt Pikay, der für sich bezahlen möchte.

Der Galerist weigert sich, Geld anzunehmen, lässt sich aber nach einigem Hin und Her zwei Bilder von Pikay schenken.

»Wien Westbahnhof – Kopenhagen C« steht auf der einen Fahrkarte.

»Kopenhagen C – Göteborg C« steht auf der anderen.

WIEN – PASSAU

Er versinkt fast in dem Sitz mit Samtbezug. Die Füllung des Sitzes ist so weich, dass er das Gefühl hat, den Kontakt zu seinen Knochen zu verlieren und dass der Körper ausschließlich aus Weichteilen besteht. Als Kind schlief er auf einer Strohmatte auf dem Fußboden. In dem gemieteten Zimmer in Neu-Delhi auf einem Bett mit einer Matratze aus lose geflochtenen Hanfseilen. In den Zweiter-Klasse-Waggons mit unreservierten Plätzen in indischen Zügen hat man Holzbänke oder harte Plastiksitze. Auf dem Fahrrad einen harten, festen Ledersattel. In den Bussen im westlichen Asien flache, glänzende, harte Plastikbänke. Er ist es gewohnt, die Schulterblätter, das Steißbein und das Becken zu spüren. Er will, dass deutlich ist, wo der Körper aufhört und die Dinge anfangen. In etwas Widerstandsloses und Weiches einzusinken, verursacht ihm ein Gefühl der Unwirklichkeit.

Warum betten die Europäer ihre Körper in dicke Lagen von Kissen, Polstern und Matratzen? Frieren sie, oder fühlen sie sich verloren, haben sie Angst? Angst vor der Härte ihrer eigenen Körper?

Wien, Melk, Linz, Wels. Europas Städte tragen seltsame und einsilbige Namen.

Und wieder nähert er sich einer Grenze. Der Zug kommt quietschend zum Stehen. Es riecht nach Feuchtigkeit, Kälte, Stahl, verbranntem Asbest und Wolle. Der Flur füllt sich mit uniformierten Männern.

Die Abteiltür wird aufgeschoben.

»Den Reisepass bitte!«

Er reicht seinen grünen indischen Pass hin.

Der westdeutsche Grenzpolizist blättert in dem exotischen Pass vor und zurück. Schließlich kontrolliert man in Passau nicht jeden Tag einen indischen Bürger.

»Unmöglich, mein Herr. We are so sorry. Kommen Sie mit!«, weist ihn der Polizist an.

Pikay wird genötigt, aus dem Zug auszusteigen und dem Grenzpolizisten in die Polizeistation auf die andere Seite des Bahnsteigs zu folgen.

»Scheiße«, murmelt er, als er aus dem Zug aussteigt, denn das hat er von Silvia in Wien gelernt, wo er am selben Morgen erst aufgebrochen ist.

Jetzt ist alles vorbei, denkt er. Die glauben, ich sei ein illegaler Einwanderer, der sich in ihrem reichen, feinen Land niederlassen will. Und sie glauben, ich werde ihnen ihre Arbeit und ihre Mädchen wegnehmen und ihrem Staat zur Last fallen. Aber ich will doch nur durchreisen! Westdeutschland ist mir schnuppe!

Sie bitten ihn, seinen zerschlissenen Koffer aufzumachen. Ihre Blicke sind hart, die Mienen erstarrt. Sie glauben, der Koffer enthalte etwas Illegales, denkt er. Sie wühlen in seinen schmutzigen Kleidern und finden einen Fahrradschlauch und Bündel mit hellblauen Luftpostbriefen, die mit dünnen, schmutzigen Hanffäden zusammengehalten werden.

»Wir werden Kontakt mit der indischen Botschaft aufnehmen, die werden ein Flugticket für Sie kaufen, sodass Sie wieder nach Hause reisen können«, erklärt einer der Polizisten, nimmt sein blaues Hemd aus dem Koffer und hält es zwischen Daumen und Zeigefinger auf eine Armlänge Abstand, als wäre es pestverseucht.

Pikays Großvater hat immer gesagt, wenn man bei seiner Arbeit nur zwei von seinen zehn Fingern benutzt, dann ist man unzufrieden mit seinem Job. Natürlich riecht das Hemd schlecht, es ist lange her, seit er es gewaschen hat, aber der Mann von der Polizei mag seinen Job nicht, er ruht nicht in sich selbst. Wenn Großvater hier wäre, würde er ihn darauf hinweisen.

Der Polizist wickelt einen zusammengefalteten und zerknitterten Zeitungsartikel auseinander. Er ist auf Englisch geschrieben und stammt aus der indischen Zeitschrift *Youth Times*, das sieht man am Kolumnentitel. Er beginnt zu lesen.

»Oh, hier steht, dass er verheiratet ist.«

Inzwischen haben sich acht Polizisten um den braunen indischen Hippie mit den langen Locken und dem schmutzigen Koffer versammelt. Einer von ihnen faltet einen der blauen Luftpostbriefe auseinander und liest. Der Brief ist von einer Frau geschrieben, wie er dem Absender entnimmt, und aus dem Inhalt kann man schließen, dass der Inder und die Frau mehr als nur Freunde sind.

»Ja, das scheint so, offenbar ist er verheiratet«, sagt der Polizist, der den Brief liest.

»Mit einer schwedischen Frau«, fügt er hinzu.

»Die Lotta heißt«, ergänzt der Polizist, der jetzt den Zeitungsartikel fertig gelesen hat und ihn wieder zusammenfaltet.

Pikay erklärt den deutschen Grenzpolizisten, dass er seine Reise auf dem Fahrrad in Neu-Delhi in Indien, seinem Heimatland, begonnen hat, und dass er durch Wüsten und über Berge durch sieben Länder und zwei Kontinente geradelt ist, dass er in Hunderten von Städten und Dörfern angehalten hat, um zu trinken, zu essen und zu schlafen, und dass er trotz der ungeheuren Gastfreundschaft, die er überall erfahren hat, oft fast untergegangen wäre. Er erzählt, dass er in Istanbul auf den Zug umgestiegen ist und dass es jetzt nur noch zwei Länder sind, durch die er fahren muss, ehe er sein Ziel in Schweden erreicht haben wird, und …

»Jetzt kommen Sie mal zur Sache«, unterbricht ihn einer der Polizisten.

»Ich schmuggele keine Drogen und ich habe auch nicht vor, mich in Westdeutschland niederzulassen.«

Er erkennt ihre Skepsis, und Verzweiflung packt ihn. Einer der Polizisten meint, nun sei es höchste Zeit, die indische Botschaft anzurufen und den Transport zu organisieren. Ein Polizeiauto wird ihn in ein Auffanglager für illegale Einwanderer bringen, oder vielleicht auch direkt zum Flugplatz nach München. Der Polizist erklärt ihm, Westdeutschland könne nicht alle aufnehmen, die an seine Tür klopften. Dann bespricht er sich mit einem seiner Kollegen auf Deutsch. Pikay versteht nicht, was sie sagen, doch es fühlt sich an, als würde ihn jemand zu fest umarmen. Eine böse Macht. »Sie können mich jetzt nicht aufhalten! Sie können doch nicht so herzlos sein!«, schreit er im Falsett.

Es ist, als würde alles kaputtgehen. Die Stimme, das Selbstwertgefühl, die Überzeugung. Vor dem Fenster sieht er den Zug, der immer noch still auf dem Gleis steht und darauf wartet, seine Fahrt nach München fortsetzen zu können. Die grünen Waggons sind in grauen Nebel gehüllt. Es nieselt. Er friert.

Er muss daran denken, dass die Europäer mehr darauf eingestellt sind, Regeln einzuhalten, als der Stimme ihres Herzens zu folgen.

Jetzt ist das Abenteuer beendet, die Hoffnung versiegt. Er wird zurückgeschickt werden. Seine Zukunft ist in Stücke geschlagen. Alle seine Träume, alle Sehnsucht, alles, wofür er gekämpft hat, alles. Vergebens!


Bisher war er fest davon überzeugt, dass er sein Ziel erreichen wird. Er hat gezweifelt und war von Missmut heimgesucht worden, konnte aber immer wieder den Glauben an sein wahnsinniges Projekt zurückgewinnen. Doch nach den Warnungen von den Freunden in Wien ist er nicht mehr so überzeugt. Und jetzt:

Die Grenzpolizisten in Passau an der Grenzstation zwischen Österreich und Westdeutschland sehen nicht fröhlich aus.

Einer der Polizisten bittet ihn mitzukommen. Sie betreten jetzt ein Steinhaus am Gleis.

»Einen Moment bitte!«, sagt der Polizist und sieht ihn mit einer ebenso professionell eingeübten wie regungslosen Miene an, die nichts von dem verrät, was er fühlt oder denkt.

Pikay versucht, so frisch verliebt wie möglich auszusehen, begreift aber gleichzeitig, dass die Schlacht verloren ist. Also macht er sich bereit, seinen Koffer zu nehmen, sich in den Warteraum des Bahnhofs zu setzen und den nächsten Zug in entgegengesetzter Richtung zu besteigen und zurück nach Wien zu fahren.

Die Grenzpolizisten lesen noch einmal die Briefe von Lotta und den Artikel aus der *Youth Times*. Der Artikel enthält ein Bild, auf dem Pikay seine Wange an die von Lotta drückt.

»Er sagt die Wahrheit. Er ist verheiratet«, sagt einer der Grenzbeamten und wirkt plötzlich gar nicht mehr so finster.

»Und Sie sind auf dem Weg nach Schweden?«, fragt der Polizist fast freundlich.

»Zu meiner Lotta«, erklärt Pikay.

»Ahja, jaha, das scheint so zu sein«, sagt er dann zu seinem Kollegen und wendet sich wieder Pikay zu.

»Und die wohnt in Schweden?«, fragt er zum fünften Mal.

»Sie wohnt in Borås.«

PASSAU – MÜNCHEN – HAMBURG – PUTTGARDEN –
RÖDBY – KOPENHAGEN

Einen Monat ist es her, seit er Istanbul verlassen und sein drittes
Fahrrad aufgegeben hat. Die Freunde waren besorgt gewesen
und hatten ihm verboten, weiter auf dem Rad zu strampeln. Dabei gibt es vieles, was gefährlicher ist, als nach Europa zu radeln.
Die Menschen sind hier so ängstlich, pessimistisch und mutlos,
denkt er jetzt, wo er gut gepolstert und versorgt in einem Zug
sitzt, der, eigentlich entgegen aller menschlichen Vernunft nach
Norden eilt, direkt in die kalte Luft hinein, von der die nördliche
Erdhalbkugel umhüllt ist. Wie überlebt man denn so weit nördlich?

Doch warum sollte man den Mut verlieren? Die Grenzpolizisten haben ihn reingelassen, er wurde nicht nach Hause geschickt,
er ist im Besitz einer Zugfahrkarte bis nach Göteborg. Jetzt kann
ja wohl nichts mehr schiefgehen.

Wieder und wieder rekapituliert er, wer er ist, woher er kommt
und welche Gefühle in seinem Leben vorherrschten. Die Wut, als
die Priester ihn mit Steinen bewarfen und der Lehrer sich weigerte, ihn im Klassenzimmer sitzen zu lassen. Das bittersüße Gefühl,
das sich im Körper ausbreitete, wenn er verschiedene Racheaktionen ersann. Die Frustration darüber, unberührbar und weniger wert zu sein.

Er denkt, dass er ohne diese Frustration jetzt nicht in einem Zug nach Norden sitzen würde. Sie wurde zu seiner treibenden Kraft. Seine Identität als wertloser Mensch wurde schließlich sein Glück. Ohne die Minderwertigkeitsgefühle wäre er niemals Künstler geworden. Das Außenseitertum wurde zur Turbine, die ihn vorwärts, nach oben und aus seiner Vorstellungswelt heraustrieb.

Als Kind hatte er den Kopf voller Fragen. Wenn die Brahmanen die Kühe heiligten und ihn mit Steinen bewarfen, dann fragte er sich, warum er weniger wert war als eine Kuh. Wenn er nicht mit seinen Klassenkameraden zusammen sein durfte, dann fragte er sich, was eigentlich passieren würde, wenn er sie berührte, abgesehen davon, dass sie wütend wurden. Würde die Welt untergehen, der Himmel einstürzen, der göttliche Kreislauf zerstört werden? Sein Großvater tröstete ihn immer, wenn er besonders niedergeschlagen war:

»Es gibt viele dunkle Wolken vor der Sonne«, sagte er dann auf seine hölzerne, aber freundliche Weise. »Aber eines Tages werden sie weggeblasen sein.«

Großvater sagte noch andere Dinge, die er nicht alle verstand. Weisheiten wie: »Wir kommen aus Liebe, wir werden zu Liebe – das ist der Sinn des Lebens« und »Wenn wir uns nicht selbst kennen, kennen wir auch die Liebe nicht.« Über den letzten Satz hatte er viel nachgedacht, ohne ihn zu begreifen.

Jetzt, da er in einem deutschen Zugabteil sitzt und sich an die klugen Worte seines Großvaters erinnert, versteht er mit einem Mal. Er wollte ihm einfach nur sagen, dass für einen Menschen, der einen anderen lieben will, Selbsterkenntnis notwendig ist.

Als er Lotta kennenlernte, verschwanden die schwarzen Wolken. Er hat schon versucht, für sich selbst zu formulieren, was geschah, als er ihr begegnete. Was geschieht, wenn man sich verliebt? Die Energie des Verzeihens, denkt er, sie hat mir die Energie des Verzeihens gegeben. Das ist geschehen.

Auf dem Bahnsteig in Kopenhagen sieht er ein Mädchen und einen Jungen, die sich umarmen. Sie wird mit dem Zug fahren und hat eine Reisetasche bei sich, er wird zurückbleiben. Sie küssen sich. Lange und intensiv. Mein Gott, die sind ja mit den Zungen im Mund des anderen! Dass niemand das unterbindet! In Indien wären jetzt schon Menschen hingelaufen, hätten die beiden fest am Arm gepackt und verflucht.

Was ich da sehe, ist Europa, denkt er. Meine Zukunft!

Der Zug nach Göteborg rumpelt quietschend über die Weichen am Fähranleger in Helsingborg. Die norwegische Frau, die schräg gegenüber von ihm sitzt, sieht ihn an und sagt dann besorgt:

»Sie haben doch wohl eine Rückfahrkarte?«

»Nein«, antwortet er. »Warum sollte ich?«

»Sonst werden Sie nicht reingelassen.«

Die schwedischen Grenzpolizisten sind schon auf dem Weg. Er hört, wie sie die Tür zum Nebenabteil öffnen und nach den Pässen fragen. Die Norwegerin nimmt ihre Brieftasche, holt ein paar Geldscheine heraus und stopft sie in Pikays Hemdtasche.

»Dreitausend schwedische Kronen«, sagt die Norwegerin.

Schon kommen die Polizisten zu ihrem Abteil. Er zeigt seinen Pass, sie machen skeptische Mienen.

»Indischer Staatsangehöriger?«

»Ja.«

Der Polizist murmelt:

»Und Sie möchten nach Schweden?«

»Ist das ein Problem, Sir?«

»Grund der Reise?«, fährt der Polizist fort.

»Ich bin mit einer schwedischen Frau verheiratet.«

Die Polizisten machen fragende Gesichter und sehen einander an, als überlegten sie, wer von ihnen diesen Fall an den Hals kriegen soll. Einer von ihnen fragt, ob er Papiere hat, die seine Eheschließung belegen. Da wird Pikay ganz kalt. Schließlich sind sie nur von seinem Vater gesegnet worden, er hat kein einziges offizielles Dokument und keinen Stempel und keine Unterschrift.

Er befindet sich an der Grenze zu dem Land, das das Ziel seiner Reise ist, darf aber nicht weiterfahren. So nah, und doch so weit entfernt.

Die norwegische Frau gestikuliert und zeigt auf seine Hemdtasche. Da begreift er. Er nimmt das Bündel Geldscheine, das sie eben erst da reingestopft hat, und zeigt es den Polizisten.

Die sehen erst erstaunt aus, dann erleichtert. Sie lächeln einander zu, treten rückwärts aus dem Abteil und ziehen die Tür zu. Pikay gibt der Frau das Geldscheinbündel zurück. Seine eigene Reisekasse, die seit Wien beträchtlich geschrumpft ist, hätte wahrscheinlich nicht genügt, um die Polizisten davon zu überzeugen, dass er reingelassen werden dürfe.

»Sie sind ein Engel«, sagt er zu der Frau im Abteil und denkt, wenn die Welt nicht voller Engel wäre, hätte er es nicht so weit geschafft.

Als Kind hat er gelernt, kreativ zu denken, um Hindernisse zu überwinden. Seine Mutter pflegte ihm immer die Geschichte von der Krähe zu erzählen, die nicht an das Wasser aus dem Krug kommen konnte, und dann, Steinchen für Steinchen, den Krug füllte, bis das Wasser so hoch gestiegen war, dass die Krähe davon trinken und ihren Durst löschen konnte.

»Denk wie die Krähe«, sagte seine Mutter.

Doch manchmal scheinen die Hindernisse unüberwindlich zu sein. Wenn alles von seinen eigenen Handlungen, seinen Fähigkeiten und seinen Talenten abhängig gewesen wäre und wenn er niemals auf all diese Wohltäter gestoßen wäre, die ihm uneigennützig geholfen haben, dann würde er immer noch unter der Minto-Brücke in Neu-Delhi wohnen. Davon ist er fest überzeugt. Dann würde ihm immer noch der Bauch vor Hunger wehtun, und in kalten Winternächten würde er seine Hände über Müllfeuern wärmen.

Er friert, ist verwirrt, besorgt und erwartungsfroh. Was macht er hier? Ein bärtiger Inder, eins siebenundsechzig groß, mit verfilztem Haar und schlecht riechenden Kleidern zwischen all diesen hellen, hochgewachsenen und sauberen Menschen. Das Licht vor dem Abteilfenster verwirrt ihn. Ein roter Streifen am Horizont, obwohl es mitten in der Nacht ist. Er begreift nicht, wie das möglich ist.

Er schläft wieder ein. Als er erwacht, scheint die Sonne ins Abteil. Der Zug steht still. Er schwitzt, schiebt das Fenster herunter, beugt sich hinaus und sieht weiße Blumen, von denen er später lernt, dass sie Anemonen heißen, und hört einen kohlrabenschwarzen Vogel mit gelbem Schnabel ein durchdringendes glückliches Lied singen, ebenso schön wie Lata Mangeshkars glockenreine Stimme in den Filmen zu Hause.

Der Zug steht auf dem Hauptbahnhof von Göteborg.

Er saugt die reine, kühle Luft durch die Nase und geht mit vorsichtigen Schritten über den frisch asphaltierten Bahnsteig. Alles ist so anders als alle Städte, in denen er gewesen ist. Nicht wie in Asien. Keine dampfenden Körper, die sich an ihn drängen, kein einziger Träger, keine gellenden Lockrufe von Teeverkäufern, kein einziger Bettler. Aber auch nicht so wie in Istanbul oder Wien. Keine Schornsteine mit rußigem Rauch, keine Minarettrufe, keine verwitterten Hausfassaden, kein Benzin- und kein Steinkohlegeruch.

Es ist so still, so sauber, so leer. Zu Hause in den Städten fragt man sich manchmal, woher all die Leute kommen, und wie es möglich ist, dass so viele Menschen an ein und demselben Ort sind. Hier fragt er sich stattdessen, wohin alle Menschen verschwunden sind. Hallo! Wo habt ihr euch versteckt?

Auf dem Platz vor dem Bahnhof fragt er nach einer Jugendherberge. Da taucht ein Reisender auf, den er von unterwegs kennt. Er wohnt in Göteborg und kann ihm die Herberge der Heilsarmee zeigen. Er ist froh, dass sich die Freunde vom Hippie Trail immer wieder begegnen.

Und jetzt steht er im Waschraum der Herberge für alleinstehende Männer und ist dabei, sich zu rasieren. Neben ihm steht ein Mann mit ebenso schmutzigen Kleidern wie seine eigenen. Der Mann hat eine fleckige Haut und blutunterlaufene Augen. Plötzlich nimmt er seine Zähne heraus und hebt sein Haar ab. Pikay ist zu Tode erschrocken. Ein schwarzer Magier, denkt er und schreit laut vor Angst.

Der Zauberer dreht sich um und fragt in schlechtem Englisch, warum er schreit.

Pikay antwortet nicht, sondern rafft seine Rasierutensilien zusammen, wirft sie ins Necessaire, rennt aus dem Waschraum und zur Rezeption, um von dem Fakir zu berichten, den er eben getroffen hat.

»Nehmt euch vor ihm in Acht, der kann gefährlich werden«, warnt er. »Glaubt mir, ich bin aus Indien, ich weiß, was schwarze Magie anrichten kann.«

»Wie viel hast du denn getrunken?«, fragt der Mann an der Rezeption.

Er findet eine Telefonzelle und ruft Lotta an.

»Ich kann gar nicht glauben, dass es wahr ist, du bist in Göteborg!«, ruft sie.

Vor lauter Aufregung kann er sich gar nicht freuen, endlich ihre Stimme zu hören. Er erzählt, dass er einen Zauberer getroffen hat, dass ihm aber keiner glauben will. Auch sie scheint das nicht zu tun. Sie lacht und fragt, ob Pikay noch nie ein Gebiss und ein Toupet gesehen hat.

Dann sagt Lotta, dass sie bald, sehr bald kommen wird, um ihn abzuholen.

*Er steht am* Empfang der Herberge der Heilsarmee in Göteborg und sieht sie kommen. Sie trägt eine dunkelblaue Jacke mit Goldknöpfen. Keiner von ihnen sagt ein Wort. Sechzehn Monate sind vergangen, seit sie sich am Bahnhof in Neu-Delhi getrennt haben.

Gerade noch stand Pikay kurz vor dem Zusammenbruch. In der letzten Zeit hatte er sich erschöpfter gefühlt denn je. Doch jetzt verschwindet die Müdigkeit, jetzt wird sie von der Freude weggeblasen, die ihm durch den Körper fließt.

Er geht auf sie zu und versucht auszudrücken, was er fühlt, aber er kriegt kein Wort heraus. Er sieht sie an. Und fängt an zu weinen.

Lotta weiß, dass seine starken Gefühle ihn immer mitreißen.

Sie gehen in die Trädgårdsförening, den Park des Gartenbauvereins gegenüber vom Bahnhof.

»A café in the midst of flowers«, erklärt Lotta.

Sie trinken Kaffee. Die Sonne scheint. Die Luft ist lau. Der Himmel ist frisch hellblau. Entlang des großen Hafenkanals blühen immer noch die Anemonen.

Wie groß sie dieses Jahr sind!, denkt Lotta. Noch nie zuvor hat sie so große Anemonen gesehen. Mutierte Anemonen!, denkt sie, als sie Hand in Hand mit Pikay geht, der nicht weiß, wie winzig Anemonen sonst sind, und der seinerseits an ganz andere Sachen denkt.

Pikay schaut in den Kanal am Wallgraben und wundert sich, dass das Wasser nicht schwarz und träge dahinfließt.

Das allerletzte Stück seiner langen Reise legen sie in Lottas gelbem Auto zurück und fahren dabei durch lauter Orte, die er nicht aussprechen kann.

Landvetter, Bollebygd, Sandared, Sjömarken.

Er muss daran denken, dass er sich gefürchtet hatte. Gefürchtet, nicht anzukommen, gefürchtet, dass sie ihre Meinung geändert haben könnte, gefürchtet, dass ihr Vater ihn nicht mögen würde, gefürchtet, nicht hineinzupassen.

Aber jetzt fahren sie nach Borås hinein.

Sie nähern sich dem Ziel seiner Reise. Es muss vorherbestimmt sein. Es muss das Schicksal sein. Sein Schicksal.

Es ist der 28. Mai 1977, und er hat das Gefühl, als würde er endlich nach Hause kommen.

DIE HEIMKEHR

*Die Wohnung an* der Ulvens Gata in Borås hat drei Zimmer und liegt in einem rosa verputzten Mehrfamilienhaus, das Lottas Familie gehört. Ihre Eltern wohnen einen Stock höher. Es ist Pikays erster Sommer in Schweden. Er hat sich einen warmen Strickpullover unter die Wolljacke gezogen und sitzt bei geöffnetem Fenster auf einem Stuhl im Wohnzimmer und horcht auf das Vogelgezwitscher und das Rauschen der Birken. Ab und zu fährt ein Auto vorbei. Dazwischen hört man nur den Wind in den Baumkronen. Borås ist nicht wie die Städte, die er gewohnt ist, wo man die Ohren spitzen muss, um aus einer lärmenden Kakofonie von Dröhnen und Geschrei einzelne Laute identifizieren zu können.

Er mag die Stille, sie gibt ihm ein Gefühl des Friedens. Doch manchmal wird es zu viel des Guten, dann schaudert es ihn. Im Bus zum Beispiel, da schauen alle weg. Wenn er mit den Mitreisenden spricht, antworten sie höflich, oft sogar herzlich. Doch kein Schwede ergreift jemals die Initiative zur Kontaktaufnahme. Sie sitzen Seite an Seite und doch, als würde jeder in seinem eigenen Kühlschrank sitzen, und sie frieren ständig, denkt er.

Manchmal ist ihm, als wäre er in eine andere Welt gekommen, eine Traumwelt, wo eine Pause von allem Leiden eingelegt wird, wie eine Art Belohnung für einen langen und tapferen Kampf in der richtigen Welt. Hier ist es so kalt und gleichzeitig behaglich. Manchmal bekommt er eine Gänsehaut. Aber er lebt sich gut ein.

Vor dem offenen Fenster sieht er zwei Männer vorbeilaufen. Sie rennen zum Wald. Sie haben es eilig. Plötzlich hat er das Gefühl, dass Gefahr droht, und rennt aus der Wohnung. Er holt die Männer ein, und zusammen laufen sie zum Waldrand. Er ist überzeugt, dass es im Wald brennt und dass sie auf dem Weg dorthin sind, um den Brand zu löschen. Bald werden sie am Rand des kleinen Waldsees innehalten und einander Blecheimer mit Wasser durchreichen. Wenn noch mehr kommen, um zu helfen, dann werden sie es schaffen.

Doch es steigt kein Rauch aus dem Wald auf. Zwischen den Bäumen ist kein Feuer zu sehen. Keine Panik in den Gesichtern der beiden Männer. Sie tragen blaue Trainingsanzüge und sind jetzt stehen geblieben. Ruhig sprechen sie miteinander, stützen die Hände an einen Baum und lehnen sich an die Baumstämme, als wollten sie sie umschubsen.

Pikay starrt sie an.

»Was macht ihr?«, fragt er auf Englisch.

»Dehnübungen«, antworten sie.

»Warum macht ihr das?«

»Wir sind Orientierungsläufer.«

Er weiß nicht, was ein Orientierungsläufer ist. Die Männer erklären:

»Einer, der Orientierungslauf macht.«

*Es gibt da* einen Mann, der nicht mehrere Tausend Kilometer über Berge und durch Wüsten geradelt ist, der keine astrologische Prophezeiung besitzt, der nicht gehungert und unter Brücken geschlafen hat, nicht versucht hat, sich umzubringen, und der auch keine Präsidenten und Premierministerinnen porträtiert hat. Er ist blond, hat eine helle Haut und ist Schwede, sieht ordentlich und nett aus, spielt Flöte, spricht perfekt Schwedisch, verstößt nicht ständig gegen die sozialen und kulturellen Spielregeln und kennt Lotta gut, weil sie viele Jahre im selben Chor gesungen haben.

Außerdem heißt er Bengt, was viel leichter auszusprechen ist als Pradyumna Kumar.

Eines Abends ist Bengt zu Besuch in der Ulvens Gata. Er redet und redet und sieht Pikay und Lotta forschend an. Er spricht so forciert, dass Pikay allmählich glaubt, dass er nicht ganz gesund ist.

Die Stunden vergehen, aus dem Abend wird Nacht, aber Bengt weigert sich, nach Hause zu gehen.

»Warum bleibt der Gast so lange?«, fragt Pikay, als es drei Uhr ist und Bengt grade auf dem Klo ist.

Irgendwann kann er nicht mehr versuchen, dem schwedischen Monolog des Gastes zu folgen. Er geht raus und macht einen Spaziergang in der Hoffnung, dass dies vielleicht den Gast dazu bringt, nach Hause zu gehen und sich schlafen zu legen.

Doch als er zurückkommt, sieht er, dass Bengt immer noch da ist – mit rot geränderten Augen und nassen Wangen. Plötzlich steht Bengt auf, geht in den Flur hinaus, schlägt die Tür hinter sich zu und verschwindet die Treppe hinunter, um sie endlich allein zu lassen. Pikay hört, wie die Haustür unten zufällt. Es wird still.

»Warum hat er geweint?«, fragt Pikay.

»Wir kennen uns schon lange. Wir sind Freunde, mehr nicht, aber jetzt hat er mir erklärt, dass er in mich verliebt ist. Er kommt nicht damit klar, dass du hier bei mir wohnst«, erklärt Lotta und erzählt.

Pikay liegt neben Lotta im Bett und betrachtet die Schatten von der Straße, die an der Decke tanzen. Er kann unmöglich einschlafen, wieder und wieder denkt er: Es sollte noch eine Lotta geben, eine für mich und eine für Bengt.

Am nächsten Morgen erklärt er Lotta, dass er zum Fahrradladen gehen wird.

»Warum denn das?«, fragt sie.

»Ich werde ein Fahrrad kaufen.«

Sie sieht ihn erstaunt an.

»Ein gutes und haltbares Fahrrad, das den ganzen Weg zurück nach Indien durchhält.«

Lotta bricht in Tränen aus. Pikay geht.


Den ganzen folgenden Tag denkt Pikay an Bengt. Es tut weh einzusehen, dass Bengt so gut zu Lotta passt. Er überdenkt seine Niederlage, und dann geht er zum Fahrradladen und sucht sich ein Modell aus, das er am nächsten Tag kaufen wird. Auf den Straßen von Borås trifft er mehrere neu gewonnene Freunde und erzählt ihnen, dass er wieder nach Hause radeln wird. Einige von ihnen lachen, doch Pikay bleibt ernst und beharrt darauf. Da verstummt ihr Lachen.

»Wenn es keine Liebe gibt, was soll ich dann hier?«, fragt Pikay.

Die Heimreise wird schneller vonstatten gehen, denn jetzt geht es ja nur geradeaus, sagt er. Jetzt wird er so viel Rad fahren, wie er nur kann, von morgens bis abends. Er wird nach Hause nach Neu-Delhi fahren und dann zur Hauptpost gehen und fragen, ob die Stelle als Briefmarkenillustrator noch frei ist. Wenn nicht, dann nimmt er den Bus in den Himalaya, sucht sich ein schön gelegenes Buddhistenkloster und wird Mönch.

Er will ein Zuhause. Und dabei denkt er nicht an das Haus selbst. Es ist nicht wichtig, wie das aussieht. Er sehnt sich nach der Geborgenheit und einem festen Platz im Leben.

Am Abend nach dem Dreiecksdrama mit Bengt sitzen Pikay und Lotta auf dem Sofa.

»Ich bleibe dabei«, sagt er. »Ich werde zurück nach Neu-Delhi radeln.«

Lotta weint.

»Warum weinst du?«

»Weil ich nicht will, dass du ein Fahrrad kaufst und wegfährst.«

Sie lehnt sich an ihn, umarmt ihn. Er lässt sich umarmen. Vielleicht ist es eine Abschiedsumarmung.

»Soll ich jetzt gehen?«, fragt er.

»Nein, ich will nicht, dass du gehst. Bengt ist mir egal. Ich wusste nicht einmal, dass er in mich verliebt ist. Ich will mit dir zusammenkleben – wie ein Klumpen –, das ganze Leben lang«, schnieft und schluchzt Lotta.

*Er findet, Schweden* ist ein seltsames Land, in dem die Leute einander für Selbstverständlichkeiten danken. Gleichzeitig sagen sie ständig so sinnlose Sachen wie »Schönes Wetter heute«. Wozu? Wenn man das wissen will, muss man doch nur den Kopf in den Nacken legen und nach oben gucken.

»Wenn deine Freunde und Verwandten nach Orissa kommen würden«, sagt er zu Lotta, »und auf der Hauptstraße in meinem Heimatdorf auf meinen Bruder treffen und ihn mit dem Satz ›Was für ein schönes Wetter haben Sie hier heute‹ begrüßen würden, dann würde er den Kopf schütteln und sofort weitergehen, weil er sicher wäre, ein paar Verrückten zu begegnen.«

Aber ich werde mich schon daran gewöhnen, denkt er.

Beim ersten Treffen mit Lottas Mutter meint er, es gelernt zu haben. Er hat die schwedischen Höflichkeitsphrasen auswendig gelernt, von denen Lotta geredet hat.

Frag sie, wie es ihr geht, und dann redest du vom Wetter. Wie geht es Ihnen? Schönes Wetter heute!, wiederholt er mehrere Male im Geiste, als sie an der Tür klingeln.

Doch draußen ist es kalt, und deshalb muss er die Begrüßung verändern:

»Wie geht es Ihnen? Kalt ist es heute! Schweinekalt!«

Auge in Auge mit der Schwiegermutter ist es Zeit für die Feuertaufe:

»Wie geht es Ihnen?«, fragt er und fügt hinzu:

»Schwein, nicht wahr?«

Das ist fast richtig, aber nur fast. Die Schwiegermutter verstummt. Pikay hält das für eine melancholische Neigung.

Doch später am Abend fragt Lotta verärgert:

»Warum hast du Mama ein Schwein genannt? Sie war sehr entsetzt.«

»Ein Missverständnis«, entschuldigt er sich.

Die Begrüßung von Lottas Vater verläuft fast genauso verkehrt. Der Schwiegervater streckt die Hand aus, um Pikay zu begrüßen, der schnell auf den Boden abtaucht, um die Füße des Schwiegervaters zu berühren. So macht man das. Das ist eine Selbstverständlichkeit, wenn man ältere Verwandte trifft. Doch offensichtlich nicht so in Schweden, denn später hört er, dass Lottas Vater erstaunt gedacht hat: Wohin ist nur der kleine Inder verschwunden?

Und dann die Sache mit den Tieren. Im ersten Sommer sieht er auf einer Wiese bei der Sommerhütte von Lottas Eltern, direkt bei Borås, ein paar Kühe. Er denkt: Jemand hat vergessen, das Gatter zu öffnen. Kühe sollten frei herumstreunen können. Er macht das Gatter auf. Und siehe da, auch schwedische Kühe sehnen sich nach Freiheit und schaukeln gutmütig auf die Straße hinaus.

Aber die Autos hupen verärgert. Pikay winkt fröhlich zurück. In Indien hupen die Autofahrer, um die Kühe auf die Seite zu treiben.

Alles in bester Ordnung.

Aber der Bauer ist wütend.

»Wer hat die Kühe rausgelassen?«, fragt er verärgert.

»Das war ich!«, ruft Pikay stolz.


Er absolviert einen viermonatigen Schwedischkurs für Einwanderer und arbeitet hart daran, sich in sein neues Heimatland zu integrieren. Da er es gewohnt ist, barfuß zu gehen, vergisst er auch im Winter oft, die Schuhe anzuziehen, wenn er rausgehen will. Dann stellt er seine nackten Füße in den Schneematsch auf der Vortreppe und bemerkt seinen Fehler erst, wenn er Kälte und Nässe schon spürt.

In Borås gibt es eine Vertretungsstelle als Kunstlehrer. Obwohl er noch ziemlich schlecht schwedisch spricht, bewirbt sich Pikay. Die Kunst ist doch universell, denkt er. Ein Bild verstehen alle, da braucht man keine Sprache. Er wird zum Bewerbungsgespräch in die Gemeindeverwaltung eingeladen, zieht Schuhe an, kämmt sich und geht hin. Er fühlt sich sehr zivilisiert. Fast wie ein Schwede.

Als die Besuchslampe des Personalchefs grün leuchtet, betritt er nervös den Raum. Er atmet tief, um seine Nervosität zu verbergen. Der Personalchef geht auf und ab, zieht mit den Daumen seine Hosenträger lang und wippt auf den Zehen, sagt aber nichts. Pikay wird noch nervöser, und ihm wird klar, dass er diesen kulturellen Code noch nicht geknackt hat. Die Hosenträger langziehen? Auf den Zehen wippen? Was könnte das bedeuten?

Plötzlich fragt der Gemeindebeamte:

»Ah, Sie machen einen Einbürgerungskurs. Und die Maßnahmen greifen?«

Pikay hat inzwischen das Verb »arbeiten« gelernt und sogar »schuften« ist ihm vertraut, doch den Lieblingsbegriff der schwedischen Arbeitsvermittlung von den »Fortbildungsmaßnahmen, die greifen«, hört er zum ersten Mal, und deshalb weiß er nicht, was »Maßnahmen« und »greifen« meinen könnte.

Der erste Schwede seines Lebens war der Filmemacher Jan Lindblad, der 1968 in Pikays Heimatdorf im großen Wald das Tierleben im Tikarpada Wildlife Resort gefilmt hat. Der Teenager Pikay wich dem Filmteam nicht von der Seite und sah fasziniert zu, wie sie Kameras schleppten und aufbauten und die Apparate mit Kabeln verbanden.

Jan Lindblad mochte Pikay und nannte ihn den Dschungeljungen. Er war so lustig und freundlich und behandelte die

Unberührbaren, als ob sie genauso viel wert wären wie er selbst.

Jan Lindblad lief oft pfeifend durch den Wald, um Vögel anzulocken. Er war unheimlich gut im Pfeifen, konnte verschiedene Melodien pfeifen und Tiere so gut nachahmen, dass Pikay vor Lachen der Bauch wehtat.

Das fällt ihm ein, als er nun im Zimmer des Personalchefs der Gemeindeverwaltung von Borås sitzt. Natürlich, der schwedische Beamte hat gefragt, ob er pfeifen kann. Ja, selbstverständlich! Nun ist alles ganz logisch. Pfeifen zu können gilt in Schweden offensichtlich als eine wichtige Fähigkeit. Als Lehrer, denkt er, muss man nach den Kindern pfeifen können, wenn sie nach einer Pause wieder reinkommen sollen. So macht man das hier in Schweden.

Er nimmt einen tiefen Yoga-Atemzug und beginnt zu pfeifen, laut und kräftig. Er pfeift aus allen Kräften, um dem Schweden zu zeigen, dass er so denkt wie Jan Lindblad, dass er wie ein Schwede ist und gut geeignet für die Arbeit als Kunstlehrer.

Aber der Personalchef sieht nicht froh aus. Er erstarrt und hebt die Handflächen, um – wie er dann später erfährt – ihm zu signalisieren, dass er aufhören soll. Aber Pikay versteht ihn nicht. Wenn man in Indien seine Handflächen zeigt, dann bedeutet das: »Gut, sehr gut, weitermachen!« Also macht er weiter, noch lauter, noch engagierter.

Er pfeift, bis ihm die Backen wehtun. Und dann hört er auf. Das müsste eigentlich reichen.

Der Personalchef starrt vor sich hin. Dann schaut er Pikay eindringlich an und stellt ungefähr zehn kurze Fragen über seine Ausbildung und seinen Hintergrund. Danach fragt er nichts mehr, sondern steht auf und öffnet die Tür. Pikay sammelt seine Unterlagen zusammen. Der Personalchef sagt entschieden:

»Danke und guten Tag!«

Das klang fast verärgert, findet Pikay.

Nach dem Gespräch grübelt er lange über das Verhalten des

Personalchefs nach. Warum hatte er es plötzlich so eilig? War er nicht gut genug? Hat er nicht laut genug gepfiffen? Oder vielleicht die falsche Melodie?

Doch ein paar Tage später ruft der Direktor der Engelbrekts-Schule an und fragt, ob Pradyumna Kumar Mahanandia sich vorstellen könne, eine Aushilfsstelle als Kunstlehrer anzunehmen, und ob er bereits früh am nächsten Morgen anfangen könne.

*In der ersten* Zeit in Schweden begegnet er vielen, die glauben, dass seine und Lottas Liebe nicht lange halten wird. Die sagen, dass er sich nicht an die neue Umgebung wird anpassen können, dass Dunkelheit, Kälte, der wachsende Rassismus in der Gesellschaft und die schwedische Art, miteinander umzugehen, ihn fertigmachen werden. »Mein Gott, wie soll denn ein indischer Dorfjunge lernen, im modernen Schweden zu leben?«, fragen sie sich und schütteln den Kopf. »Bald wird er sich von Lotta trennen, seine Taschen packen und nach Hause in den Dschungel zurückkehren.«

Doch Pikay hat keine Sehnsucht nach Indien. »Ich bin mental von allem Indischen weggezogen«, schreibt er in sein Tagebuch. Das Buch mit den rot-schwarzen Deckeln, das er von Lotta bekommen hat, füllt sich rasch – und dann noch eins und noch eins – mit Gedanken über das Leben in Schweden. Im ersten Jahr in der neuen Welt sitzt er Abend für Abend auf dem Sofa in der Wohnung an der Ulvens Gata und schreibt über alles Neue: alle Enttäuschungen und alles, was er gelernt hat, wer an ihre Liebe glaubt und wer zweifelt. Er schreibt, während der Herbstregen an die Hausfassade klatscht, die Eisblumen am Fenster in der Wintersonne glitzern und der Gesang der Amsel durch das geöffnete Fenster tönt. Er denkt, schreibt, denkt und schreibt. Schweden und all die Kulturschocks haben ihn zu einem reflektierten Menschen gemacht, das spürt er.

Mit jedem Tag wird er mehr schwedisch und weniger indisch. Lotta geht es genau umgekehrt. Sie vertieft sich in Yoga und Meditation. Morgens sagt sie das Mantra auf. Pikay verabscheut das Mantra. Die religiös klingenden Laute erinnern ihn an alles, wovor er geflohen ist, an die Übermacht der Brahmanen, das Ausgestoßensein und die Selbstmordversuche. Doch selbst diese Gefühle, die sich manchmal in körperlichem Unwohlsein Bahn brechen, lernt er zu beherrschen und damit zu leben.

Für andere Aspekte der indischen Kultur, solange sie nicht allzu religiös sind, hegt er warme Gefühle. In der ersten Zeit in Schweden zeichnet Pikay Postkarten und Plakate mit indischen Motiven, die er an Freunde und Kollegen verkauft. Seine Bilder werden in mehreren schwedischen Zeitungen veröffentlicht. Besonders stolz ist er, als die Kulturseite des *Aftonbladet* über seine künstlerische Arbeit schreibt und in ihren Räumen eine Ausstellung arrangiert – genau wie es einige Jahre zuvor die *Kabul Times* getan hatte. Der Artikel im *Aftonbladet* führt dann auch zu weiteren Ausstellungen in der schwedischen Hauptstadt.

Es ist schwer, seinem Ursprung zu entfliehen. Die Umgebung findet, Pikay solle doch Yoga-Unterricht geben, auch wenn er beteuert, auf diesem Gebiet kein Experte zu sein. Doch die Erwartungen hängen ihm an, und die Angebote, Kurse zu leiten, häufen sich.

»Ich habe niemals einen Yoga-Kurs besucht, alles, was ich kann, hat mir mein großer Bruder beigebracht«, versucht Pikay, die erwartungsfrohen Bewohner von Borås abzuwehren.

Doch die antworten nur: »Umso besser.«

Als die Volkshochschule den ersten Yoga-Kurs in der Stadt mit einem echten Inder als Lehrer ankündigt, ist der Kurs im Nu ausgebucht, und es melden sich ausschließlich Frauen an.

Pikay lehrt, was sein Bruder ihm gezeigt hat. Das ist nicht gerade viel, findet er, aber die Kursteilnehmerinnen scheinen zufrieden zu sein. Er wird auch viel nach der tieferen Bedeutung von

Yoga gefragt – alles Fragen, auf die eigentlich Lotta antworten sollte, findet er, denn er selbst weiß nicht so recht, was er dazu sagen soll. Erstaunlicherweise sind aber die yoga-interessierten Frauen sogar mit seinen verwirrenden Antworten zufrieden, die auf Bruchstücken aufbauen, die er von anderen gehört hat, und die weder besonders klug noch tiefgehend oder erkenntnisreich sind.

»Ich mache gute Miene und leite meine Yoga-Kurse. Das ist zumindest eine Arbeit, und ich verdiene damit Geld«, schreibt Pikay in sein Tagebuch.

Manchmal denkt er darüber nach, was geschehen wäre, wenn er Lotta niemals begegnet wäre und auch nicht in Neu-Delhi dieses Fahrrad gekauft und angefangen hätte, nach Westen zu radeln. In seinen Tagträumen stellt er sich das Leben vor, wie es ausgesehen hätte, wenn er sich nicht verliebt hätte und mit der »Energie der Vergebung« erfüllt worden wäre, sondern in seinem Heimatland in das Kastensystem eingezwängt geblieben wäre. Ja, denkt er dann, wahrscheinlich wäre ich Politiker geworden, um für die Rechte der Unberührbaren zu kämpfen. Die Politik wäre seine einzige Waffe gewesen.

Vielleicht wäre er für die Kongresspartei von Indira Gandhi in das indische Parlament gewählt worden. Danach, so denkt er, hätte er sich vermutlich korrumpieren und bestechen lassen. Macht korrumpiert. Das ist so. Nur sehr wenige Menschen können dem widerstehen und eine weiße Weste bewahren.

Vielleicht hätte die Politik nicht ausgereicht, um seine Wut zu kühlen. Solange er denken kann, hat er an Rache gedacht. Bevor er Lotta begegnete, hat er oft erwogen, sich auf irgendeine grausame Weise an der Gesellschaft zu rächen. Aber Pikays Mutter und sein Vater haben immer versucht, die Wut abzukühlen, wenn sie überzukochen drohte.

»Du musst vergeben«, pflegten sie zu sagen.

Inzwischen ist es lange her, dass Pikay das letzte Mal an Rache gedacht hat. Wenn er heute wütend wird, stellt er sich stattdessen vor, dass der, an dem er sich rächen will, ein Spiegelbild seiner selbst ist.

Pikay will schwedisch werden. Je mehr Freunde und Kollegen an seiner Fähigkeit, in Schweden zurechtzukommen, zweifeln, desto mehr kämpft er darum hineinzupassen. Sein Streben, das Schwedische anzunehmen, ist von zentraler Bedeutung für ihn, das treibt ihn voran. Aber er hat Schwierigkeiten mit der Sprache. Zwar versteht er das meiste, was gesagt wird, doch spricht er die Worte oft falsch aus. Jedes Missverständnis, das aufgrund von falscher Betonung, einem falschen sch-Laut oder einem falschen Vokal entsteht, feuert ihn nur an. Er wird es schaffen! Es wird sich fügen! Er darf nur nicht aufgeben!

Im ersten Jahr in Schweden kommt auf dem Gang in der Schule ein Mädchen im Teenageralter auf ihn zu und fragt ihn, warum er denn nicht eine indische Frau geheiratet habe.

»Die würde besser zu Ihnen passen«, findet sie.

»Die Liebe kennt keine Nationalitätsgrenzen«, antwortet Pikay stur und geht auf den Schulhof hinaus, wo Lotta auf ihn wartet.

Er will alle Probleme besiegen. Er beginnt eine Ausbildung zum Gruppenleiter an der Volkshochschule Mullsjö bei Jönköping, lernt Skifahren, und zwar sowohl Langlauf als auch Abfahrt, macht eine Bergführerausbildung in Tärnaby und besteigt den Kebnekaise. Dann arbeitet er als Freizeitgruppenleiter im größten Sportverein von Borås, hält Vorträge in Kirchen und in örtlichen Rot-Kreuz-Gruppen, lernt, Zimtschnecken zu mögen und auf dem Pferd von Lotta und ihrer Schwester zu reiten. Er eignet sich immer mehr Fähigkeiten und Erfahrung mit den Dingen an, die die Schweden mögen, und findet, dass sie ihm allmählich als dem Menschen begegnen, der er ist, und nicht als dem Repräsentanten einer anderen Kultur.

Lotta und Pikay wohnen noch in der Wohnung in Borås, doch jeden Sommer ziehen sie aufs Land auf den ehemaligen Hof von

Lottas Großeltern in Kroksjöås am Såken. Da züchten sie Blumenkohl und Kartoffeln, unternehmen Waldspaziergänge und stellen sich vor, wie sie sich eines Tages im Haus im Wald niederlassen werden.

Im Sommer 1985 wird Emelie geboren. Und das nicht an irgendeinem Tag, sondern am fünfzehnten August, an dem achtunddreißig Jahre zuvor Indien die Selbstständigkeit von Großbritannien erlangte.

Sein erstes Kind wird am Unabhängigkeitstag Indiens geboren. Welch ein Zusammentreffen! »Heute fühle ich mich freier denn je«, schreibt er in sein Tagebuch.

Der Vater, die Brüder und die übrigen Verwandten zu Hause in Orissa betrachten das als ein Omen.

»Jetzt wachsen deine Wurzeln in die Erde, und du stehst fest verankert in dem neuen Land«, schreibt sein Vater in einem Brief und fügt noch hinzu, dass er hofft, Pikay habe seine indische Herkunft nicht vollkommen vergessen. »Ich freue mich darauf, von Emelies Namakarana-Ritual zu hören«, schreibt er.

Pikay muss sich zwingen, seine Aversion gegen die Religion zu verschweigen. Die Verwandtschaft in Indien wäre enttäuscht, wenn er keine Namensgebungszeremonie arrangieren würde, die das Pendant des Hinduismus zur christlichen Taufe ist. Elf Tage nach der Geburt ihrer Tochter vollziehen Pikay und Lotta das Ritual nach hinduistischer Tradition. Die dünnen Haarbüschel auf Emelies Kopf werden abrasiert, der schwedische Teil der Verwandtschaft wird versammelt – Pikays Verwandte aus Indien können sich nicht leisten zu kommen –, und Pikay liest alle glückbringenden Namen und Ehrentitel von Emelie vor, die der Vater geschickt hat.

»Den schwedischen Verwandten gefiel das Ritual nicht. Sie schauten auf Emelies rasierten Kopf, als würden sie einen Lagerinsassen betrachten«, schreibt er in sein Tagebuch.

Doch als drei Jahre später Emelies kleiner Bruder Karl-Siddhartha geboren wird, haben sie sich schon daran gewöhnt und nehmen das fremde Ritual mit sanftmütiger Beherrschung auf.

Nach mehreren Jahren mit Vertretungsstellen, Schwedischkursen und Volkshochschul-Fortbildungen schickt Pikay schließlich seine Zeugnisse von der Kunstschule in Neu-Delhi an die oberste Schulbehörde, um sie anerkennen zu lassen. Das schwedische Oberschulamt akzeptiert die ausländischen Zeugnisse, er wird bestallter Kunstlehrer und erhält eine feste Stelle an der Engelbrekts-Schule.

Zu Beginn jedes Schuljahres wirft er alle Stühle und Bänke raus und bittet die Schüler, sich im Schneidersitz auf den Boden zu setzen. Er will ihnen zeigen, dass er nicht nur ein Erwachsener ist, nicht nur eine verantwortungsbewusste, pflichtbewusste, kontrollierte Autorität, sondern auch ein Kind genau wie sie. Er macht die Vögel und die Raubtiere des Dschungels nach, legt sich auf den Rücken und strampelt mit den Beinen in der Luft oder nimmt dieselbe Yogastellung ein wie morgens zu Hause im Wohnzimmer, nur auf dem Kopf. Da lachen die Kinder und begreifen, dass man vor einem Menschen, der bereit ist, sich lächerlich zu machen, keine Angst haben muss.

Die Kobra hat ihn vor dem Regen geschützt, als er in der Hütte mit dem kaputten Dach lag. Die Glückskobra hat dafür gesorgt, dass er unbeschadet von Neu-Delhi nach Borås kam. Und auch in dem neuen Heimatland schützt ihn die Schlange: Als in der Engelbrekts-Schule die Abiturienten Zucker in den Tank der Autos von Lehrern und Rektor füllen, bleibt Pikay verschont. Niemand rührt seinen weißen 242-er Volvo an. Unter den Streithähnen in der Schule geht die Rede, Pikay habe eine Kobra auf dem Rücksitz.

»Fasst bloß nie das Auto des Inders an, da könnt ihr gebissen werden!«, warnen sich die Übeltäter untereinander.

Wenn er ganz vorn im Zeichensaal steht und seine Schüler betrachtet, muss er oft an seine eigene Schulzeit denken. Er denkt an all die vielen Male in der Grundschule, als die ganze Klasse inklusive Lehrer ihn, das unberührbare Schmuddelkind, den Paria, gemobbt hat. In Schweden ist es nicht möglich, mit einer ganzen Gruppe eine einzelne Person auszuschließen, und das ist ein Trost.

Doch selbst in Borås kommt es vor, dass jemand gemobbt wird. Wenn Pikay schwedische Schüler sieht, die einander peinigen, dann reagiert er oft mit unkontrollierbarer Wut. Einmal macht sich vor seinen Augen einer der bekannten Mobber über eines der üblichen Opfer her. Pikay reagiert instinktiv. Er schreit wie wild, das Schwedische wird schnell zu Englisch und dann kommt Oriya, seine Kindheitssprache. Die überwältigenden Gefühle sind schwer zu erklären, aber er nimmt an, dass sich die Wut, die er als Kind im Klassenzimmer in Athmallik nicht zeigen konnte, jetzt im Zeichensaal Bahn bricht.

»Kneel down!«, schreit er den Übeltäter an.

Das Brüllen wird von noch mehr Befehlen auf Oriya gefolgt, die im Raum keiner außer Pikay versteht.

Der Schüler, der sich bisher jeden Tag den Anweisungen der Lehrer widersetzte, kriegt es zum ersten Mal richtig mit der Angst zu tun und geht auf die Knie. Die wütenden Oriya-Worte klingen in seinen Ohren wie eine Verfluchung. Mit gebeugtem Nacken kniet er wie ein Kriegsgefangener, starrt auf den Fußboden und wagt nicht, auch nur einen Finger zu rühren. So lässt Pikay ihn für den Rest der Stunde stehen. Kontrolliert, erniedrigt, zu Nichts gemacht.

Einen Schüler zu zwingen, mehr als eine halbe Stunde zu knien, ist in einer schwedischen Schule keine akzeptierte Strafe. Pikay weiß das, doch in diesem Moment sind ihm die Regeln egal. Die Erinnerung an sein eigenes Ausgestoßensein ist zu stark. Die Wut, die sich so viele Jahre unter der Oberfläche angestaut hat, verdrängt alles andere. Hinterher schämt er sich für das, was er getan hat. Doch viele Jahre später ruft der Schüler Pikay an. Er ist betrunken und weint und dankt Pikay dafür, dass er damals so wütend geworden ist und ihn zurechtgewiesen hat. Hinterher bekommt Pikay außerdem noch einen Brief von ihm, in dem dieser seinem in Indien geborenen Lehrer noch einmal dafür dankt, dass er ihm »den Teufel ausgetrieben« habe.

Auch das Opfer lässt von sich hören und erzählt, dass der Tag, an dem Pikay den Mobber auf die Knie zwang, ein Wendepunkt für ihn gewesen sei.

»Danach hat mich niemand mehr gemobbt. Sie haben ein Muster durchbrochen, an das sich sonst niemand herangetraut hat«, erzählt er.

*Kroksjöås Gård*, fünfunddreißig Jahre, nachdem er zum ersten Mal eine Anemone gesehen hat. Der See gluckert, die Tannen rauschen, und vom Badeplatz am gegenüberliegenden Ufer klingt Kinderlachen über die dunkle Wasseroberfläche. Er liebt die Geräusche des nordischen Waldes.

Er sitzt auf einem weißen Gartenstuhl in dem gelben hohen Gras mit Mohn und Margeriten und denkt über sein Leben in Schweden nach. Fast ein ganzes Leben ist vergangen.

Ohne Lotta wäre ich untergegangen, denkt er.

Jetzt ist er in den Vorruhestand gegangen, um Zeit zum Malen zu haben. In all den Jahren als Kunstlehrer hat er selbst kaum etwas gemalt in seinem Atelier, das er zunächst in einer kleinen Wohnung im Zentrum von Borås hatte und später, nachdem sie auf Dauer in den Wald gezogen sind, in dem roten Schuppen neben dem gelben Holzhaus. Als irgendwann von ihm gefordert wurde, dass er in dem neuen Computersystem der Schule lange Beurteilungen über jeden Schüler verfassen solle, hat er die Chance ergriffen aufzuhören. Da hatte er einen Anlass, sich zurückzuziehen.

Nun ist er bereits mehrere Stunden auf, hat seine täglichen Yoga-Übungen gemacht, die paradoxerweise, seit er gegen seinen Willen Kurse halten musste, zu einer unverzichtbaren täglichen Routine geworden sind. Er hat auf der verglasten Veranda einen Ingwer-Tee getrunken und dann Masala-Omelett auf geröstetem

Brot gefrühstückt. Der Vormittag geht in den Nachmittag über, und in dem Haus mit Blick auf den Kroksjön sind eben die Kinder aufgewacht.

Sie sind jetzt erwachsen.

Emelie hat ihre Ausbildung im Fashion Management mit der Ausrichtung auf Marketing abgeschlossen und ist auf dem Weg in die Welt hinaus. Sie hat ein Praktikum in Kopenhagen absolviert, den Markt in London sondiert, einen Frühling lang in Mumbai gewohnt und auch Orissa besucht, um Verträge mit Webern abzuschließen, die Schals mit Ikat-Mustern herstellen.

Karl-Siddhartha tourt, seit er Teenager ist, als Discjockey alias Kid Sid durch Schweden und Europa. Schon als Sechzehnjähriger hat er die Schwedische DJ-Meisterschaft gewonnen. Das Geld, das er damit verdient, hat er in einen Helikopter-Flugschein investiert. Sein Traum ist es, als professioneller Helikopterpilot in Indien zu arbeiten und vielleicht Politiker oder Geschäftsleute in die unzugänglichen Teile von Orissa zu bringen.

Beide Kinder verspüren eine starke Neigung zum Heimatland ihres Vaters.

Der erste Kontakt, den die Kinder mit Indien hatten, war die Cousine Ranjita aus Athmallik, die, noch ehe Emelie und Karl-Siddhartha zur Schule gingen, zu Besuch in Borås war. Emelie fand die indische Cousine sehr seltsam. Obwohl sie schon groß war, wusste sie doch nicht, wie man mit Besteck aß. So was!

Im darauffolgenden Jahr nahmen Pikay und Lotta die Kinder zum ersten Mal mit nach Indien. Pikay machte sich Sorgen, wie das ablaufen würde. In seinem Schwedischkurs für Einwanderer hatte er gelernt, dass Kinder auf dem Fahrrad einen Helm tragen sollten. Dieses schwedische Sicherheitsdenken übernahm er, als wäre es eine Grundbedingung. Jetzt herrschte bei ihm keine indische Laisser-faire-Mentalität mehr, sondern schwedischer Helmzwang! Auch wenn sie in Indien nicht Rad fahren würden, könnte ein korrekter und geprüfter schwedischer Helm doch nicht von Schaden sein.

Es gibt so viele gefährliche Sachen, die in Indien passieren können, dachte er.

Deshalb hatte Emelie praktisch während ihrer ganzen ersten Indienreise einen blauen Fahrradhelm auf. Beim Spaziergang in den großen und den kleinen Städten, und wenn sie mit den Cousins und Cousinen auf den Feldern und Wegen ums Dorf spielten. So etwas hatten die Dorfbewohner in Athmallik noch nie gesehen.

»Hello, little girl«, sagten sie, lachten und klopften entzückt mit dem Zeigefinger auf den Helm, während die fünfjährige Emelie immer wütender wurde.

»Man weiß nie, was alles passieren kann«, mahnte Pikay, wenn Emelie jammerte und den Helm abnehmen wollte, unter dem sie schwitzte, sodass es juckte.

Es ist Sommer, und Pikay sitzt im Garten vor der kleinen Hütte, die auch zum Hof gehört, vertreibt eine hartnäckige Fliege und denkt über sein Leben nach. Er formuliert seine Erfahrungen für sich selbst, als würde er vor einem Schweden stehen, der gar nichts über Indien weiß. Stell dir vor, würde er sagen, auf allen wichtigen Posten in der Gesellschaft sitzt der Adel und der Klerus und du, der du nicht zu einer dieser Gruppen gehörst, bist ausgeschlossen. Stell dir vor, die Leute sind zu dir erst nett und offen, doch wenn sie hören, wie du heißt, rümpfen sie die Nase und wenden sich ab. Stell dir vor, alle Pfarrer Schwedens stehen vor der Kirchentür und schreien dich an, dass du abhauen und deine Religion woanders ausüben sollst. Und dann werfen sie noch eine Handvoll Kies nach dir, damit du schneller rennst, und knallen die Kirchentür zu und verriegeln sie. Und stell dir vor, dass sich das jeden Tag wiederholt, Jahr um Jahr und obwohl das Gesetz sagt, du hast dieselben Rechte und bist genauso viel wert wie alle anderen.

Er muss an ein Buch denken, über das er sowohl in den indischen als auch in den schwedischen Zeitungen gelesen hat. Es handelt von Phoolan Devi, einem unterdrückten und missbrauchten Mädchen aus einer niedrigen Kaste, die in kriminelle Kreise kam, zur Gangsterkönigin wurde und blutige Rache an ihren ehemaligen Peinigern genommen hat. Sie landete im Gefängnis, wurde dann freigelassen und sogar ins Parlament gewählt und war in ganz Indien bekannt. Durch Bücher und Filme wurde sie dann in der ganzen Welt berühmt. Doch am Ende wurde sie von den Angehörigen von jemandem, an dem sie sich gerächt hatte, ermordet.

Pikay denkt, das passiert, wenn man mit gleicher Münze heimzahlt. Die Blutrache erhält den Hass am Leben. Die Rache verlängert die Qual. Rache bringt niemandem etwas, denkt er und atmet tief den Duft des frischen Grases ein.

Ein Windhauch lässt die große Birke leise rascheln. Er schaut über den Såken, dessen Wasseroberfläche sich kräuselt.

Zur Abwechslung scheint einmal die Sonne über die regennasse, kleine schwedische Gemeinde. Er geht durch den verwunschenen Wald, der still und zuverlässig zwischen kahl geschlagenen Flächen steht. Steine und Erdhügel sind in weiches, feuchtes Moos eingewickelt. Es sieht aus, als hätte jemand eine Marzipanplatte heruntergeworfen, um aus der Natur eine riesige grüne Prinzessinnentorte zu machen.

Die hohen Tannen bilden ein Dach über seinem Kopf. Er hüpft von Stein zu Stein über einen murmelnden Bach. Dann kommt er auf eine Lichtung, auf der der Tau wie Silber im hohen Gras schimmert. Ein langer, rutschiger Holzsteg verläuft über eine sumpfige Wiese, und dann tritt der Wald zurück. Da ist er, der See Såken, heute glatt und glänzend. Am Sandufer liegen tote Baumstämme wie die vergessenen Bauklötze eines Riesen. Das Wasser ist dunkelbraun, fast wie Coca-Cola.

»Was für schönes Wetter wir heute haben«, stellt Pikay fröhlich fest, als er auf dem Schotterweg, der zur kleinen Hütte führt, den Nachbarn trifft.

Er muss an die widersprüchlichen Gefühle denken, die in ihm aufgewirbelt werden, wenn er in seinen indischen Heimatort zurückkehrt. Im Rahmen einer solchen Reise vor ein paar Jahren hatte ein hochrangiger Politiker in Orissa für Pikay, Lotta und die Kinder einen Helikopterflug arrangiert. Der Helikopter flog die Familie von der Hauptstadt des Bundesstaates ins Heimatdorf, wo sich die Dorfbewohner wie zu einem Staatsbesuch versammelt hatten. Der Aufwand und die Ehrung für Pikay, den unberührbaren Jungen, der jetzt solch ein glückliches Leben führte, waren gelinde gesagt überwältigend. Brahmanen-Mädchen, deren Väter einst Steine nach ihm geworfen hatten, gingen vor ihm auf die Knie, berührten seine Füße und hängten ihm ehrerbietig Kränze aus Tagetesblüten um den Hals. Doch auch wenn er heute von vielen Brahmanen im Dorf bewundert wird, möchte er ihre Macht nicht zu offen kritisieren. Das könnte, wenn er wieder in Schweden ist, zu Konflikten führen.

Einer seiner älteren Brüder, der erfolgreiche Eisenbahnchef in der Stahlstadt Bokaro, stellte gemäß den Forderungen der Regierung mehrere Unberührbare bei den Indian Railways ein. Eines Tages wurde er leblos auf dem Boden seines Bungalows gefunden. Die Haushälterin sah sein Gesicht, das mit jedem Jahr auf so geheimnisvolle Weise immer weißer geworden war, und entdeckte, dass er blauen Schaum im Mund hatte.

»Natürlicher Tod«, konstatierte die Polizei, aber die Familie und die Freunde bezweifelten das.

Sie zogen den Schluss, dass er die Brahmanen zu heftig herausgefordert hatte. Ein gesetzestreuer Staatsbediensteter, der die neuen Gesetze gegen Diskriminierung befolgte – das war einfach zu viel für die hohen Kasten. Sie haben ihn vergiftet. Und die Täter, wer immer sie waren, sind davongekommen.

Pikay geht zum Ufer und wirft einen flachen Stein über die glatte Wasseroberfläche. Noch einmal muss er an die Trauer und das

Unwohlsein denken, die ihn beschleichen, wenn er den Geruch von Räucherstäbchen riecht, hinduistische Tempelmusik und Gebete hört oder andere rituelle Texte auf Sanskrit liest. Doch inzwischen hat er einen Trick ersonnen. Er stellt sich vor, dass die negativen Gefühle eine Wolke sind, die eine Weile Schatten wirft, aber bald, sehr bald, weggeblasen wird.

Als er die Luft einatmet, spürt er den Duft von See und Schilf und hört entfernt das Planschen und Rufen der Kinder auf dem gegenüberliegenden Ufer. Der Wald schenkt ihm Frieden. Die dicken Baumstämme, die Nadeln, das Moos, die Flechten, das Blaubeerkraut. Lottas und mein Reich, denkt er.

Es wird Herbst, und die Regenwolken ziehen über Borås. Pikay zieht seine Gummistiefel an und geht in den Wald, wo der Regen durch das Astwerk der mächtigen Bäume herabrinnt und das Moos anschwellen und glänzen lässt. Er merkt, wie die Erinnerungen verblassen. Wenn er an sein Leben in Indien denkt und an die Fahrradreise nach Schweden, dann ist ihm, als wäre es ein anderer Pikay gewesen, der all das erlebt hat. Inzwischen bleibt er am liebsten zu Hause – malt im Atelier, unternimmt Waldspaziergänge, geht mit der Motorsäge raus und räumt auf, oder läuft wieder einmal zur kleinen Hütte und schaut über den Såken.

Pikay muss an die Rede denken, die er dieses Jahr in der Hochburg des schwedischen Adels, dem Riddarhuset in Stockholm gehalten hat. Da trug er einen dunkelblauen Anzug ohne Kragen und ein sandfarbenes Hemd aus indischer Rohseide, das weiß er noch. Der Schnurrbart war frisch gestutzt und die Haare glatt gekämmt.

Er hat dort vor den Mitgliedern des von Schedvin-Clans gesprochen, Lottas Verwandtschaft. Zwar hat er schon oft über sein Leben Vorträge gehalten, in Studienverbänden oder Schulen, für Gemeindemitarbeiter, Heimatvereine und Rentnerclubs, doch damals im Riddarhuset war er nervöser als sonst. Neben all den pompösen Bildern und Wappenschilden und dem feinen Porzellan in den Vitrinen kam er sich klein und unbedeutend vor. Aber er riss sich zusammen, trat ans Mikrofon und berichtete von seiner Herkunft, vom Dschungel und den Elefanten, von den Schlangen und Tempeln – und natürlich auch vom Kastensystem. Er wollte die Gelegenheit ergreifen, das indische Kastensystem mit der schwedischen Ständegesellschaft zu vergleichen. Priester, Krieger, Kaufleute und Arbeiter sagt man in Indien. Adel, Klerus, Bürger und Bauern sagt man in Schweden.

Dann hat er von der Prophezeiung erzählt, von der Liebe zu Lotta und der Fahrradreise nach Schweden. Das Schicksal, die Liebe, die Reise.

»Ich bestimme nicht selbst über mein Leben, und Sie, mein liebes Publikum, bestimmen nicht über Ihr Leben«, sagte er. »Sehen Sie mich an! Alles wurde so, wie das Geburtshoroskop vorhergesagt hat, und nicht, wie mein Vater, meine Lehrer oder jemand anders es gern gehabt hätten.«

Der Mensch hat einen freien Willen, das Schicksal bietet nur einen Rahmen, und die Deutungen der Prophezeiungen erkennen nur die Konturen des Lebens eines jeden Menschen. Pikay ist überzeugt, dass das Leben so funktioniert. Wie es seine Mutter Kalabati immer hoffnungsvoll formulierte: »Niemand auf dem Grund der Gesellschaft ist dazu verdammt, auf ewig unberührbar zu sein, und niemand in der höchsten Kaste kann damit rechnen, auf ewig bestimmen zu können, wer den Tempel besuchen und die heiligen Rituale vollziehen darf.«

Er hat seinen Zuhörern auch erklärt, dass es natürlich Gesetze gegen die Diskriminierung gibt und Quoten, die den Angehörigen niedriger Kasten helfen sollen, eine Ausbildung und Arbeit zu bekommen, aber dass in Indien nur ein Verbot des ganzen Kastensystems helfen könnte.

»Ein Verbot! Das ist meine Vision.«

Es gab noch mehr ehrenvolle Einladungen. Als die Utkal University of Culture in Bhubaneswar anrief und sagte, man wolle ihm einen Ehrendoktor verleihen, konnte er nicht widerstehen und reiste hin. Er fühlte sich geschmeichelt. Und war stolz.

Als ich klein war, haben sie mich in den Dreck geworfen, jetzt wischen sie mich sauber und stellen mich auf einen Sockel. Wenn man einen Unberührbaren mit einem Doktortitel ehren kann, dann geht es mit der Menschlichkeit voran, trotz Krieg und Elend.

Wieder trug er seinen dunkelblauen Anzug. Er holte tief Luft und betrat die Bühne. Unter den Scheinwerfern war es heiß, der Schweiß lief ihm über die Stirn, Hunderte von Augenpaaren starrten ihn an. Man gab ihm Blumen und hängte ihm einen orangenen Umhang mit golden glitzernder Borte über die Schultern. Die Preisrede zu seinen Ehren war, gemäß der indischen Tradition, überbordend und pompös.

»Ich war nicht immer so glücklich. Als junger Kunststudent habe ich versucht, mich umzubringen, und ich habe jeden Tag gegen den Hunger kämpfen müssen«, erzählte Pikay in seiner Dankesrede.

Dann fügte er höflich hinzu, dass er dank der Inspiration, die er von den Menschen in Orissa erfahren habe, so weit im Leben gekommen sei – immerhin bis zu einem gelben Haus im Wald vor Borås.

»Dankt nicht mir, dankt euch selbst«, sagte er mit einer Formulierung, die er einmal Olof Palme in einer Rede hat verwenden hören.

An einem frostigen Dezembermorgen besteigen Lotta, Emelie, Karl-Siddhartha und ich ein Flugzeug auf dem Flughafen Landvetter bei Göteborg, um in die Gegend zu reisen, die einmal das Königreich Athmallik war. Wir fliegen über die schneebedeckten Ackerflächen Dänemarks und die von Grünspan gefärbten Kupferdächer Wiens. Wir überqueren die trockenen Ebenen des Iran und die kahlen Berge Afghanistans, wo ich mich vor über dreißig Jahren mit meinem Fahrrad in die entgegengesetzte Richtung vorwärts kämpfte. Wir fliegen über die sonnendurchflutete Ganges-Ebene, wo die Züge, die mich damals von meinem Dorf wegbrachten, auf glänzenden Schienen vorankriechen. Unter uns liegt das Land des Waldvolks, wo das Grün dunkel ist und kugelig und wie Brokkoli aussieht, wir machen einen Schwung über die Bucht von Bengalen und dann landeinwärts über den langen gelben Sandstrand mit der Schwarzen Pagode, den Tempel des Sonnengottes mit dem magischen Sonnenrad – und landen in meiner Heimatgemeinde.

Wir mieten ein Auto und fahren auf immer schlechter werdenden Straßen an den Marktstädten Dhenkanal und Angul vorbei, biegen dann von der Hauptstraße ab und fahren auf einer noch schmaleren Straße von immer dichterem Dschungel umgeben das letzte Stück bis zu dem Dorf, in dem ich geboren wurde.

Am Anfang der Dorfstraße werden wir von einem Willkommensorchester begrüßt. Acht Männer schreiten bedächtig vor unserem gemieteten Chevrolet mit Vierradantrieb voran, der jetzt ganz langsam kriechen muss, um die Musikanten nicht zu überfahren. Es ist genauso wie beim letzten Mal, als ich hier zu Besuch war. Wie immer spielt das Orchester eine völlig verrückte Melodie. Trommeln, Klarinetten, Tuba. Und die Dorfbewohner stehen am Rand der Straße, starren die Prozession an und grüßen uns.

Wir wohnen in dem Haus zwischen dem Berg und dem Fluss. Das Haus haben wir gebaut, um einen Ort zu haben, an den wir zurückkehren können, jetzt, da sowohl Papa als auch Mama tot sind und das Elternhaus seit Langem nicht mehr existiert. Von hier aus kann ich auch die Wohltätigkeitsarbeit koordinieren, die ich in Gang gesetzt habe: die Wasserpumpen, die Schule und das Zentrum, das Unterricht für arme Frauen organisiert.

Ich will denen helfen, die nicht so glücklich waren wie ich, auch wenn es nur ein Tropfen auf den heißen Stein ist. Es gäbe so viel zu tun. Jeden Morgen versammeln sich arme Dorfbewohner vor unserem Haus, um Rat zu bekommen.

Wir gehen zum Mahanadi-Fluss, wo Frauen am Ufer Kleider waschen, Büffel und Kühe im fließenden, kniehohen Wasser waten und Krokodile sich auf den ausgedehnten Sandbänken sonnen. Mit uns kommt eine Gefolgschaft aus Männern, Frauen und Kindern aus dem Dorf. Neben mir geht mein persönlicher Leibwächter, ein Militär in schwarzer Baskenmütze und Tarnuniform, der von der Regierung des Bundesstaates geschickt und bezahlt wird.

Hinter uns geht der Barde des Dorfes, ein Brahmane, der immer wieder in völliger Willkür seinen Stock zum Himmel hinaufschwingt und triumphierend »Hari Bol!« ruft, was eine Huldigung Gottes ist. Er hebt die Hände und lacht rasselnd, wobei er die von vielen Jahren des Betelkauens rot gefärbten Zähne bleckt.

Eine Bewundererschar, ein Brahmane und ein Soldat. Ich habe den besten Schutz, den man sich denken kann.

Der Brahmane berichtet mir, dass er seit 1962 regelmäßig gelacht und »Hari Bol!« gerufen habe und deshalb keinen einzigen Tag krank gewesen sei. Gott belohnt die Hingebungsvollen. Aber Karl-Siddhartha wird die einförmige Formel leid und bringt ihm stattdessen bei, »Hallo!« mit Göteborg-Akzent zu rufen. Nun hört man den Brahmanen von morgens bis abends abwechselnd seine Gotteshuldigung und dann die für die Dorfbewohner unbekannten Worte in dem fröhlichen Tonfall rufen.

Auf halbem Weg zum Fluss lädt der Brahmane Lotta und mich in sein Haus ein. Drinnen im Dunkeln steht, wie in den meisten hinduistischen Häusern, ein Hausaltar, doch hier thront kein Shiva und kein Vishnu, sondern ein Bild ... von Lotta und mir.

Wir stehen da und sehen den Brahmanen auf die Knie fallen, die Hände heben und zu der Fotografie beten.

Ich sehe Lotta an, die den Kopf schüttelt und lächelt. Wir trauen unseren Augen nicht.

Shridhar.
Pikays Vater.

Kalabati. Pikays Mutter.

Pikay zwischen Vater und Mutter, vorn sitzen
der kleine Bruder Prabir und ein Cousin.

Selbstporträt: »Love to my Lotta«.

Pikay, von seinem Freund Tarique porträtiert.

Pikay zeichnet Porträts am Connaught Place in Neu-Delhi.

Eine schwedische alte Dame wird porträtiert.

Pikay trifft die Kosmonautin Walentina Tereskowa, die er kurz zuvor gezeichnet hat.

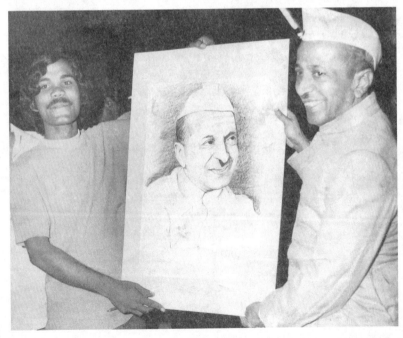

B. D. Jatti war der dritte Staatspräsident, den Pikay in Rekordzeit porträtierte.

Mit Freunden aus Orissa zu Besuch bei Premierministerin Indira Gandhi.

Lotta und eine Freundin
in Varanasi.

Das erste gemeinsame
Bild von Pikay und
Lotta, aufgenommen
in Neu-Delhi im
Januar 1976.

Pikay in seiner Wohnung in Neu-Delhi.

Pikay und Lotta in Lodi Colony in Neu-Delhi.

Wieder vereint nach der langen Reise mit dem Fahrrad.

Pikay und Lotta heiraten in Borås am 28. Mai 1979 – exakt zwei Jahre nachdem Pikay in Schweden angekommen ist.

Yoga auf dem Kopf auf der Konferenz für Blinde an der Volkshochschule Mullsjö.

Familie Mahanandia-von-Schedvin in einem Fotostudio in Sandared.

Die Familie: Emelie, Lotta, Pikay, Karl-Siddhartha.

Pikay und Lotta zu
Hause in Kroksjöås.